Lluvia fría de N

La serie el Do

POR
Lisa Beth Darling

Moon Mistress Publishing USA

Moon Mistress Publishing Nueva Londres, CT 06320

Copyright 2015—Lisa Beth Darling-Gorman

Arte de la portada Diseñado por Lisa Beth Darling Editado por: Donna Ruggeri y Cathy Chester Texto ambientado en Calibre 11

Carmelita-Copyright 1976-Letra y música de Warren Zevon

Este libro ha sido traducido del inglés original a esta versión de idioma usando un programa de computadora. Luego se ejecutó un segundo programa con un ser humano (principalmente yo, el autor) a la cabeza que luchó con el traductor de Google y más tratando de hacer de esta la mejor y más legible traducción que pudo. Desafortunadamente, el autor (otra vez soy yo) no habla/lee/escribe ningún idioma extranjero.

En memoria de
ébano clarke
Dedicado a:
GH y HL
Y, como siempre, Al Grandote

Libros de Lisa Beth Darling

Ficción:

DE LA GUERRA Serie

El corazón de la guerra

Hijo de la guerra: ha nacido un dios

Nochebuena en el Olimpo

Hijo de War-Rising Son

mujeres de guerra

reinos de guerra

Serie hermana cristiana

Génesis

Pecados del padre

Formas misteriosas

Hijo pródigo

La serie de documentos

en una calurosa noche de verano

Lluvia fría de noviembre

No me arrepientas

Novelas/Historias independientes

Tejedor de sueños

OBSESIÓN

El primer pecado (al sur del Edén)

besos en la oscuridad

No ficción:

La vergüenza del dominio eminente-Fort Trumbull

Una ventana a la herboristería mágica

Lisa's Lis-Help en el sureste de Connecticut

Visitalisabethdarling.com[1]para más información

---

1. http://www.lisabethdarling.com

Capítulo uno

El verano se había ido, las hojas de los árboles cambiaron de su verde exuberante y flexible a rojos y naranjas brillantes antes de caer al suelo señalando la llegada del invierno. En esta fría noche de noviembre, las hojas caídas crepitaban y crujían bajo los pies del doctor Mason mientras se dirigía al bar del vecindario. Esta sería la séptima vez que haría este viaje desde el verano. La séptima vez tendría la esperanza de encontrarse con ella, de verla sentada en la mesa del rincón más alejado, sola, con un martini en la mano. Cada noche ella acechaba sus sueños, su aliento caliente contra su cuello mientras susurraba 'Doc' en esa forma sensual suya. Incluso en sus horas de vigilia, solo pensar en la forma en que esas tres pequeñas letras rodaban de su lengua era suficiente para ponerlo duro.

Como cada vez que daba este paseo, al llegar al Hotel El Royale, miró hacia las ventanas de la habitación del cuarto piso para ver si la luz de ella estaba encendida. La mayoría de las veces, estaba oscuro allí arriba, pero algunas veces, había pasado para ver la luz encendida y vislumbrar a las personas que se movían allí arriba. Se paraba al otro lado de la calle mirando hacia arriba preguntándose con quién estaba ella y qué estaba haciendo por él. Se preguntó por qué había tenido la mala suerte de extrañarla de nuevo.

Esta noche la ventana estaba oscura. Rick sintió que el tinte inquietante de la soledad se apoderaba de él mientras continuaba su corto viaje.

El bar estaba ocupado esta noche, estaba lleno de gente fría y solitaria que buscaba un poco de cálida compañía o solo unas pocas risas.

"¡Hola, doctor!" Tonio, el cantinero, lo llamó.

Al principio, Rick no lo escuchó por el ruido, pero pronto levantó una mano en dirección al cantinero mientras cojeaba hacia un taburete vacío. Sus hambrientos ojos azules escaneaban a la multitud en busca de alguna señal de ella. Parecía que Fate estaba con él esta noche, justo cuando se sentó en el taburete, la vio sentada allí en la cabina de la esquina más alejada. Si no conociera tan bien su rostro, podría haberla extrañado, entre agosto y noviembre se tiñó el cabello de ese deslumbrante rojo fresa a un intenso y rico castaño rojizo. Ella estaba sonriendo y mojando sus dedos en las últimas gotas

6

de su martini para poder tomar las aceitunas y provocar al hombre sentado frente a ella.

Rick sintió que su corazón se desplomaba; ella estaba aquí pero ya había elegido a su presa para la noche.

Sintiendo que se le tensaba la mandíbula mientras intentaba decidir si quedarse o irse, Tonio le puso un vaso de whisky escocés en la barra. No tenía ningún sentido dejar que la buena bebida se desperdiciara. Dándole la espalda a su Mujer Misteriosa, Rick recuperó la bebida solo para descubrir que el gran espejo detrás de la barra le dio un mejor ángulo de su compañera para la noche; hombre, tal vez treinta, bien parecido. El tipo con suerte no sabía lo que le esperaba esta noche. La Mujer Misteriosa levantó su vaso vacío para llamar la atención de Tonio y, como buen bartender, Tonio se acercó a ella con un Martini recién hecho. Tomando el trago doble, Rick se miró en el espejo para mirar su reflejo, ella estaba mirando su espalda desde el rabillo de sus ojos verde pálido mientras conversaba con el hombre frente a ella.

Rick miró hacia otro lado preguntándose si era solo una coincidencia o si ella lo había notado sentado allí, así que se dio un momento mientras se demoraba con su bebida antes de mirarse en el espejo nuevamente. Esta vez no lo estaba mirando por el rabillo del ojo, lo estaba mirando directamente, más allá de él, en su reflejo. Cuando vio que él le devolvía la mirada, le sonrió. Tímido. Precoz. Lleno de promesas.

¿Estaba deseando que él hubiera venido allí? Tal vez. Sólo hay una forma de averiguarlo.

Rick se bajó del taburete y se dirigió hacia donde la pareja estaba enfrascada en una conversación ligera. "Disculpe", le dijo al hombre en la cabina, "usted está en mi asiento".

"¿Indulto?" Preguntó el hombre mientras miraba de él a ella. "¿Estabas esperando a este tipo?"

"En realidad", dijo en voz baja, "lo estaba". Estaba sorprendida y encantada por la franqueza del Doc. "Hola, Do-c".

Allí estaba, 'Do-c', tal como ella lo decía en sus sueños, con ese toque tímido extra que le dio a la 'c'. Le hizo querer derretirse. "Hola." Rick le dijo. "Tres son multitud." Le dijo al hombre. "Vamos a vencerlo".

"¿Qué demonios?" El hombre se quejó. Le había ido tan bien con ella que estaba seguro de que iba a tener sexo esta noche por la forma en que lo estaba desnudando con esos ojos inquietantes. "Odio los juegos".

"Yo también." Ella le dijo y gentilmente puso su mano sobre su muñeca. "Lo siento si te equivocaste de idea, aquí; déjame pagar las bebidas".

"Lo tienes, hermana". Se levantó y Rick dio un paso atrás para dejarlo pasar. "Ella es toda tuya". Tomó asiento en la barra y pidió otra bebida.

"¿Cómo está usted esta noche, doctor?" preguntó mientras Rick tomaba asiento frente a ella. "Mucho tiempo sin verlo."

A Ricardo Mason tampoco le gustaban los juegos: "¿Quieres seguir con esto? ¿Otro trago? ¿Un poco de cháchara? ¿O deberíamos subir a tu habitación ahora?"

"No hay necesidad de ser grosero, Do-c". Ella amonestó en voz baja. "Lo menos que puedes hacer es sentarte conmigo por un momento o dos mientras tomo otro trago. Después de todo, te dejé ahuyentar a mi cita".

Rick se inclinó sobre la mesa. Maldita sea, se veía bien esta noche, sentada allí con su cabello castaño rojizo recogido hacia atrás en una trenza, sus labios brillando con brillo rosado y la forma en que ese vestido de suéter verde oscuro se adhería a esas curvas hizo que sus regiones inferiores hormiguearan. La encontró más embriagadora que el alcohol ilegal. Rick tenía su parte de chica trabajadora y ella no era una de ellas, ni mucho menos. Podía dormir con alguien, pero no era una zorra, de hecho, tenía cierta elegancia tranquila sobre ella. "¿Cita? ¿Así es como lo llamas? Apuesto a que ni siquiera sabes su nombre".

La sombra de Tonio cayó sobre la mesa y ella se recostó para permitir que el cantinero pusiera la bebida frente a ella. "Toma", le dijo mientras le entregaba un billete de cincuenta. "Por favor, ponga las bebidas de los caballeros... no, las bebidas de los caballeros en mi cuenta".

"¿Quieres pagar por él toda la noche?" Tonio señaló con el pulgar al aspirante a amante rechazado.

"Solo el último, por favor. Quédate con el cambio".

"Lo tienes. ¿Quieres otro, Doc?"

"Sí, él lo hace." Ella respondió por Él. Cuando Tonio caminó, ella se inclinó sobre la mesa. "Veo que su paciencia no es su punto fuerte, Doc".

"¿Vas a decirme tu nombre esta noche?" Dijo con impaciencia.

La mujer suspiró profundamente. "¿Qué le pasa, Doc? Mi nombre, su nombre, su nombre... ¿qué diferencia hay?" Bebió el martini que había estado frente a ella mientras Tonio regresaba con el whisky de Rick.

Agradecido por la ronda fresca, la cogió y se bebió la mitad. "Llámame loco, pero me gusta saber con quién me estoy metiendo en la cama".

"Yo también, sin embargo, no pareció molestarte demasiado la última vez". Regresó con sedosa facilidad.

¿Cómo podría saber con quién se estaba metiendo en la cama si no sabía tanto como sus nombres? La mujer realmente tenía un gran tornillo suelto en alguna parte de esa hermosa cabeza suya. Debajo de la mesa, sintió que su pie descalzo se deslizaba sobre su tobillo y subía lentamente hasta la parte interna de su muslo. Ella se sentó allí bebiendo su bebida y mirándolo tan inocentemente mientras lamía las gotas de alcohol de sus labios humedeciendo una lengua ya tentadora. Ok, bien, ¿a quién le importaba cómo se llamaba? Aún así, "¿Qué tal una pista?"

Al otro lado de la mesa, esa sonrisa tímida se convirtió en una mueca completa y ella negó con la cabeza. "Pobre, doctor". ella arrulló. "Ya te lo dije, ¿no? Una rosa con cualquier otro nombre olería igual de dulce".

"Romeo y Julieta", reflexionó Rick en voz baja, "¿fanático de Shakespeare?"

"¿Eso te sorprende?"

"Entonces, así es como te seguiré llamando... Rose". Frente a él, ella sonrió con timidez. "Por cierto, Rosie, todo lo que haces me sorprende". Tomó un largo trago dejando que el cálido licor ámbar se deslizara por su garganta seca mientras los ojos de ella brillaban al mirarlo.

"¿Eso es bueno o malo?"

Rick negó con la cabeza, "Todavía no estoy seguro".

Con una mano delicada alrededor de su vaso y la otra deslizándose sobre el dorso de su mano, ella se inclinó sobre la mesa, "No trates de descifrarme, Doc, solo hazlo, te prometo que no te lastimaré. ¿Quién?" sabe? Puede que incluso te diviertas un poco en el camino.

Oh, sí, era un montón de diversión en un paquete muy pequeño. Tenía que haber una trampa. Cosas así de buenas no eran gratis y temía que al final de lo que fuera habría que pagar un alto precio por la sensación de su lechosa carne contra la de él. "No me vas a decir nada, ¿verdad?"

"Nada que no necesites saber," dijo suavemente y retiró su mano de la de él. "¿Qué dices? ¿Después de ti, Doc?"

Observándola deslizarse por la cabina para ponerse de pie, tomó el pesado chal de cachemira del perchero al final de la cabina. Era suave, borroso y de un verde intenso como su vestido de suéter. Él colocó la capa alrededor de sus hombros tomando en cuenta la brevedad del vestido que se aferraba a sus piernas varios centímetros por encima de la rodilla, las medias negras y los tacones de aguja verdes a juego. Contuvo la sonrisa pensando en la última vez que le había preguntado sobre esos zapatos y cómo los había 'conseguido por una canción'.

Envuelta en calidez, ella lo miró. "Gracias," dijo en un susurro que era casi triste.

"Soy un caballero o, bueno, a veces lo intento de todos modos". Él extendió su brazo libre hacia ella, ella lo miró por un momento tratando de juzgar si hablaba en serio o no. Al final, ella enlazó su brazo con el de él y él la acompañó fuera del bar mientras el hombre al que había echado de su cama esta noche les fruncía el ceño en el espejo detrás de un vaso bastante grande de Jack Daniels. "Vaya, Rosie, no creo que haya hecho un amigo". comentó.

A su lado, la mujer se reía. "Yo tampoco, doctora". Sin ser visto por ellos, el aspirante a amante abandonado de esta noche no era el único que los miraba en el espejo y estaba furioso.

La habitación del hotel estaba tal como la recordaba y tal como la había visto en cientos de sueños desde ahora hasta la última vez que la vio. La puerta se abría a la recámara, de la cual, a la derecha, estaba el baño, de frente estaba la sala de estar y esas ventanas a las que estaba tan acostumbrado a mirar desde la calle.

Aunque él no lo sabía, había muchas noches en que ella se sentaba en la silla junto a la ventana en la sala de estar a oscuras y lo miraba pasear por la calle de camino al bar o de camino a cualquier hogar que fuera para él.. A menudo se detenía bajo la luz de la calle y miraba hacia la ventana de ella mientras ella se preguntaba si tendría el coraje de subir solo a su habitación. Nunca lo hizo, simplemente se detuvo, miró y luego siguió su camino. Mientras caminaba por sus ventanas en esas noches, ella no pudo evitar preguntarse si la estaba buscando. ¿Había bajado a la barra a buscarla y, de ser así, qué pasaría si ella entraba unos minutos detrás de él? Siendo el tipo de mujer a la que, en gran parte, le gustaba dejar las cosas al azar y al destino, nunca lo siguió. Si ella volviera a encontrarse con él, estaría bien. Tal vez lo tomarían a partir de ahí, pero ella no lo perseguiría activamente ni a él ni a ningún hombre. Además, aunque venía a esta habitación de hotel más a menudo de lo que debería, no fue al bar hasta que la soledad se volvió insoportable y el dolor en ella clamaba por consuelo.

"¿Por qué no te pones cómodo?" Invitó mientras dejaba el chal en la silla y ponía su bolso encima. "Tengo que usar el Baño de Damas." Desapareció en el baño.

Todo ese alcohol en ella tenía que encontrar la salida en algún momento y él aprovechó la oportunidad para meterse dos Oxies en la boca. Su cadera estaba mal otra vez, un pequeño recuerdo de la Operación Tormenta del Desierto. Ahora que el clima se estaba volviendo frío y húmedo, dolía como un diente malo.

Rick aprendió a vivir con la lesión y esta noche tenía la intención de hacer muchas cosas que causarían una gran incomodidad en su cadera pero que traerían mucho placer al resto de él. Ponte cómodo, dijo y así lo hizo, Rick arrojó su chaqueta a la silla más cercana, se quitó las zapatillas de deporte antes de abrir silenciosamente el cajón de la mesita de noche para ver la misma variedad de juguetes y una nueva caja de condones. Detrás de él, la puerta del baño se abrió para revelar que el tema de esta noche era negro. Sujetador hacer subir negro bordado con flores de encaje, bragas a juego debajo de un liguero negro que sostenía medias de seda negras, de esas anticuadas con la costura subiendo por la espalda desde sus pequeños tobillos hasta esos hermosos muslos. Los labios de Mason se secaron mientras se le hacía agua la boca y su corazón comenzó a latir con fuerza.

"¿Me ha estado buscando, Doc? ¿Me está esperando?"

Rick se sacó la camiseta por la cabeza y luego palmeó el espacio vacío de la cama junto a él. "Ya no."

El Doc fue muy llamativo, especialmente para un hombre mayor. Nunca había tenido mucho interés en los hombres mayores hasta que él llamó su atención, aquellos con los que solía salir del bar tenían su edad, que era 38, o menos. Tenía un estómago plano y un pecho apretado, mientras que la mayoría de los hombres de su edad tenían neumáticos de repuesto bastante grandes, vello en la espalda y senos masculinos. Esas cosas eran del todo desagradables en lo que a ella respectaba. No el doc. Incluso con esa pierna que tenía, estaba en buena forma. A ella le gustaba su cabello gris plateado, ya que combinaba muy bien con esos llamativos ojos azules.

Sentado en la cama observándola moverse hacia él, Rick apreció completamente la forma en que sus caderas se balanceaban de un lado a otro y la forma en que sus labios brillaban después de que su lengua los lamiera. Lentamente alcanzando su espalda, Rose se desabrochó el sostén y lo dejó caer al suelo. Los pezones en esos pequeños senos impertinentes todavía estaban rosados y estaban muy duros mientras su mano recorría sus curvas haciendo que su polla se pusiera dura.

Apreció la tienda de campaña que él estaba armando con esos jeans azules desteñidos. Sus ojos brillaron y se mordió muy tímidamente el labio inferior mientras lo alcanzaba. "¿Has estado pensando en mí?"

Las yemas de los dedos largos y gráciles recorrieron su cuerpo desde sus senos, bajando por la curva de su cintura, más allá de sus caderas, "incesantemente". Rick admitió sin sentir que debería contenerse. Extendió la mano para tocarla y pasó las manos por su carne tan suave y alabastrina que parecía brillar en la luna llena de finales de otoño. "Estás en mi cabeza." Mañana, tarde y noche ella estaba en su cabeza y ahora finalmente estaba de vuelta en su cama. No iba a dejar pasar nada de la noche. Ella se inclinó hacia él y él tomó un pezón rosado en su boca mientras respiraba profundamente su esencia. Rick estaba un poco decepcionado de no recibir el dulce aroma de la madreselva. Ese que tan bien recordaba en sus sueños y que juraba oler durante el día. La decepción se convirtió en excitación cuando el embriagador aroma de la canela se instaló en su cerebro. Con los labios y la lengua chupando sus pezones, con la cabeza enterrada contra su pecho, escuchó los latidos de su corazón acelerando.

Como la última vez, lo empujó sobre la cama y se sentó a horcajadas sobre él. Ella lo miró fijamente con ojos brillantes y hambrientos. "Yo también lo he estado esperando, doctor". Ella susurró. Eso era cierto; ella lo había estado esperando. Había estado eufórica cuando lo vio entrar al bar esta noche. Se esforzó por no demostrarlo, pero de inmediato comenzó a idear formas de deshacerse cortésmente del hombre mucho más joven que había estado considerando para su compañía nocturna. Cuando Doc se acercó a la mesa y despidió al otro hombre como si no fuera más que una molesta mosca, ella estaba muy excitada. Sí, le gustaba un hombre que supiera cuándo ser hombre y hacerse cargo de la situación. Doc parecía ese tipo de hombre para ella.

Las cálidas manos de Rick se plantaron en cada una de sus caderas y luego subieron lentamente por la curva de su flexible espalda hasta la trenza en la parte posterior de su cabeza. Desatando la cinta que mantenía su cabello en su lugar, pasó los dedos por sus cabellos oscuros y ardientes hasta que estuvieron sueltos, salvajes y colgando libremente alrededor de su rostro y sus senos. Era mucho más largo de lo que recordaba que había sido el verano pasado, luego solo había caído en cascada a sus omoplatos. Tomando su hermoso rostro entre sus manos, la atrajo hacia abajo y la besó durante mucho tiempo, absorbiendo su sabor y el olor a canela que flotaba en el aire.

Canela.

El olor del otoño. De hojas crujientes, sidra caliente y tarta de manzana caliente. De noches junto al fuego, copas de vino y dulces besos como este.

A horcajadas sobre él, sus caderas se aplastaron lentamente sobre él haciendo que la entrepierna de los vaqueros desteñidos se humedeciera. Labios y pechos apretados, piel con piel liberada; ella se agachó entre sus propias piernas para desabrochar la ropa restrictiva que aún llevaba puesta. Antes de que pudiera liberarlo, Rick la hizo rodar sobre su espalda y le sujetó las manos detrás de la cabeza con una mano. Dejó escapar un profundo gemido y su espalda se arqueó fuera de la cama.

Sabía que a ella le gustaba lo duro, la pregunta era: ¿qué tan duro? Agarrando firmemente sus muñecas, las recogió mientras metía la mano en el cajón junto a la cama para sacar las esposas. Ella no se quejó en lo más mínimo cuando él la ató a la cama. Ahora sus manos estaban libres y ella estaba segura.

Debajo de él, en un pesado susurro, ella preguntó: "¿Qué está haciendo, Doc?"

"Nada que no quieras que haga, Rosie". Rick susurró de vuelta. Con endiablado deleite, le metió la llave entre los senos para que ella pudiera verla, pero no pudiera llegar a ella. Mirándola hacia atrás, era claro ver que estaba tan caliente en este momento que casi brillaba. Esos ojos límpidos brillaron con anticipación. Sí, así era como ella lo quería. Sin embargo, lo más probable era que no lo quisiera demasiado duro. Como la última vez, lo suficientemente duro como para hacerle saber quién tenía el control esta noche. Iba a deleitarse tanto como le fuera posible al descubrir dónde trazó ella esa línea.

Una y otra vez, en sus sueños, una cosa lo perseguía más que cualquier otra cosa, incluso más que esos ojos pálidos y dulces suspiros. No pudo darse el gusto la última vez que estuvieron aquí. Ahora que la tenía en una posición tan sumisa, y ella lo estaba disfrutando muchísimo, iba a permitirse ese acto desde la punta de la nariz, hasta los labios, la barbilla y al final, con suerte estaría empapado hasta el pecho con él. Lentamente, recorrió su cuerpo desnudo desde el cuello hasta el hombro, el pezón y aún más. Manos y boca vagando por donde quisiera, permaneciendo todo el tiempo que quisiera mientras la escuchaba suspirar y absorbía su fascinante aroma. Resulta que la Escuela de Medicina es buena para más que situaciones médicas. Un conocimiento íntimo de la anatomía femenina hizo maravillas fuera del hospital. De hecho, no podía recordar una clase que le gustara más y le costaba pensar en una que hubiera puesto en práctica con más frecuencia. Parecía que a ella también le gustaba. Había tantos lugares sutiles para tocar y saborear el cuerpo de una mujer. Tantos lugares por los que otros hombres pasaban sin un solo pensamiento, pero no entendían acerca de las terminaciones nerviosas, los puntos de presión y las endorfinas. Demonios, seamos realistas; la mayoría de los chicos no conocían la diferencia entre un gemido de placer y un gemido de dolor. seamos sinceros; la mayoría de los chicos no conocían la diferencia entre un gemido de placer y un gemido de dolor. seamos sinceros; la mayoría de los chicos no conocían la diferencia entre un gemido de placer y un gemido de dolor.

La mayoría de los chicos eran idiotas.

Él no era la mayoría de los chicos.

Definitivamente no tenía ningún dolor.

Cuanto más se acercaba a ese lugar suave entre sus piernas, más el olor almizclado de ella dominaba la canela que llevaba, se mezclaba con él, lo hacía más fuerte como el almizcle mezclado con especias. Las bragas de satén negro se deslizaron sobre los muslos negros de seda y pasaron sus zapatos hasta el suelo. Pensó en quitarse las medias y luego lo pensó mejor, ella podía dejarse esas y los zapatos puestos si quería. Haciendo su camino de regreso a esas hermosas piernas, Rick estaba casi babeando antes de llegar a donde realmente quería estar, solo siguió respirando más y más profundamente tratando de atraer más y más de ella hacia él. Ese olor parecía llenar tantos lugares yermos.

El aliento caliente rozó sus labios inferiores haciendo que el espacio de espera entre hormigueo y dolor para ser tocado. ¿Cuántos hombres se habían corrido y se habían ido entre ahora y la última vez que vio a su Doc? ¿Eran las ocho? ¿Quizás diez? Incluso se había encontrado buscando hombres mayores últimamente con la esperanza de reemplazarlo, pero no tuvo suerte con eso. No, ninguno de ellos era como él. Ninguno de ellos serviría.

Sus manos sujetas tiraron de las esposas de sus muñecas queriendo agacharse y tocarlo, pasar sus dedos por ese cabello plateado y sobre sus hombros. La frustración de saber que no podía solo hizo que lo deseara más mientras la caricia de la palma de su mano recorría la parte interna de su muslo. Sus ojos se cerraron mientras dejaba escapar un gemido acalorado.

Ese suave montículo de carne tersa se elevó para traerle más de ese olor lascivo que le hizo la boca agua. Quería que él la probara y eso era bueno porque ahora era el momento de averiguar cuántos pasos había hasta esa línea. Encaramado entre sus piernas, con la punta de la lengua temblando en la boca, la miró solo con los ojos. —Ruégame, Rosie. Ella le devolvió la mirada con esos ojos hambrientos, los que lo volvían loco, los que le suplicaban que hiciera lo que quisiera.

"¿Por favor, doctora?"

Por su incuestionable voluntad de cumplir, Mason pensó que el viaje hasta el borde de esa línea podría ser muy largo y extremadamente placentero, "Otra vez".

"Oh, por favor, ¿Do-c? Pruébame".

Que dulce invitación. Sería de mala educación decir que no ahora, ¿no? Escucharla no era suficiente, también quería ver su rostro. No cerró los ojos cuando la punta de esa lengua expectante salió para probarla por primera vez. Por encima de él, asegurada a la cama, dejó escapar un rápido gemido cuando sus ojos se cerraron y su espalda se arqueó aún más cerca de él. Era tan ácida y dulce como el aroma almizclado le dijo que sería. Quería más. Mucho más. Con ese fin, deslizó su dedo índice en ese lugar cálido y húmedo y ella se estremeció. Unos cuantos empujones lentos hacia dentro y hacia fuera y, sin piedad, se detuvo. Esperó a que sus ojos se abrieran de nuevo; cuando lo hicieron, estaban confusos y desconcertados. "¿Más?"

¡Él iba a burlarse de ella sin cesar! "Mal Doc", lo reprendió y lo vio darle una sonrisa astuta mientras la parte interna de sus muslos hormigueaba por la suavidad de los bigotes en su rostro.

"Horrible", asintió él entre sus piernas. "¿Más?"

"Sí", suspiró, "¿Por favor?"

"¿Por favor? ¿Por favor qué, Rosie?"

Involuntariamente sus manos se tensaron en los puños de nuevo mientras trataba de alcanzarlo. Burlándose de ella entre sus pechos que suben y bajan estaba la llave que la liberaría de esta prisión. "Por favor, más... por favor, Doc, no se detenga".

"Eso es mejor." Miró más allá de su rostro hacia sus manos que se esforzaban contra las frías esposas de metal mientras ella intentaba alcanzarlo. Rick tuvo que contener la sonrisa para que ella no lo pensara... malvado. La dejaría ir lo suficientemente pronto, pero no antes de que sus brazos se durmieran y fueran inútiles para ella por un tiempo. "A veces, Rosie, tienes que pedir lo que quieres". Él le diría que lo exigiera, pero, aunque a Rosie le encantaba, bromeaba y coqueteaba, a ella no le gustaba ser la dominante e incluso si él le decía que lo hiciera, ella podría rehuir. Rehuir era lo último que quería que ella hiciera esta noche, había esperado demasiados meses para eso.

"Te he extrañado, doctora".

Eso lo sorprendió, tales palabras fueron inesperadas. Tal vez solo era parte del juego mental que estaba jugando en esta habitación noche tras noche. Rick no dudaba que en noches como estas había mucho más que sexo animal involucrado, al menos en su cabeza. Algo le hizo pensar en esto y le gustaría mucho saber qué era. Las palabras lo llevaron a pensar que, tal vez en su mente o tal vez incluso en su corazón, era una súplica susurrada a un amante que nunca regresó. Deseaba saber su verdadero nombre, pero el que estaba usando era bastante agradable. "Yo también te extrañé, Rosie". Rick susurró con la boca sobre ese húmedo lugar de espera. Su aliento caliente se encontró con la tierna carne sensible allí e hizo que se le pusiera la piel de gallina en los muslos a cada lado de él.

La lengua suave y húmeda y el dedo dominante y gentil encontraron su hogar. Ella pensó que perdería la cabeza. Nadie lo hizo como el Doc. Todos los hombres que se corrieron y se fueron durante los últimos dieciséis meses... nadie lo hizo como el Doc. Parecía saber y de alguna manera incluso entender de qué se trataban estas noches para ella. Utilizó ese conocimiento en beneficio de ambos. Los otros hombres eran torpes, sin gracia, torpes y carentes de confianza en sí mismos. Eso fue lo mejor de ellos. Otros eran... egoístas. Eran... brutales. Algunos eran incluso... crueles. Se aprovecharon de lo que ella ofreció tan libremente y con avidez se lo robaron.

No el doc. Tenía confianza, tal vez incluso un poco arrogante y engreído, pero no era un patán o un bruto. No parecía tener un hueso cruel o una mala intención en su delgado cuerpo. Aventureros, sí, pero crueles y degradantes, no.

Durante casi dos años lo había observado antes de que su oportunidad finalmente llegara esa fatídica noche cuando él entró al bar en agosto pasado. Simplemente no podía dejar escapar esa oportunidad. No, no después de todas las veces que se había sentado en silencio en las sombras escuchándolo mientras él luchaba por un paciente u otro, escuchando la pasión y el fervor aumentando en su voz al ver cómo se apoderaba de su hermoso rostro. Se arriesgó. Se arriesgó. Al final, casi siempre tenía razón. De hecho, era una criatura muy extraña, ya que, a pesar de todos los riesgos que corría, el Doc era un hombre que podía admitir cuando estaba equivocado. Tal vez a él no le gustaba hacerlo... ¿quién lo hizo? Pero él podía hacerlo, incluso iría tan lejos como para decir que él sabía cuándo hacerlo.

A ella le parecía que The Doc sabía cuándo hacer casi todo.

Realmente muy extraño. Por otra parte, tal vez los médicos no eran del todo malos y tenían sus ventajas en el dormitorio.

Perdida en sus pensamientos y el placer entre sus piernas, no se dio cuenta cuando empezó a correrse y no se contuvo.

Fue la cosa más genial del mundo cuando un sueño caliente se convirtió en una realidad aún más caliente. Antes de que Rick se diera cuenta, estaba empapado en sus jugos calientes y húmedos desde la nariz hasta el pecho, tal como quería cuando comenzó esto.

Gracias, Profesor Collins y su Clase de Anatomía Femenina. Fueron los cuatro mejores créditos de todo el mundo.

Eso es lo que Rick pensó mientras se abría paso hacia ella, la lengua dejando un rastro largo y resbaladizo desde el espacio entre sus senos hasta la llave entre ellos. Sus brazos estaban bien y cansados ahora, sí, seguramente lo estaban. Sus ojos miraron los artículos en el cajón, pero los descartó. Tal vez más tarde le gustaría usar ese consolador, pero no ahora. Los ojos empañados de Rosie lo siguieron mientras sacaba la llave de su lugar de descanso, dejando que su mano se detuviera allí un largo momento para sentir el rápido latido de su corazón antes de abrir las esposas. "Ven conmigo." Sacó un condón de la caja.

Ansiosa por ver qué tenía en mente, Rosie hizo lo que le pedía y lo siguió fuera de la cama. Descubrió que sus brazos eran pesados casi como si alguien hubiera reemplazado el hueso con plomo.

Rick miró alrededor de la habitación. La pared con la cómoda tenía espacio, pero estaba contigua a la habitación de al lado, no quería molestar a los vecinos. La pared donde estaba la silla (la silla también se veía interesante, pero llegaría a eso más tarde junto con el consolador) había espacio allí y había otra pared entre ellos y luego nada más que la calle más allá. "Aquí." Él tomó su mano y la condujo hacia el espacio vacío. Era bajita, pero no demasiado, y esos tacones definitivamente ayudarían, lo excitaban con solo mirar la forma en que la conducían desde el suelo, subiendo esas medias negras hasta su trasero desnudo. Contra la pared, si doblaba profundamente la rodilla, lo que sería una ventaja para él al final, aunque más tarde sería un asesinato en su pierna. Era un pequeño precio a pagar por alcanzar tales alturas de placer. "Mira hacia la pared, Rosie.

Con el corazón dando un vuelco, se volvió hacia la pared, puso las manos contra ella y esperó. Lo siguiente que supo fue que su mano estaba entre sus omoplatos empujándola aún más hacia la fría placa de yeso empapelada. Trató de alejarlo, pero su brazo no se movía, cuando trató de forzarlo su hombro gritó en señal de protesta. Detrás de ella, el Doc presionó su cuerpo desnudo contra el de ella y dio su siguiente orden.

"Distribúyalos". Rick le susurró al oído. "Ancho."

"¿Doc?"

Rick agarró un puñado de sedoso cabello castaño rojizo con su mano libre y le dio un tirón firme. "Hazlo." Rosie vaciló, pero no dijo 'no' y no dijo 'basta'. "Ahora, Rosie, bonita y amplia". Cuando sus labios encontraron la nuca de su cuello, esas hermosas piernas se abrieron al ancho de los hombros. Cuando mordió, se extendieron un poco más y su trasero firme se arqueó hacia él.

Sabía que aún quedaba mucho camino por recorrer antes de encontrar esa línea.

Rosie estaba lista y Rick estaba más que listo cuando abrió el envoltorio para hacer lo correcto antes de deslizarse dentro de ella.

Su cara presionada contra la pared mientras gemía su nombre; "Doc."

Quería ver ese hermoso rostro y usó ese mechón de cabello para girar su cabeza mientras comenzaba a entrar y salir de ese agujero apretado y caliente. El que había estado soñando.

El que había estado esperando que él llenara de nuevo.

Tal vez un Viagra hubiera sido una buena idea. La próxima vez.

¿La próxima vez?

Sí, oh sí, definitivamente... la próxima vez. No vino aquí esta noche solo para salir con las pelotas más ligeras. Quería un nombre, un número de teléfono, al menos una dirección de correo electrónico.

La forma en que se volvió hacia él expuso su cuello, tan vulnerable y sabroso que comenzó a brillar con una capa de sudor. Enterrando su rostro con bigotes en el espacio en el que respiraba el aroma de canela y sexo, se maravilló de la forma en que ella cambiaba su aroma con las estaciones. ¿Hizo eso a propósito? Ella debe. Rosie olía ligero y ventoso en verano y embriagador en otoño, era solo otra forma de atraer a la presa adecuada. Como él.

Afortunado follándolo.

Perdido en sus propios pensamientos y deseos, con los ojos en blanco detrás de los párpados cerrados, Rick no se dio cuenta cuando el mordisqueo se convirtió en mordisqueo y luego en un fuerte mordisco. No fue hasta que el sabor salado de la sangre encontró su lengua que se retiró, pero no al principio, no de inmediato. Dejó que se quedara en su lengua y resbalara por la parte posterior de su garganta antes de darse cuenta de que tenía que estar lastimándola. Si continuaba, solo un poco más de presión de sus dientes rompería la piel y bien podría salir con un trozo de carne en la boca. Mirando hacia abajo por el rabillo del ojo, vio a uno de esos demasiado cansados para levantar los brazos tratando de alcanzarlo y apartarlo. Otra cosa de la que no se dio cuenta fue que sus embestidas coincidían con la presión de su mandíbula. Los delgados dedos de esa mano indefensa se flexionaron y se estiraron y se flexionaron y se estiraron. Debajo de su pecho, su respiración era superficial y controlada. Las piernas debajo de ella, las que terminaban en esas bombas de ven-fóllame amenazaban con ceder. Parecía que, sin saberlo, Rick encontró esa línea.

Todavía no dijo 'no', no dijo 'para'. No, lo que dijo Rosie, lo que logró croar con un nudo en la garganta fue;

"¿Doc?"

El dolor no era el objeto de El Juego, no para él y por mucho que ella lo soportara, tampoco para ella. Tal vez era cierto y la mayoría de los chicos realmente no sabían la diferencia, pero Rick vivía con suficiente dolor como para saberlo cuando lo escuchaba y tenía la sensación de que Rosie también lo sabía. Noches como esta eran para caminar por el filo de la navaja no para atravesarlo. Aunque tomó un poco de esfuerzo y una cantidad de autocontrol que no estaba acostumbrado a ejercer, Rick se echó hacia atrás y se tranquilizó. Se obligó a abrir la mandíbula para liberar la tierna carne atrapada allí, dejó que su lengua lamiera el lugar herido tomando lo último de su sangre a pesar de que sabía que no debería hacerlo. Era tan tierno y dulce, cuando su lengua lo recorrió y sus labios lo besaron, ella pareció derretirse contra la pared. La mano que se estaba flexionando y tratando de golpearlo yacía inmóvil mientras intentaba sostener a su dueño sobre sus pies con tacones de aguja. A ella no le importaba la fuerza de sus embestidas... no demasiado a juzgar por la forma en que una vez más arqueaba ese fino trasero hacia él... eran sus dientes en su cuello. Él usaría eso a la ligera de aquí en adelante. La mano en su cabello dio otro tirón firme. Sus ojos se abrieron y dejó escapar un gemido que haría llorar a los ángeles. Estaba de vuelta al lado derecho del filo de la navaja. "Sé que me has estado esperando, Rosie. Sueñas conmigo". No supo si tenía razón cuando pronunció las palabras, pero su respuesta le dio todo lo que necesitaba para confirmar su verdad. Otra verdad era que no podía aguantar mucho más. Doblando profundamente la rodilla, Rick dio un empujón largo y lento hacia arriba. "Vamos, Rosie,

¿Era cierto? ¿El Doc soñó con ella? ¿Qué importaba si era mentira? Todo el asunto era una mentira, ¿por qué no disfrutarlo mientras duró y antes de que la ilusión se hiciera añicos? ¿Dónde estaba el daño en eso?

Por el momento, no estaba en ninguna parte que ella pudiera ver.

"Hazlo, Do-c. Adelante. Tómalo como quieras. Fóllame".

Las últimas dos palabras lo golpearon como una bofetada en la cara y fue el turno de Rick de estremecerse. No sabía por qué debería encontrarlos tan feos aquí y ahora. Después de todo, ¿qué más estaban haciendo sino follando? Sin embargo, la palabra era repulsiva y una parte de él deseaba que ella no hubiera abaratado este momento. Por otra parte, tal vez eso era lo que necesitaba para superarlo todo. "Que te jodan bien". Le susurró en su oído. Con su espalda contra su pecho, la sintió encogerse y temblar cuando la palabra salió de sus labios. A ella tampoco le gustaba, pero lo necesitaba.

Presionada contra la pared de la habitación del hotel, la mujer que Rick conocía como Rosie, se rindió a él y al resto de la noche.

Cuando el amanecer amenazó con llegar, la caja de troyanos estaba vacía, todos los agujeros en ella habían sido llenados y todos los juguetes habían sido usados. Agotado y sintiendo como si todos sus huesos hubieran sido reemplazados con helio, Rick se levantó de la cama. "¿Adónde va, doctor?"

"No me gusta despertarme solo". Allí fue donde lo dejó la última vez; solo. Si eso iba a suceder después de una noche como esta, preferiría hacerlo en su propia cama.

ella no debería No, no debería. Absolutamente. Afirmativamente. No debe. Ella nunca hizo esto. ¡Se juró a sí misma cuando esto comenzó que nunca haría esto!

"Quédese, doctor". Rosie suplicó desde la cama mientras se acercaba a él. "No te despertarás solo".

Se quitó la camiseta y volvió a subirse a la cama para tomarla en sus brazos.

Por la mañana, cuando despertó, ella seguía allí. Durmiendo plácidamente sobre su hombro y sonriendo levemente mientras soñaba. Mirando hacia la ventana vio que estaba lloviendo. Era domingo. No tenía adónde ir ni nada que hacer. Nadie lo esperaba. Si él quisiera, si ella quisiera que lo hiciera, entonces podría pasar el día aquí en esta cama con ella. Al pensar en ello descubrió que tenía una buena cantidad de leña matinal. ¿Cómo podría ser eso después de anoche? Sin embargo, lo fue. Allí estaba ella, suave, cálida y esperando. Silenciosamente alcanzó la caja solo para recordar que estaba vacía.

¿Qué importaba ahora? Tomó su sangre anoche y si ella tenía algo que era tratable pero no curable, él ya estaba en riesgo. Estaba limpio, lo sabía porque se hacía la prueba dos veces al año. hacer subir y todo, el SIDA fue una verdadera desventaja. Rosie no estaba enferma, lo peor que podía pasar... tal vez... era que quedara embarazada. Mirándola, viéndola dormir, pensó que no era tan mala idea. Podía enamorarse de ella y ni siquiera sabía su nombre.

¡Peligro, Will Robinson! ¡Peligro! ¡Peligro!

Afuera, la lluvia caía suavemente contra la ventana proyectando un suave resplandor gris sobre la habitación. Rick rodó a la mujer dormida sobre su espalda y se sentó a horcajadas sobre ella justo cuando sus ojos se abrieron. "Buenos días, Rosie".

"Buenos días, doctor". ella arrulló. Había estado tan segura de que él se escabulliría en medio de la noche. Todavía estaba aquí y se deslizaba dentro de ella otra vez... y.. sus manos se estiraron y agarraron sus caderas antes de que pudiera deslizarse completamente dentro. "¿Doc?" No había condón entre ellos. Finalmente, eran carne a carne. Los hombres a menudo se quejaban de que los condones hacían que el sexo se sintiera extraño o que no podían sentir nada, pero no se dieron cuenta de que lo mismo ocurría con la mujer involucrada.

Sosteniéndose sobre un codo, usó la otra mano para alejarse. Entrelazó sus dedos con los de ella y le sujetó el brazo por la cabeza sobre la cama. "Está bien, Rosie, no tengas miedo. Está bien, realmente soy médico".

Lo sé... eso era lo que ella quería decir. Lo sé, usted es el doctor Ricardo Mason y es propietario de un tercio del Centro de Investigación y Bienestar de Mountainside, donde es el jefe de Medicina Exploratoria. Por supuesto, ella no dijo tal cosa.

El increíble sexo que habían tenido la noche anterior y el de hace unos meses no se acercaba a lo que hicieron a continuación en ese domingo lluvioso.

Ella podría enamorarse de él. No debe hacerlo, pero podría hacerlo. Por ahora, podía sentir y podía soñar.

Rick y su encantadora dama Rosie pasaron el día haciendo el amor en la habitación del hotel.

Yo

Ricardo Mason no salió del hotel El Royale hasta casi las 6:00 p. m. del domingo por la noche y cuando lo hizo, el hombre detrás del escritorio le dedicó una extraña sonrisa que lo irritó. "¿Qué?"

"Es una locura", reflexionó el joven, "solo, ah, vi a muchos muchachos ir y venir de allí", señaló hacia arriba, a la habitación en el cuarto piso con un dedo flaco. "Eres el único al que he visto dos veces. Debes gustarle".

A Rosie le caía bien, pero no lo suficiente como para decirle su nombre. No es lo que ella hizo. Donde ella vivía. De dónde era o hacia dónde pensaba que iba. Ella seguía siendo un completo misterio a pesar de que él la conocía más íntimamente. No tenía planes de volver a verla ni forma de ponerse en contacto con ella más que buscar la luz cuando pasara por la calle.

Capitulo dos

Llegó el lunes por la mañana y Rick se arrastró fuera de su solitaria cama donde se había derrumbado alrededor de las 9:00 p. m. la noche anterior. Después de una ducha caliente en la que se arrepintió mucho de quitarse el olor de ella, y tres Oxies para aliviar el dolor en su cadera demasiado tensa, oh tan agradablemente usada, durmió profundamente toda la noche.

Sus subordinados lo estaban esperando en su oficina, esperando que comenzara el día, Mason llegaba tarde otra vez. La mayoría de ellos se preguntaba si el hombre tenía un reloj despertador y mucho menos sabía cómo usarlo. Mientras estaban allí sentados charlando sobre lo que habían hecho durante el fin de semana, un sonido extraño comenzó a llegar por el pasillo desde el exterior de la oficina.

"¿Alguien está silbando?" preguntó Goodspeed mientras se sentaban alrededor de la mesa diferencial.

El silbido se detuvo y comenzó el canto, "Carmelita-aaaa... abrázame más fuerte, creo que me estoy hundiendo. Y estoy drogado con heroína. En las afueras de la ciudad".

"Será mejor que no lo esté", dijo Steward mientras se levantaba de la mesa justo cuando el Doctor Mason apareció a la vista fuera del cristal. Estaba... paseando... por el pasillo, con la cabeza echada hacia atrás, cantando la melodía de su iPod como si no tuviera ninguna preocupación en el mundo.

"Bueno, estoy sentado aquí jugando al solitario con mi mazo de mango de perlas. El condado no me dará más metadona y cortaron tu cheque de asistencia social". Silbando una vez más, abrió la puerta, se volvió hacia su equipo, sonrió y dijo; "Buen día."

"Awww, mierda", Wylds se quejó levantando las manos en el aire, "¿en qué estás ahora?"

"Alto en la vida", replicó el doctor Mason. "¿Decepcionado?"

"No, simplemente no te creo, eso es todo".

"Lástima", intervino, "¿tengo algo interesante o estamos todos sentados sobre nuestros traseros hoy?"

No había nada que realmente despertara el interés del Doctor Mason en este momento, pero eso no significaba que sus habilidades no pudieran ser utilizadas. "Hombre de cuarenta años", comenzó Wylds.

"No me interesa," el Doctor Mason lo descartó. "seguir."

"¿No quieres escuchar los síntomas?" Ella preguntó.

"Tal vez más tarde. ¿Quién sigue?"

"Mujer de veintiún años", comenzó, hizo una pausa y luego continuó cuando él no le dijo que se detuviera. Supuso que preferiría a la joven sobre el hombre de mediana edad. "Presenta sequedad severa en la boca, visión doble y borrosa, apenas puede leer la tabla optométrica, dificultad para respirar y vómitos".

"¿Resaca?"

"Informe toxicológico dijo que no y su hermana, que la trajo y tiene veintitrés años en caso de que te interese, dijo que anoche fueron a ver una nueva película de terror y luego se fueron a casa". Arrojó la carpeta sobre la mesa. "De todos modos, ella es negativa para el alcohol, lo que aún debería aparecer si estuvo borracha anoche".

"¿Alguna otra droga ilícita?"

"Pot", Wylds se encogió de hombros. "Ella dice que se sintió mal durante unos días, se sintió un poco mejor ayer, así que fue al cine, pero esta mañana tuvo problemas para ponerse de pie cuando se levantó de la cama".

"Podría ser el síndrome de Guillian-Barre", sugirió Steward sin mucho interés.

Bueno, una pequeña ronda de Quién tiene razón y Quién está equivocado siempre fue divertida. "Podría ser miastenia grave", respondió el doctor Mason. "Pongámonos a trabajar."

El resto del día transcurrió tan bien como cualquier otro día, pero la pequeña y bonita paciente de veintiún años seguía empeorando. Eso no era nada nuevo. A menudo empeoraban antes de mejorar. Alrededor del mediodía, el doctor Spaulding entró en la oficina.

"Sabes, escuché la cosa más extraña hoy", comentó, "sonaba como si estuvieras cantando". Mason se quedó allí sentado mirándolo. "Otros también lo escucharon y dijeron que no sabían que tenías una voz tan hermosa", bromeó. "Las enfermeras en realidad tenían cosas buenas que decir sobre ti hoy". El tono de su voz creció ligeramente. "¿Qué está pasando, Mason? ¿Qué nueva droga estás tomando?"

"Caramba, un buen día y todo el mundo piensa que estoy en la heroína o algo así". Él se quejó. "¿Qué? ¿No puedo tener un buen día? ¿Eso no está permitido?"

Spaulding se quedó allí mirando a su viejo amigo que tenía los ojos brillantes, no estaba pálido en lo más mínimo, no temblaba ni se rascaba y simplemente parecía... "Este no eres tú, Mason, en realidad te ves... me atrevo a decirlo... mareado".?" Se inclinó más cerca. "¿Quién es la nueva prostituta?" Eso hizo que Mason sonriera ampliamente y soltara una risita. "Ah, eso es todo. Entonces, ¿quién es ella? ¿Te importaría compartir su número? Me vendría bien".

"Sé que podrías, pero lo siento, ella no es una prostituta", dijo Mason mientras se levantaba y salía de detrás del escritorio.

"¿Quieres decirme que tuviste una cita real con una mujer real? ¿Una por la que no pagaste?" Para Spaulding eso fue asombroso. Que él supiera, Mason no había tenido una cita real desde la ruptura de su cuarto y último matrimonio hace casi cinco años. El whisky escocés, la pornografía en Internet y las prostitutas ocasionales se habían convertido en el alivio sexual preferido de Mason desde entonces.

"Algo así como."

"Bueno, ¿quién es ella? ¿Cómo se llama?" Spaulding preguntó emocionado. Esta era una gran noticia y estaba un poco molesto porque Rick había podido ocultárselo. Ahora que lo sabía, quería escuchar cada detalle.

¿Cómo se llama? Pequeño punto de fricción. "Ni idea."

Spaulding gimió. "¿Oh, veo que tuviste sexo al azar con una mujer que recogiste en un bar? Típico".

"No, con una mujer al azar que me recogió en un bar". Rick corrigió. "Otra vez", sonrió con picardía.

"Bueno, al menos no tuviste que pagar por ello". Spaulding le tendió la mano. "Oh, espera, ¿era la mujer de la que me hablaste durante el verano?"

"Sí." Dijo felizmente. "Me encontré con ella el sábado por la noche, salí de su habitación de hotel el domingo por la noche".

"Bien por usted." Spaulding elogió. "No sabía que todavía lo tenías dentro, perro viejo".

"En realidad... 'eso' estaba en ella." Rick canturreó.

"Crudo, pero está bien". Spaulding asintió con una sonrisa. "¿Y no sabes su nombre? ¿Vas a volver a verla? Ella debe ser realmente algo, ¿eh?"

Antes de que Rick pudiera responder, Wylds corrió a la oficina para decirles que el paciente ahora estaba experimentando un grado de parálisis. Los tres corrieron hacia su habitación.

Yo

Triste y sola, se sentó junto a la cama sosteniendo su mano aún cálida. Siempre estaba quieto. Él nunca más curvó sus dedos alrededor de los de ella. Nunca abrió los ojos. Nunca le sonrió ni le dijo que la amaba. Sin embargo, ella todavía se sentaba aquí casi todos los días, tomándolo de la mano, hablándole, leyéndole, con la esperanza de que algún día se despertara. No había esperanza de eso. Durante los últimos dos años, se acostó aquí en esta cama sin moverse ni hacer un sonido. Los médicos dijeron que no tenía ningún dolor y que podría seguir así otros cinco o diez años, tal vez incluso más. Limpiándose una lágrima de sus ojos pálidos, respiró hondo. "Tommy entró en el equipo de fútbol, Craig. Primera fila". Dijo tratando de mantener su voz ligera. "Sé cuánto te gustaría verlo jugar. Está muy orgulloso. También es bueno, el entrenador dice que es de primera clase. Te extraña, sé que no viene seguido, pero es solo un niño, tienes que perdonarlo." Le dio unas palmaditas en la mano y luego se la llevó a los labios.

"¡Está empeorando porque no es Guillian-¡Barre, es miastenia gravis y su tratamiento la está empeorando!"

La voz estaba un poco más abajo en el pasillo, pero cada vez era más fuerte. Miró el reloj de diamantes que llevaba en la muñeca, un regalo de bodas de Craig hace apenas cuatro años. Era más de mediodía y, por lo general, el Doc ya estaba en la cafetería almorzando. Hoy no.

"No es miastenia",

Otra voz y se le unió una tercera diciéndoles a los otros dos que se calmaran, esto no estaba ayudando en nada al paciente.

Las persianas de la pared de cristal detrás de ella estaban abiertas. Dudaba que tuviera suficiente tiempo para levantarse y cerrarlos antes de que él apareciera a la vista. Le dio la espalda por completo a la pared de la ventana y contuvo la respiración.

Los doctores Mason, Steward y Spaulding caminaban rápidamente por el pasillo pasando por la sala de coma mientras discutían. Mason casi había pasado cuando la mujer en el interior llamó su atención o más bien lo hizo el color fresa de su cabello. Estaba recogido en una cola de caballo, vestía un suéter blanco de pescador y jeans azules desteñidos mientras estaba sentada en la cama sosteniendo la mano del hombre en la cama.

"Mira, Mason, es Guillian-Barre, encaja perfectamente..."

"Si encajara, el tratamiento estaría funcionando", intervino Mason tratando de mantener un ojo en Steward y otro en la mujer en la habitación. ¿Se estaba alejando de él a propósito? Tratando de ocultar su rostro. Así parecía, cuanto más se acercaba a donde ella estaba sentada, más giraba la cabeza en la otra dirección y la lanzaba hacia el suelo. ¿Qué había en el suelo tan interesante que no podía quitarle los ojos de encima? Si esperaba ocultar su rostro, no estaba funcionando para ella porque Él pensó que conocía la parte posterior de esa cabeza demasiado bien. Debería haber un gran moretón en el costado de ella...

Mientras él lo buscaba, ella se llevó la mano al cuello como si le doliera y se lo frotó. ¿Estaba tratando de cubrir el moretón que le habían dejado los dientes? ¿Era realmente ella?

Mientras corría por el pasillo, no pudo evitar estirar el cuello para mirar hacia atrás y ver que ella se volvió en la otra dirección. Todavía de espaldas a él e incapaz de mirar esa cara bonita, sabía que era ella.

"¡Masón!" Steward exigió. "¿Qué estás mirando?"

"Ya voy, deja en paz al viejo gimp". Quería separarse del pequeño grupo y entrar en la habitación, queriendo agarrarla por la barbilla y girar su rostro para mirarlo y así poder estar seguro. En este momento, tenía que atender al paciente. "Se supone que debes ser amable con los veteranos, ¿sabes?" En su camino de regreso la vería mejor.

Durante veinte minutos, estuvieron dando vueltas sobre el diagnóstico, pero al final, cuando regresaron las pruebas, ambos estaban equivocados. El paciente tenía botulismo. Veintiún años y ella había ido a un cirujano plástico no certificado por la junta y había recibido inyecciones de BoTox contaminadas dos semanas antes. ¿A qué se dirigía el mundo cuando una mujer que apenas tenía la edad suficiente para beber estaba arriesgando su vida para deshacerse de las arrugas inexistentes de su rostro?

"¿Quieres almorzar?" preguntó Spaulding, pero Mason se detuvo frente a la sala de coma. "Puedes contarme más sobre tu mujer misteriosa... mucho más". Entrenó alegremente.

Mason entró en la habitación ahora sin nada más que los pacientes y sus monitores. Caminó hacia la tercera cama, la que estaba en el medio de la habitación, en la que había estado sentada la mujer. Podría ser solo su imaginación, pero ¿era ese el olor a canela que flotaba en el aire? Mirando hacia abajo, tomó el gráfico; Craig Miller, de 39 años y residente del Coma Ward de Mountainside durante los últimos dos años. Contacto de emergencia; Esposa, Julia Miller. "Una rosa con cualquier otro nombre", murmuró. "Slick. Pero te tengo ahora."

"¿Mazo?" Spaulding preguntó desde la puerta. "¿Almuerzo? Estoy comprando... como siempre."

Mason devolvió el gráfico. "No poder." Él dijo. "Tengo una cita".

"¿Con la mujer misteriosa?"

"No, con Emma en Registros Médicos".

"¿Emma?" Spaulding preguntó con disgusto. Era una mujer encantadora, pero tenía más de sesenta años, era tan cascarrabias como Rick y, se decía... lesbiana. "Oh, me estás tomando el pelo, ¿verdad?"

"No." Miró a Spaulding. "Te veo mañana."

"¿Mañana? Son solo las 12:30".

"¿En serio? Parece más tarde". Se dirigió al Departamento de Archivos.

tercero

Ser propietario de un tercio de La ladera de la montaña tenía sus ventajas, como que el secretario de registros no le dio ninguna mierda a Mason cuando pidió el archivo del Sr. Miller en Coma Ward. Sentado allí con el grueso archivo en su regazo, Mason lo leyó rápidamente.

Craig Miller, arquitecto, propietario de un negocio, ávido tenista y golfista... atropellado por un autobús a los 37 años y nunca despertó. Mirando sus registros médicos, Mason no tenía idea de por qué el hombre no estaba muerto. Él debería ser. Ser mejor para él y obviamente mucho mejor para Rosie...Julia. Craig ni siquiera estaba conectado a un respirador y sus ondas cerebrales eran demasiado pequeñas para importar excepto a los ojos de la ley. Sin un tapón que tirar, el cuerpo de Craig seguía respirando, su corazón seguía latiendo y lo único que realmente lo mantenía con vida era el tubo de alimentación que le bajaba por la garganta.

Mason no pudo evitar pensar en lo difícil que debe ser para Rosie, pero por supuesto, su nombre no era Rosie.

Siguió leyendo el archivo.

Julia Miller, 38 años, casada con Craig 2 años antes del accidente. Sin niños. Fue maestra en la Escuela Williams. Los registros le proporcionaron el número de teléfono de su casa, el número de teléfono del trabajo, el número de teléfono celular y la dirección de su casa, que no estaba exactamente en la sección pobre de Willington, de hecho, no estaba en Willington en absoluto. Julia vivía en Killingly, que era un pueblo tranquilo lleno de casas grandes y dinero antiguo. "Presumir." Reflexionó mientras leía, entendiendo que a Julia no le gustaba cagar donde comía, así que vino a Willington para ir a los barrios bajos, ligar con algunos chicos y divertirse un poco mientras su esposo yacía en coma felizmente inconsciente de lo que su hermosa esposa estaba haciendo. estaba hasta. Por supuesto,

Mason pensó que la construcción de edificios debe haber dado buenos resultados antes de que Craig tuviera la desgracia de bajarse de la acera en el momento equivocado. Sin duda ayudó a explicar cómo podía permitirse el lujo de mantener una habitación de hotel en una reserva permanente. Por otra parte, su cheque de pago probablemente tampoco era algo para estornudar.

Agradeciendo a Emma por su ayuda, Mason volvió a la Sala de Coma y preguntó por el paciente de la cama del medio. "¿Recibe muchas visitas? ¿Quiénes son los miembros de su familia?"

La enfermera Ratchet estaba detrás del escritorio de la estación mirando fijamente al doctor Mason, quien siempre tenía algo bajo la manga. "¿Por qué?"

A Mason nunca le gustó que lo interrogaran, pero sabía que podría tener que encontrar una buena excusa para verificar los registros de un paciente en coma: "Estoy pensando en aceptar su caso".

"¿Para qué?" preguntó la enfermera. "Está desesperado. Ni siquiera usted puede curarlo, doctor Mason. Es brócoli".

"¿Visitas?" Preguntó cada vez más molesto.

"Principalmente es solo su esposa, Julia". Ella le dijo y luego se detuvo. "Muy bonita, ¿no? ¿De eso se trata esto? ¿Quieres que te hable de ella para que puedas manipular a la pobre mujer? ¿En qué? ¿En tu cama o permitiéndote realizar algún experimento loco con su marido? " Ella resopló. El doctor Mason no le respondió, pero se quedó allí mirándola con ojos muy fríos. La enfermera Ratchet trató de controlarlo un poco, después de todo, técnicamente, el doctor Mason era su jefe. "Ella viene al menos cinco días a la semana, generalmente por la tarde, creo que, durante su hora de almuerzo, se queda una hora más o menos. A veces regresa por la noche. Se sienta con él, habla con él, le lee, le dice él sobre su día".

"¿Ella ha hecho eso durante dos años?"

"Sí."

Dos años.

¿Cuántas veces se había cruzado con ella en los pasillos? ¿Cuántas veces había pasado por esa habitación y la había visto sentada allí, pero nunca se había fijado en ella? Él no era así, siempre se fijaba en una mujer hermosa y casi nunca dejaba pasar lo mismo sin algún tipo de comentario, generalmente grosero. Ella se dio cuenta de que eso era obvio. Sabía exactamente quién era él incluso antes de que entrara al bar en agosto pasado. Él la había acusado de no ser muy exigente, pero parecía que estaba equivocado, ella no se metía en la cama con cualquiera. Entonces, ¿por qué era eso lo que ella quería que él pensara? ¿Por qué su profunda necesidad de anonimato? No era como si a su esposo le fuera a importar que estuviera durmiendo o que hubiera el más mínimo riesgo de que la atraparan. Ros-Julia, podía traer a cualquier hombre que quisiera de regreso a su propio lugar y joderlos hasta que se les cayesen los ojos. Entonces, ¿por qué no lo hizo?

La respuesta fue simple; Ana. Había estado tan involucrado con su hermana recién descubierta que no había notado mucho más en los últimos dos años. Hannah lo necesitaba, él no la quería cerca al principio, pero ella lo necesitaba y, como resultó, él la necesitaba tanto. Ella había consumido todo su mundo, lo había puesto al revés y al revés, y en el proceso lo había hecho mucho mejor. Mason ni siquiera había pensado mucho en el sexo desde que Hannah vino a vivir con él o desde que se fue hace cuatro meses para comenzar a vivir la vida que le habían arrebatado tan brutalmente hace treinta años.

Tal vez ahora era su turno. Después de todo, su hermanita siempre era la que le decía que se arriesgara en el amor. Mason miró a la enfermera, "¿Alguien más vino a verlo?

La enfermera Ratchet pensó por un momento. "De vez en cuando, un joven viene de visita, se parece al Sr. Miller, tal vez sea un hermano menor o un sobrino. Creo que se llama Timmy o Tommy, algo así. Aparte de él, es solo ella".

¿Dónde estaba su familia? ¿Madre? ¿Padre? Si tenía un sobrino, ¿dónde estaba el hermano o la hermana? ¿Amigos? ¿Qué hay de ellos? ¿Qué hay de su familia? ¿Quién estaba allí para ella?

Los hombres en el bar.

Mason dejó La ladera de la montaña por el día preguntándose cuál debería ser su próximo movimiento. Podía llamarla o simplemente presentarse en su casa, pero ella lo consideraría una intrusión y realmente no quería arruinar... lo que fuera que fuera... con ella. Tal vez simplemente pasaría, solo para ver su casa. ¿Cuál era el daño en simplemente dar una vuelta y echar un vistazo?

Alrededor de las siete de la tarde se armó de valor para hacer precisamente eso. Se montó en su coche, condujo dos pueblos hasta Killingly y encontró Chapman Lane. El número 12 era una casa victoriana antigua particularmente agradable con su exterior cuidadosamente restaurado a toda su antigua grandeza. Tenía un gran porche envolvente, un gran patio esperando a que una familia disfrutara de un juego de disco volador o Esconder y ver. Las cenas de verano serían una delicia. Era una maldita casa grande para una mujer soltera, podía imaginársela dando vueltas allí por la noche, sola y triste. Julia y Craig deben haber comprado la casa con la intención de llenarla con una familia feliz. Eso nunca ocurrió. Ahora todo lo que tenía era una gran casa vacía llena de promesas incumplidas. En las noches en que la casa estaba demasiado tranquila o la soledad demasiado pesada, Julia se dirigía al Tonio's Bar.

¿Noches como esta?

Las luces estaban apagadas. El camino de entrada vacío. Solo para asegurarse de que no había nadie en casa, salió del auto y caminó hasta el porche para mirar dentro. No podía ver mucho, solo la entrada principal que parecía atractiva. Cuando escuchó que un perro comenzaba a ladrar adentro, se alejó de la casa y esperó a ver si se encendía una luz, pero no fue así.

Ella no estaba aquí.

¿Estaba en el bar?

Cuando volviera a Willington serían poco más de las ocho. Tal vez se encontraría con ella allí.

La suerte no estaba con él.

Haciendo el viaje de regreso a Willington, estacionó frente a su propia casa para caminar hasta el bar donde no había estacionamiento para discapacitados. Como era su costumbre, cuando llegó al otro lado de la calle del hotel El Royale miró hacia la ventana.

La luz estaba encendida.

Arriba había gente. Un hombre y una mujer...Julia. Era demasiado tarde. Ella ya había extraído su cantera para la noche. Silueteado en la ventana, él la giró hacia la calle, ella puso sus manos contra el vidrio, y él solo supo que ese bastardo con suerte la estaba atrapando por detrás como lo hizo ayer y anteayer.

¿Tenía los ojos abiertos?

¿Ella lo vio parado aquí?

Él no lo sabía.

Sintiéndose mucho menos mareado que antes ese día, se levantó el cuello para protegerse del viento fresco y se dirigió solo a casa.

Capítulo tres

Rick pasó el resto de la noche meditando y bebiendo antes de meterse en la cama donde dio vueltas y vueltas con frustración. Simplemente no podía quitarse de la cabeza el hecho de verla con él, fuera quien fuera. Cuando cerró los ojos, la imagen era aún más clara. Casi podía oírla gemir y suspirar mientras ese... ese... tipo... entraba y salía de ella. No debería haber ido allí anoche, no necesitaba el dolor de cabeza. No necesitaba la molestia de tratar con una ninfómana loca sin importar cuán bonita o placentera fuera.

El doctor Ricardo Mason entró en el trabajo más mal que de costumbre e hizo que todo su equipo se sintiera miserable durante el día. Wylds se preguntó si Mason era bipolar, estaba tan despierto ayer y hoy estaba deprimido. Peor aún, no tenían un paciente para distraer a Mason de sus problemas actuales. El viejo se quedó allí sentado refunfuñando, quejándose y siendo un dolor de cabeza para cualquiera que tuviera la mala suerte de estar al alcance del oído.

Todo el día se sentó en su oficina haciendo casi exactamente lo mismo que había hecho la noche anterior después de llegar a casa excepto que había tomado una botella de whisky para hacerle compañía. Se sentó aquí con el ceño fruncido, lanzando su pelota contra la pared y cuando eso se volvió aburrido, miró la televisión y ESPN, que estaba corriendo un Maratón de camiones monstruo. Ver los autos aplastados por los enormes camiones tampoco funcionó. Tomando un Oxy, se dijo a sí mismo (por milésima vez) que no se iba a involucrar. Estaba mejor sin la perra loca.

Eso puede ser cierto, pero, aun así, incluso aquí en la santidad de su oficio; Rick no podía quitarse de la cabeza la imagen de ella en la ventana. El cuerpo desnudo presionado contra el vidrio, el aliento caliente humeando el vidrio, mientras, quienquiera que fuera, trabajaba detrás de ella. No podía evitar sentir, sin importar cuán irracionalmente, ese era SU lugar. A ese otro tipo, bueno, a Rick no le importaría que una casa se le cayera encima de camino a casa. Tal vez lo atropellaría un autobús y terminaría junto a Craig, entonces Julia podría visitarlos a ambos.

"Probablemente me voy a arrepentir de esto ya que estás de tan mal humor hoy, pero ¿quieres ir a almorzar?" Spaulding preguntó entrando a la oficina con cautela.

¿Almuerzo? Miró su reloj y vio que era casi la 1:00. ¿Estaba ella allí arriba en Coma Ward en este mismo momento? Sentada allí sosteniendo la mano de su marido en coma y fingiendo ser la Buena Esposa todo el tiempo esperando convertirse en la Mala Esposa cuando cayera la noche. "Seguro."

En el ascensor, Mason empujó para subir en lugar de...

"La cafetería está abajo". Spaulding dijo con voz perpleja y presionó el botón correcto. Demasiado tarde, el ascensor ya inició su ascenso. Cuando se abrieron las puertas, salió sin decir palabra. "¿Adónde vas?"

Mason no dijo nada mientras miraba hacia atrás y esperaba que Spaulding no dijera su nombre. Si ella estaba allí, entonces no tenía sentido hacerle saber que él vendría. Avanzando sigilosamente por el pasillo, estiró el cuello para ver dentro de la sala de coma antes de que alguien dentro pudiera verlo. Estaba vacío a excepción de los pacientes. Ella no estuvo aquí hoy.

"¿Tienes un paciente en la Sala de Coma?" Spaulding tartamudeó.

"No." Sintiéndose decepcionado, entró y respiró hondo; nada más que antiséptico cubriendo los olores de los desechos humanos y el hedor de la muerte cercana. Ella no había estado aquí. La confirmación siempre fue agradable. Mason se dirigió a la Estación de Enfermeras. "¿La Sra. Miller estuvo hoy?"

"Hoy no, doctora Mason". La enfermera Ratchet le informó.

Spaulding y Mason regresaron al ascensor con Mason más convencido que nunca de que Julia Miller y Rosie eran lo mismo. Ella lo vio ayer, supo que él la reconocería, trató de esconder su rostro de él, y luego cambió su horario de visitas con esa verdura todavía pasando por su esposo para no correr el riesgo de encontrarse con él hoy. "¿Quieres decirme de qué se trata todo eso? ¿Desde cuándo te preocupas por los pacientes en coma a menos que estés eludiendo el trabajo usando sus televisores para ver tus telenovelas?"

"No." Las puertas se abrieron y bajaron a la cafetería. Mirando el sándwich de ensalada de pollo del que solo había tomado un bocado, de repente dijo: "Es ella".

Spaulding miró alrededor de la cafetería. "¿Dónde? ¿Quién es quién?"

"Aquí no", dijo malhumorado, "en el Coma Ward. Hay una mujer cuyo marido ha estado allí durante dos años...".

"¿Señora Miller?"

Mason dejó caer el sándwich que acababa de recoger. "¿Usted la conoce?"

"Bueno, no, en realidad no. A veces me cruzo con ella en el pasillo, la saludo, cosas así. Parece una mujer agradable".

"Oh, ella es una mujer muy agradable". Mason dijo astutamente.

Spaulding no estaba prestando mucha atención, "Sí, ella es ella...", miró la expresión del rostro de Mason. "¿Qué?" Pensó en lo que Mason acababa de decir y lo combinó con la expresión astuta. Spaulding se inclinó sobre la mesa. "¿La Sra. Miller es tu Mujer Misteriosa? ¿La que te recogió en el bar?"

"Uno en el mismo."

"¿Estás seguro de esto? De verdad, lo digo en serio, ¿estás absolutamente seguro de que son la misma mujer?" Mientras observaba a Mason asentir, Spaulding descubrió que era muy difícil de creer. Cierto es que no la conocía muy bien, pero a él la señora Miller le parecía una mujer tímida, incluso tímida, que apenas pronunciaba dos palabras. Sin embargo, según la propia madre de Spaulding, eran los callados de los que había que cuidarse; siempre estaban tramando algo. La señora Miller era una mujer hermosa y casi exactamente como Mason se la había descrito. "¿Es por eso que nos detuvimos allí? ¿La estabas buscando?"

"No exactamente." Mason le habló de ayer y de anoche. "¿Qué piensas? Creo que la chica tiene problemas. Problemas, ¿sabes? Grandes".

"Estoy seguro de que sí", murmuró Spaulding. ¿Cómo podría no tener problemas? Su esposo fue a trabajar una mañana, se bajó de la acera, lo atropelló un autobús y allí pasó el resto de su vida.

"¿Por qué no se divorcia de él?" Mason dijo rápidamente mientras se inclinaba sobre la mesa. "No es como si él siquiera lo supiera".

"¿Por qué no le preguntas eso? Y, por cierto, ¿por qué te importa? problema para ti, ¿me vas a decir que un marido comatoso es un asunto moral?"

"Gracias", dijo agarrando una patata frita del plato de Spaulding. "¿Por qué crees que lo hace?"

"¿Yo? ¿Qué sé yo?" preguntó Spaulding. "Tal vez se siente sola; ciertamente me imagino que lo está después de todo este tiempo".

"¿Así que simplemente anda recogiendo hombres al azar en bares y teniendo sexo con ellos?" Él también estaba solo, pero al menos tuvo el buen sentido de contratar a una prostituta. Tal vez Rosie no sabía que podía contratar a un semental atractivo.

"¿Te has parado a pensar que, al menos en tu caso, no fue precisamente al azar? Probablemente te haya visto por aquí".

"Por supuesto." Así que sabía quién era él antes de acostarse con él, ¿y qué? ¿Qué pasa con los demás? ¿Ella también los conocía? ¿Estaba acechándolos a todos? ¿Qué pasa con Spaulding? ¿Por qué no fue tras él? Si él habló con ella y sabía quién era ella, ¿por qué no convertirlo en un blanco fácil? Tenía que ser esa cosa del anonimato que tenía a su favor.

"Estás enojado porque ella estaba con alguien más anoche". Spaulding se metió la última patata frita en la boca y miró su reloj; tenía un paciente al que tenía que atender. "Si yo fuera tú, vería eso, nunca sé a dónde podría conducir".

"¿Adónde podría conducir lo que?"

"Celos." Spaulding dijo y abandonó la mesa.

"No estoy celoso."

Eso era una mierda, estaba celoso como el infierno.

"Ahí estás", dijo Sinclair exasperado, "te he estado buscando por todas partes".

Mason miró hacia arriba saliendo de su aturdimiento. "¿Qué?"

Sinclair, también propietario de un tercio de La ladera de la montaña y jefe de personal, arrojó una pequeña pila de archivos sobre la mesa y el resto de su sándwich de ensalada de pollo saltó del plato. "Me debes dieciséis horas de clínica y las quiero... a partir de ahora". Ella ordeno.

Oh mierda. "Nah", Mason recogió su sándwich destrozado y se metió el resto en la boca. "Tengo un paciente—"

"No, no lo haces", se puso la mano en la cadera, "lo comprobé. No tienes ni un solo caso ni nada que parezca interesante y la Clínica está llena. Ve. Ahora". Ella señaló hacia la puerta.

Con un largo gruñido, recogió los archivos y la miró con lascivia. "Te odio."

"¿Así que lo que?"

Él la empujó. "La falda hace que tu trasero se vea grande".

Sinclair sonrió y suspiró. "Es bueno saber que todavía estás mirando mi trasero, Mason". Ella lo llamó mientras lo saludaba.

Sinclair tenía razón. La Clínica estaba repleta. ¿De dónde vinieron todos? "¿Hubo un accidente?" Mason se quejó a la enfermera más cercana.

"No", dijo con voz agotada, "es solo a mediados de noviembre y ha estado lloviendo la última semana".

"¿Y?"

"Y todos tienen gripe", idiota, quiso agregar, pero se contuvo. "¿Escuchar el coro?"

¿El qué? Se dio la vuelta y escuchó el coro de toses a las que se refería la enfermera, la mayoría de ellas eran bajas, profundas y congestionadas como el infierno. Iba a pasar las próximas dos horas escribiendo recetas de antibióticos y jarabe para la tos mientras se exponía al virus. Simplemente jodidamente encantador. "Mierda. ¿Hay alguien aquí que realmente necesite un médico?"

Había unos pocos y una mujer en particular había estado esperando durante bastante tiempo. Era más rápido hacer entrar y salir a los que estaban empantanados con la gripe o un virus similar. Pero si era honesta consigo misma, era porque ningún médico quería tratar con esa mujer. "Sala de examen 2". Ella entregó un archivo.

"¿Qué es?"

"Pequeña laceración en la cabeza. No está tan mal, pero ha estado allí por un tiempo. Probablemente necesite algunos puntos y algunos analgésicos, eres perfecto para el trabajo". Dijo en un tono arrogante aún sosteniendo el archivo.

Bueno, era mejor que ser tosido y estornudado; Tomó el archivo y se dirigió por el pasillo evitando a los piratas informáticos. Con la cabeza gacha y arrastrando los pies, recorrió el final del pasillo hasta la sala de examen 2 mirando su historial y las palabras resaltadas; paciente abusivo. "Hola, soy el doctor Mason", suspiró mientras luchaba por sonar agradable, "lamento haberla hecho esperar... señorita...", miró el historial, "Montague".

Rosa Montague.

Mason miró hacia arriba para ver a la mujer sentada en la mesa, "¿Rosie?"

De toda la mala suerte del mundo. Julia esperó para venir a la clínica hasta que pensó que probablemente él se había ido a casa por el día. Se movió en la mesa de examen hasta que estuvo sentada sobre sus manos. "Hola, doctora".

"¿Qué te hiciste en la cabeza?"

"Resbaló".

"¿Y cayó sobre qué? ¿Una hoja de afeitar?" Mason preguntó mientras se acercaba a ella y comenzaba a examinar el corte sobre su ojo derecho. "¿Cuándo hiciste esto?" Con sus pulgares, empujó y aplicó presión en el área tratando de determinar si ella se había roto el cráneo. Rosie soltó pequeños gritos de dolor y se estremeció mientras él trabajaba. El hueso no parecía fracturado, pero lo mejor era hacerse una radiografía para estar seguro.

"Anoche, pensé que estaría bien, pero en realidad no deja de sangrar. Creo que necesita uno o dos puntos".

O cuatro. Él respondió. "Tal vez cinco. ¿Qué le pasa a tu voz?" Sonaba áspera y casi susurraba.

"Resfriarse", explicó con los labios apretados, "no es nada".

"¿Te desmayaste? ¿Te sientes mareado? ¿Cualquier visión doble o borrosa? ¿Vómitos?"

Bueno, se desmayó, pero no fue por el corte en la cabeza y, aunque hoy se sentía un poco mareada, no había mucho de qué quejarse. Ella vomitó, pero eso fue por el alcohol. "No."

Es cierto que no la conocía muy bien, pero Mason tenía la leve sospecha de que ella le estaba mintiendo. ¿Por qué? "¿Alguna otra herida?"

"No", dijo ella suavemente. "Sólo esta."

Algo comenzó a deslizarse por la parte posterior de la cabeza y le dijo que podría estar mintiendo. "Le echaré un vistazo cuando termine. Creo que deberíamos hacernos una radiografía. ¿Alguna objeción?"

Sí, ella tenía muchas objeciones. Ella se opuso a estar aquí. ¡Ella se opuso a que él la tratara y se opuso a que la sometieran a pruebas innecesarias! Su corazón comenzaba a acelerarse y su respiración se volvía superficial mientras el ataque de pánico amenazaba con golpearla a fondo. Aguanta, pensó mientras lo miraba fijamente, sólo aguanta, Julia-Bebé. "Lo que mejor le parezca, doctor".

Oh, bueno, en ese caso... Creo que sería mejor que te levantaras, te bajases los jeans y te inclinaras sobre la camilla para mí. Tengo una herramienta especial que quiero usar para examinarte muy de cerca. De hecho, se mordió la punta de la lengua para evitar que las palabras se le escaparan de la boca. Esto fue incómodo; ¿Él le dijo que la vio aquí en el hospital ayer? ¿Esperó a que ella dijera si lo vio o no por la ventana anoche? Él no lo sabía. Una cosa era bastante segura, no podía arruinar nada si mantenía la boca cerrada y jugaba al Doctor. Todo lo que tenía que hacer era limpiarla, adormecerla y luego coserla. Si ella no dijo nada, entonces tal vez él tampoco debería. "Echa la cabeza hacia atrás", con una toallita antiséptica limpió la herida y sacó pequeños pedazos de vidrio roto. "¿Como hiciste esto?"

"Golpéame la cabeza con el armario".

Dejó de limpiar la herida y dio medio paso hacia atrás, "Pensé que dijiste que te resbalaste".

Julia lo pensó por un segundo, "Sí, lo hice. Me resbalé y me golpeé la cabeza con el gabinete abierto de la cocina". Ella ofreció. "Estaba sacando el limpiador de debajo del fregadero, el piso estaba mojado y me resbalé".

¡Qué terrible mentirosa era ella! ¡Excelente! Si no se hubiera acostado con ella, lo habría creído en un santiamén. "¿Armario de vidrio? ¿Debajo del fregadero?"

"Sí."

"Bueno, ahora sabes mi nombre", dijo, "Creo que el tuyo no es Rose Montague".

"Quizás no Rose," ofreció sin decir nada más.

"No hay un 'quizás' al respecto y tampoco es Montague". Mason respondió. "Quédate quieto, esto te va a doler, pero una vez que la lidocaína haga efecto, podré coserte". Pensó en eso por un segundo. "¿Preferirías que te lo hiciera un cirujano plástico? Esto va a dejar una cicatriz".

"Está bien, doctor, confío en usted". Se agarró a los lados de la mesa de examen mientras él le atravesaba la piel con la aguja y le inyectaba el anestésico. Cuando la jeringa estuvo vacía, en lugar de dar un paso atrás y alejarse de ella para dejarla temporalmente sobre el mostrador, Mason giró por la cintura y buscó detrás de él. Cuando él se dio la vuelta, ella tenía las piernas envueltas alrededor de su cintura. "No está tan mal, ¿verdad?" Ella lo miraba con ojos ahumados.

"Tampoco muy bien, pero vivirás". Mason dijo mientras miraba hacia abajo, la última vez que esas piernas habían estado tan cómodamente alrededor de su cintura no había ninguna ropa molesta entre ellas. La mujer en la mesa de examen, la que tenía la herida menor en la cabeza, metió los dedos debajo del dobladillo de su camisa para pasarlos a lo largo de su cálida piel mientras subían hasta su pecho. "Esto es un hospital", dijo sin mucha fuerza. ¿Cuántas veces había querido agarrar a una enfermera oa Sinclair, oh, sí, Sinclair, y simplemente darle para qué justo aquí en una de estas habitaciones?

"No hay nadie aquí excepto nosotros, Doc". Ella susurró.

"Sí, por ahora y esas puertas no se cierran".

"Entonces pueden unirse a nosotros o simplemente mirar, ¿qué preferirías?" Con una mano debajo de la camisa vagando por su pecho, la libre encontró el espacio entre sus piernas y le dio un buen manoseo. Ya estaba medio duro. "¿Tal vez no te importa? No me importa que me vigilen".

"Me di cuenta", apartó sus manos y luego se sentó en el taburete y esperó a que la inyección hiciera efecto. "¿Sobre ese nombre, Rosie?" Se inclinó hacia adelante. "Soy Rick", miró hacia la puerta, "me escuchaste cuando entré, ¿verdad? Doctor Ricardo Mason".

"¿A quién le importa?" Ella suspiró con molestia cuando dejó pasar su primer comentario, "pero, sí, te escuché".

"¿No? ¿No te gusta saber con quién te estás tirando?" Ella no le respondió y esa era la segunda o tercera vez que se negaba a morder el anzuelo. Se puso de pie y empujó la herida con dureza con el dedo índice. Ella no dijo 'ay'. "Me parece entumecido". Dijo astutamente. Tomando un equipo de sutura del gabinete, comenzó a coser. "Así que me escuchaste, ¿me viste anoche? ¿Es por eso que dejaste que te atrapara por la ventana? ¿Querías que mirara? Entonces, ¿me viste o estabas demasiado interesado en abrir los ojos?" Dejó escapar una risita mientras trabajaba, "Porque te veías bastante... muy metida en eso para mí, ¿o debería decir que él se veía muy metido en eso?" Ella comenzó a alejarse de él. "Yo no me movería ahora mismo si fuera tú,

Sí, ella lo había visto bajo la luz de la calle. "Sabía que no debería haber venido aquí".

"Oh, vamos, sabías que estaría aquí, ¿verdad, Rosie? Por eso esperaste tanto. ¿Qué pasa? El tipo apestaba, no estaba, ahh, a la altura, así que viniste a buscarlo". un poco de las cosas buenas?"

"Esperé tanto porque el servicio en este lugar falla", dijo enojada, "de hecho... Doctor Mason... esperaba no encontrarme con usted durante mi visita". Ojo a ojo, agregó con frialdad: "Solo porque me jodiste, no creas que eres mi dueño".

"Créame señora, soy consciente de que nadie es dueño de usted". No le importó en lo más mínimo la forma en que ella dijo 'Doctor Mason'. Mucho menos seductor que 'Do-c'. "Excepto tal vez el tipo en coma arriba".

Julia, sorprendida, conmocionada y enojada, se alejó completamente de él. La sutura la acompañó y en adelante atravesó su piel agrandando la herida. "¡Ay! ¡Maldita sea!"

"Te dije que no te movieras". Mason criticó. Ahora mira lo que me has hecho hacer.

"¿Qué te hice hacer?" Se llevó la mano a la cabeza para atrapar la sangre nueva que goteaba allí. "¿Quién diablos te crees que eres, doctor?" Julia dio la vuelta a la mesa de exploración hasta el mostrador donde estaba el kit de sutura y cogió las tijeras.

"¿Qué estás haciendo? Vuelve allí". Mason ordenó mientras la observaba cortar el hilo de seda y luego arrojárselo. "No puedes salir, estás sangrando".

"Mírame." Ella le dio un fuerte tirón a la puerta solo para que la empujara con la parte inferior de su bastón. "Quítese de mi camino, doctor".

"No." afirmó. "Vuelve a poner ese lindo trasero en esa mesa y déjame terminar de coserte". Ella se quedó allí con una mirada de desafío como él nunca había visto. "Ahora mismo. Sube allí".

A Julia se le ocurrió empujarlo al suelo, pero esperó más de dos horas. ¿Qué iba a hacer ella? ¿Conducir dos ciudades hasta la próxima clínica y esperar otras dos horas? "Bien." Volvió a la mesa. "No le debo ninguna explicación, Doc, así que no ande pensando que sí. Obtuvo lo que quería..."

"Creo que ambos lo hicimos".

"Solo haz tu trabajo y luego déjame salir de aquí".

"Eso no es a lo que se refería hace unos minutos, pero, seguro, de inmediato, señora Miller". Asintió altivamente. "¿Tienes una cita caliente?"

"No contigo."

Quince minutos completamente silenciosos después, Julia estaba cosida y vendada y salía de la sala de examen. "¿Así que supongo que esto significa que no te volveré a ver?" Preguntó.

"No lo creo. Pensé que eras diferente, Doc, pero me equivoqué. Eres como todos los demás". Con eso, ella se fue. Salió al pasillo para ver ese buen culo moverse por el pasillo, a través de las puertas y fuera de su vida.

Capítulo cuatro

La noche fue larga, fresca y húmeda, sin embargo, eso no impidió que Mason caminara hacia el bar alrededor de las 8 en punto. Miró hacia la ventana y la encontró oscura... y rota. Parecía que alguien lo había golpeado con una piedra o tal vez con una pelota de tenis. No lo suficientemente fuerte como para romper el vidrio, pero más que suficiente para convertirlo en una telaraña. Tal vez uno de sus amantes abandonados había estado tratando de llamar su atención. Mason entró en el bar y lo encontró casi vacío. "¿Ella estuvo aquí esta noche?" Rick le preguntó al cantinero mientras Tonio ponía un whisky escocés frente a él.

"No esta noche, doctor".

Se bebió el whisky escocés mientras se maldecía por perseguir a esta mujer antes de volver a casa, el aire húmedo y fresco de su caminata anterior se había convertido en un frío profundo con gotas de lluvia. La ventana aún estaba oscura. Tal vez estaba en casa como una buena esposa.

¿Qué importaba si lo era?

Tal vez ella cambiaría su coto de caza ahora que él descubrió su secreto. Si ese fuera el caso, entonces sus posibilidades de encontrarse con ella en un... momento oportuno... se verían seriamente reducidas. ¿No sería una pena? Sí, sí, de hecho, lo sería. Por otra parte, ¿qué estaba haciendo ella aquí de todos modos? No se quedó atrás en el departamento de cheques de pago, pero el vecindario de Julia estaba formado por banqueros, corredores de bolsa, otros tipos de Wall Street y aquellos en el extremo superior del negocio de la construcción. La paga media allí, supondría que rondaba los tres cuartos de millón al año. Ligeramente menos que sus ingresos por unos, oh, doscientos mil dólares más o menos. Una cosa era ir a los barrios marginales, incluso divertido de vez en cuando, y otra cosa era todos juntos cuando resultó que eres los barrios pobres. Educado en Johns Hopkins,

De vuelta en casa, frustrado y melancólico una vez más, tomó el teléfono, pulsó seis botones y colgó. Si la cagaba por teléfono, probablemente incluso peor de lo que lo había hecho esta tarde, ella cambiaría su número y era probable que él la cagara sin importar lo que hiciera, eso incluía sentarse aquí acariciando su botella de Oxy.

"A la mierda", refunfuñó, agarró su abrigo, sus llaves e hizo el viaje de veinticinco millas desde la puerta de su casa hasta la de Julia Miller. Bajo la lluvia torrencial, Chapman Lane estaba muy tranquila a esta hora de la noche y el suyo era casi el único automóvil en movimiento cuando pasó lentamente por su casa. Las luces no estaban exactamente encendidas, la casa no estaba iluminada, pero parecía haber varias velas en la habitación delantera que le proporcionaban suficiente luz para verla moverse por allí. Al pasar antes de llamar la atención no deseada, condujo hasta el final de la calle, dio la vuelta y luego estacionó frente a su casa. Apagando el motor y las luces, se quedó allí sentado preguntándose por qué la estaba persiguiendo y quién era el acosador ahora mientras la observaba. En la casa, llamó al perro para que se sentara en el sofá, un American Yorkshire Terrier blanco, mejor conocido como pitbull. En el camino de entrada había un Lexus plateado, tendría que buscarlo fuera del bar y del hotel de ahora en adelante. Era el único coche en el camino de entrada y no vio ninguna señal de nadie más en la casa.

Su propio auto se estaba enfriando rápidamente ahora que el motor estaba apagado llevándose consigo el calor y las ventanas comenzaban a empañarse cuando Rick comenzó a temblar. "Esto es ridículo", se reprendió a sí mismo, alcanzó la llave para encender el encendido y luego miró hacia la casa. No vino aquí para irse en el último segundo, ¿verdad?

Yo

Julia estaba sentada en el sofá de su sala de estar con su perro, Max, mirando distraídamente la televisión y bebiendo su cuarto gin martini de la noche cuando Max saltó del sofá y comenzó a ladrar. Unos momentos después, llamaron a la puerta. "¿Quién podría ser?" Se preguntó en voz alta mientras se dirigía a la puerta principal para ver una figura familiar e inesperada parada allí. "¿Doc? ¿No es un poco tarde para una visita a domicilio?"

"Hola... Rosie". Había un fuerte olor a alcohol en su aliento y sus ojos le dijeron que estaba un poco más lejos que solo tres sábanas al viento. Estaba perdida.

"¿Qué estás haciendo aquí? ¿No has hecho lo suficiente?"

"¿Cómo está tu cabeza?" El perro le ladró ferozmente, molesto con el nuevo intruso que evidentemente incomodaba a su ama. "Está lloviendo, ¿me vas a dejar entrar?"

—¡Max, detente! Julia le dijo al perro. "¡Ir!" Dando a Rick una mirada amenazadora, el perro dejó de ladrar, volvió a la casa y se sentó en el vestíbulo detrás de ella, listo para abalanzarse sobre él si cometía el más mínimo paso en falso. "¿Qué quiere, doctor?" Ella preguntó sin hacerse a un lado para permitirle la entrada.

"Un poco obvio, ¿no?"

"No estoy en el bar esta noche", dijo con frialdad. "No aprecio que hayas venido aquí".

"Ok, me lo imaginaba". Murmuró Rick.

Julia se apoyó en el marco de la puerta y cruzó los brazos sobre el pecho. "Se lo dije, no le debo nada. Vaya a su casa, Doc". Julia descruzó los brazos y se volvió para volver a entrar. Aquí no hay nada para ti.

Antes de que pudiera cerrar la puerta, Rick empujó el bastón y bloqueó su apertura. Al menos en la cama, a ella le gustaba ser sumisa, él pensó que se afirmaría un poco como lo hizo esta tarde para que ella se quedara en la sala de examen el tiempo suficiente para que él pudiera atender sus necesidades médicas. "Déjame entrar", exigió y el tono de su voz enfureció a Max, el perro vino corriendo, ladrando, mordiendo y gruñendo. Max tiró a su ama al suelo y fuera de peligro, la puerta se abrió y el perro atacó. Antes de que Julia pudiera ponerse de pie, Max tenía al Doc en el suelo y lo sujetaba firmemente por el brazo con los dientes. "¡Quítame esta bestia de encima!"

A Julia se le ocurrió dejar que Max siguiera y hiciera lo que estaba haciendo, pero había luces en las casas de al lado y de enfrente. "¡Max! ¡Namasté! ¡Namasté!" El perro, todavía con los dientes alrededor del antebrazo de Rick, miró a su ama. "Ahora, Max". Con un gemido de insatisfacción, el perro lo soltó y volvió a entrar en la casa.

En el porche, el Doc acunó su brazo. "¿Me vas a dejar entrar ahora? Estoy herido aquí".

"Médico, cúrate a ti mismo", canturreó Julia mientras lo veía ponerse de pie. "Estoy seguro de que estarás bien".

"Estoy sangrando."

"¿Cómo se siente?" ella se burló. "Es tu propia culpa." Ella resopló y luego capituló. "Está bien, entra, usa el baño, cúbrete y luego vete". Julia se hizo a un lado para dejarlo entrar a la casa. "Vete, Max". El perro se fue a la sala de estar.

Ninguno de ellos notó el anodino automóvil estacionado al otro lado de la calle o el ocupante que los observaba.

Sujetando su brazo herido, Rick la siguió mientras ella la conducía a través de su casa hasta un baño en el primer piso, justo al lado de la cocina. Por lo que podía ver, la mayor parte de la casa estaba pintada de blanco; El vestíbulo delantero, la escalera que conduce al segundo piso, la sala de estar, la pequeña habitación al otro lado, el vestíbulo delantero e incluso el baño en el primer piso eran blancos. Blanco plano. Julia y Craig deben haber estado en medio de renovaciones interiores cuando Fate los golpeó, ella nunca los terminó. Ella solo vivía con las paredes blancas, aunque probablemente tenía latas coloridas de acabado satinado y brillante en el sótano o en el garaje. En la sala tenía más de una docena de velas junto con la chimenea, había moqueta allí; blanco a juego con las paredes y los muebles. En la mesita de café había una botella de ginebra y una copa de martini. En la habitación de la derecha, había una mesa de dibujo de madera muy grande que parecía muy vieja y muy cara. Rick pensó que esa iba a ser la habitación de Craig donde haría diseños y planos para los edificios que creó.

La cocina, sin embargo, era de color amarillo limón y parecía como si no hubiera sido pintada en muchos años. En algún momento, alguien comenzó la tarea de desmontar los gabinetes de madera, pero nunca llegó a completar la tarea. "Me disculparía, pero es tu culpa, provocaste a mi perro y nadie te pidió que vinieras aquí".

Ricardo Mason había ido a muchos lugares y se había sentido incómodo más veces de las que podía contar, pero esta era la primera vez que realmente sentía que había invadido el santuario interior de alguien. Venir aquí fue un gran error y si no hubiera cambiado ya su coto de caza, lo haría ahora. Lo arruinó por completo esta tarde y luego empeoró las cosas al aparecer en su puerta esta noche. Sin embargo, mientras estuviera aquí, vería qué podía hacer con la situación. Demonios, no podría ponerse mucho peor, ¿verdad? "Ay", gritó mientras se quitaba el abrigo a pesar de que no dolía mucho y la herida probablemente no necesitaría mucha atención. "No vine aquí para molestarte..."

"Y dudo que hayas venido aquí para disculparte, debes haber venido aquí con la esperanza de tener sexo", dijo con los labios apretados. "No tiene suerte, doctor".

"Mi nombre no es Doc, es Rick y lo sabes, Julia". Se quitó la chaqueta deportiva y se subió la manga de la camisa para ver dos heridas punzantes profundas.

"Lo que sea... Rick... todavía no tienes suerte". Abrió el botiquín y le arrojó una caja de tiritas junto con un tubo de ungüento antibiótico. "Me temo que simplemente no hago eso aquí y, por lo que parece, tampoco lo haré más en el Hotel El Royale, extraño, pero casi cada vez que miro por la ventana te veo parado debajo de la luz de la calle. Ya te lo dije, solo porque te follé no significa que me poseas.

"Oh, sí", se burló Rick, "lo vi por mí mismo anoche".

"Lo sé. ¿Lo disfrutaste?" Julia preguntó mientras caminaba hacia la puerta del baño. "Sabes dónde está la puerta principal, puedes salir cuando hayas terminado". Se alejó de él sin mirar atrás.

En el baño, Mason se lavó la sangre del brazo. Agarrando una toalla de un estante cercano, se secó el brazo para ver que las heridas no eran muy profundas, un poco de ungüento antibiótico y algunas tiritas harían el truco. Mason miró su reflejo y se armó de valor, respiró hondo y salió del baño, pero ella no estaba por ningún lado. Regresó por donde vino y la encontró sentada en el sofá con el perro a sus pies. "El médico se ha curado a sí mismo", anunció y le mostró su brazo. Pero creo que me debes un abrigo nuevo. Lo recogió y luego metió los dedos a través de los agujeros que dejaron los dientes de Max. "Me conformaré con un trago". Él ofreció.

"Me conformaré con una disculpa". ella respondió.

Ella tenía razón. "Sí, está bien, tienes razón, no me debes nada. Solo quería saber quién eres. Te lo dije antes, me gusta saber con quién me estoy metiendo en la cama".

"¿Con quién te habías estado metiendo en la cama?" corrigió Julia.

Mason se sintió desinflado, debería haber dejado que siguiera siendo una fantasía, una Mujer Misteriosa, pero ese no era su estilo. Si había un rompecabezas, un misterio, de cualquier tipo, solo tenía que resolverlo sin importar el costo. "Sí, ¿sobre esa bebida?"

¿Por qué no? Ella podría usar otro. "Solo uno, pero luego tienes que irte. No deberías estar aquí".

¿Tenía planes para la noche? No, no por mirarla, no estaba vestida para salir por la noche o incluso para pasar una noche calurosa. Jeans desgastados, descoloridos y muy cómodos, un suéter de cuello alto color lavanda, también muy usado, y medias. Ella no estaba usando tanto como lápiz labial en su cara. Ella había estado sentada en el sofá, debajo de la manta, junto al fuego, bebiendo toda la noche cuando él apareció en su puerta. "¿Por qué? ¿Tu novio viene pronto?"

Julia le dedicó una sonrisa pálida. "Eres el primer hombre que entra en esta casa desde que Craig se fue a trabajar hace dos años. Un trago y luego te tienes que ir, Do-c".

Ella no podía hablar en serio. "¿Primer hombre?" Preguntó mientras la seguía de regreso a la sala de estar. "¿Reparador de televisión por cable? ¿Reparador de televisores? ¿Cartero?"

"No, doctora".

¿Qué hay del chico que venía a visitar a Craig de vez en cuando? ¿Él nunca vino aquí para ver cómo estaba? Tal vez ella simplemente no lo consideraba un hombre. Pasando por la cocina antes, algo le llamó la atención; esos gabinetes. "Bonita madera en la cocina", comentó y los señaló. "Viejos armarios".

"Dudo que alguna vez termine", dijo con nostalgia.

"Pensé que habías dicho que eran de vidrio".

"¿Lo hice? ¿Cuándo?"

Estaba demasiado borracha para pensar demasiado rápido. "En la Clínica, dijiste que resbalaste y te golpeaste la cabeza con un gabinete de vidrio debajo del fregadero".

"Lo hice", dijo con la misma voz melancólica, "el baño de arriba tiene una vitrina".

Ahhh, pero dijiste que pasó en la cocina. Podía empujar ese tema, pero probablemente era mejor dejarlo descansar por ahora, ya estaba patinando sobre hielo muy delgado. "¿Cómo está tu garganta? ¿Aún te duele?"

"Un poco."

"¿Quieres que lo mire ahora?"

Sosteniendo su mano en el cuello de cuello alto y jugueteando con él un poco, trató de alejarlo, "No se preocupe por eso, Do-c". Se tapó las piernas con una manta. "Me temo que no tengo whisky escocés, Doc, solo ginebra en esta casa, ¿está bien?"

"Bien por mí." Él estuvo de acuerdo, no tenía la sensación de que a ella le gustaría demasiado si se sentaba en el sofá con ella, así que tomó asiento en una de las sillas estilo Reina Ana frente a él. El fuego estaba tibio; miró por encima de él y el manto sobre él. Las llamas de las velas rebotaron en algo allí arriba, era un marco plateado y dentro había una foto de la boda de la pareja feliz Craig y Julia Miller. "¿Usaste un vestido de novia negro?"

Julia miró la foto mientras servía dos vasos de ginebra y le pasaba uno. "A Craig le encanta ese vestido". Cogió un paquete de Newports, "Sin sermones, Doc", dijo Julia mientras encendía el cigarrillo y lanzaba los anillos de humo al aire. "Ya sé que fumar es malo para mi salud y, sí, no me va a hacer ningún bien para el dolor de garganta". Todavía estaba mirando la fotografía. Era un anciano entrometido, eso lo sabía, ya que a menudo lo escuchaba en los pasillos hablando de cosas que no tenía por qué hablar o incluso saber y pensar que todo era simplemente un gran momento. Ese era el lado de The Doc del que podía prescindir. "Mi vida no está abierta para usted, Doc, pero si debe saberlo, tuvimos una boda 'al revés'... él vistió de blanco y yo de negro, ¿ve?"

En efecto. Craig se veía apuesto y extasiado con sus fracs blancos y su sombrero de copa con una radiante Julia con el largo vestido de gasa negro a su lado. Tenía rosas rojas y aliento de bebé en el pelo. Era un hombre muy guapo; Rick pudo ver con qué facilidad atrajo a su lado a la bella Julia con su cabello oscuro y ondulado, sus brillantes ojos verdes y su sonrisa de Tom Cruise. Deberían haber sido una pareja muy feliz durante mucho tiempo. La única otra fotografía en la habitación era una de Julia que también debió haber sido tomada el día de su boda. En esta fotografía, ella estaba en su vestido de novia negro, su cabello rojo fuego colgaba sobre sus hombros casi desnudos mientras giraba en la niebla contra un fondo de árboles estériles.

"¿Gran boda?" Preguntó tomando su primer sorbo de la ginebra. No era un gran bebedor de ginebra y era capaz de cuidarlo un poco. "¿Cuándo te casaste?"

"Ciento setenta y cinco". Dijo mientras tomaba otra calada y luego un gran sorbo de su vaso. "Nos casamos al filo de la medianoche en la víspera de Año Nuevo".

"Me gusta ese", señaló la foto de ella bailando en la niebla.

"Craig se lo llevó; es su favorito, por eso lo he dejado ahí". Admitió y luego miró con tristeza a su compañía.

"Era su foto favorita. Le encantaba el vestido". Mason corrigió sabiendo que estaba caminando por una línea increíblemente delgada esta noche, incluso más nítida que el filo de la navaja de las noches pasadas. Sentado aquí, mirándola a ella y la fotografía, Mason podía ver por qué había sido una de las fotos favoritas de Craig de su Julia, se veía tan feliz y libre, pero ahora no. Ahora estaba atrapada nada más que un pájaro en una jaula de su propia fabricación.

"Él no está muerto".

"No hay mucha diferencia en su caso".

"Cuida tus pasos... Rick". Ella dijo en un tono bajo, incluso frío: "Sabes dónde está la puerta".

Oh, sí, sabía bien dónde estaba y tenía pocas dudas de que pronto estaría caminando a través de él si tenía suerte, si no, sería perseguido por el perro callejero en su regazo. "¿Crees que aprobaría lo que haces?"

Julia miró la foto de la boda, "Realmente no lo discuto con él". Se volvió hacia el hombre vivo sentado frente a ella.

"Vas a hacer que te maten, ¿lo sabías? Una noche vas a elegir al tipo equivocado y él se saldrá con la suya y luego te matará". Le dijo rotundamente y dejó que las palabras resonaran en su cabeza por un momento. "¿O es eso lo que buscas? ¿Es eso lo que esperas? Entonces todo esto..." hizo un gesto hacia la casa, "¿habrá terminado?"

¿Cuántas veces había escuchado ese tono en su voz mientras estaba de pie en el pasillo, fuera de su oficina o de la habitación de un paciente, tratando de salirse con la suya? Tratando de averiguar el cómo y el porqué de todo esto. "¿Qué es esto, Doc? ¿Soy uno de sus acertijos ahora? ¿De eso se trata? Si lo es, entonces tengo que decirle que se volverá loco tratando de descifrarme, así que probablemente sea mejor si simplemente no lo intentes".

"¿Uno de mis acertijos? Has hecho algo más que verme en los pasillos de vez en cuando".

"Eres difícil de ignorar".

"¿Lo soy?"

"Oh, por favor", puso los ojos en blanco y tomó otro trago.

"¿Por qué yo?"

"¿Qué?"

Se inclinó hacia adelante. "Sabías quién era yo mucho antes de que entrara al bar esa noche. ¿Por qué no Spaulding?"

—¿Doctora Spaulding? preguntó sorprendida. "¿El buen hombre con cabello castaño y suaves ojos marrones?"

Rick sonrió, ella notó a Spaulding bien, así que ¿por qué no fue por él? "Ese es el único Spaulding. ¿Qué le pasa?"

Su boca se abrió un poco. "Nada me imagino." ella tartamudeó. "Simplemente nunca pensé en eso hasta ahora".

Ella no parecía estar mintiendo. "Conoces a mi personal, ¿verdad?"

"Muy bien", susurró ella a la luz de las velas.

"Sí, ese también". El acepto. "Volviendo al resto del personal, la gente que me sigue todo el día como niños pequeños... ¿Qué pasa con Steward? ¿No le gustan los negros? ¿Qué pasa con Goodspeed? Ahí, ahora, es lindo".

"¿El hombre rubio? Sí, es muy lindo. Los dos tienen esposas. No follo con hombres casados". Julia dijo que trataba de contener su ira, su indignación por la intrusión de él en su santuario interior, pero surgieron pensamientos en su cabeza, que no debería estar pensando. "¿Qué te pasa, Doc? ¿Por qué no?"

De vuelta a los juegos mentales. En lugar de decirle que no le debía ninguna explicación, cosa que no hizo, o decirle que se callara o que se fuera, Julia iba a bailar con él para distraerlo y dirigir su atención hacia una dirección más interesante. Sí, esto iba a ser mucho baile, valses para ser precisos. Tres pasos arriba y dos pasos atrás, un paso arriba y otro a la derecha. "Soy un cobarde gruñón", respondió, "pregúntale a cualquiera que me conozca. Soy un verdadero imbécil".

"Oh, tienes razón. No hay discusión aquí".

El tono sensual de su voz le puso la piel de gallina en los brazos. Parecía que Julia Miller era aún más exigente y particular de lo que él le había dado crédito. Se había fijado en todos los hombres que la rodeaban, pero lo eligió a él. Él no lo elegiría si fuera ella. "Soy arrogante, agresivo, francamente desagradable la mayoría de los días. Spaulding o Goodspeed, por otro lado, mucho más ecuánimes, incluso gatitos".

"Sí, bueno, si alguna vez quiero... un gatito... gatito, los buscaré".

¿Hacía calor aquí? Julia no quería un gatito, quería un tigre, y él lo sabía. Por alguna razón, a sus ojos, Rick cumplía los requisitos. Se tiró del cuello mientras la imagen de ella con él y otra mujer (quizás Sinclair) fuertemente involucrada entre las sábanas bailaba detrás de sus ojos azules. "Sabías quién soy, pero me dejaste creer..."

"Ricardo Edwin Mason", comenzó Julia con naturalidad, "nacido el 12 de junio de 1962 en Osaka, Japón, hijo de Claire y el general Edwin Mason. Estudió en todo el mundo. Se graduó en escuela de santos marcos en Victorville, Michigan en 1981, como mejor estudiante. Asistió a la Universidad de Pensilvania y nuevamente se graduó como el mejor de su clase. Recibió un viaje completo a Johns Hopkins, se graduó con no menos de tres títulos, nuevamente como el mejor de su clase. Casado cuatro veces, se unió al ejército después de la muerte de su primera esposa., Bárbara, ahí es donde se lesionó la cadera. Regresó a casa y se recuperó en un hospital de veteranos. Hoy en día, se la considera la principal médica exploradora del planeta. ¿Cómo me va, doctor?"

Los ojos azules de Mason se estrecharon sobre ella hasta que no fueron más que rendijas, "No está mal. ¿Cómo pudiste..."

"¿Alguna vez te buscaste en Google? Aprendí todo lo que hay que saber sobre ti en menos de quince minutos". Bebió lo último de su vaso y se sirvió otro mientras esperaba que él respondiera.

Frunciendo los labios y tragando saliva para controlar su ira, la miró con ojos fríos: "Google no lo sabe todo. En realidad, nací en Victorville, hijo de Adelaida Morgan y el hijo de puta de James Rice II. Recientemente descubrí mi adopción y mi hermana, Hannah".

Tomando un sorbo de su ginebra para darse un momento, Julia pensó que eso era interesante. Hannah Rice apareció en el periódico local hace unos meses junto con el Doctor Mason como víctimas de un ladrón de arte que intentó robar un Renoir original de la pequeña casa que compartían en Willington. El periódico señaló a la mujer como la hermana de Rick, pero Julia pensó que era un error ya que el Todopoderoso Google lo incluyó como hijo único. Hace seis meses leyó el anuncio de boda de Hannah Rice en el mismo periódico. Una noche, mientras estaba aquí sentada bebiendo, Julia usó Google para indagar en el pasado de Hannah Rice, pero la mujer no tenía una huella digital. Sin sitio web Sin página de Facebook. Sin LinkedIn. Sin Twitter. Nada. Todo lo que pudo encontrar fue poca información sobre un terrible accidente automovilístico en Victorville, Michigan, hace más de treinta años. "¿Cómo te va?" Trató de sonar informal a pesar de que había elegido esa noche de agosto para ir a la huelga porque sabía que Hannah se había ido y Rick se sentía solo en su ausencia al igual que Julia en Craig's.

Mason no iba a sentarse aquí y hablar de Hannah con una mujer que se negaba a decirle nada sobre sí misma, así que cambió de tema mientras miraba la foto de ella girando en la niebla, "Tu cabello, ¿por qué te tiñeste?" eso... ¿otra vez?" ¿Ella... se encogió? Rick se preguntó mientras estaba allí. Se enderezó y trató de medir su altura; miró hacia abajo para ver que ella estaba descalza. No se había dado cuenta de que los tacones que ella usaba eran tan altos y debían agregarle al menos cuatro pulgadas porque en medias, la parte superior de su cabeza apenas le llegaba al pecho.

"¿No es por eso que te fijaste en mí ayer? ¿El cabello más oscuro? Te gustan las morenas, ¿no es así, Doc? ¿O solo te fijas en una mujer después de haberla follado? veces y ni siquiera dijo 'hola'".

"Rubia, morena, pelirroja... calva... realmente no me importa". Había esperado que el comentario 'calvo' la hiciera reír, esos ojos translúcidos brillaron un poco, pero eso fue todo. "Me gusta más este color, no es que te importe o que te deba importar lo que pienso, solo digo que me gusta más". Ella no dijo una palabra y él no pudo mantener la boca cerrada. "¿Google te dice que me gustan las morenas? ¿Es eso realmente lo que haces? ¿Ves a un chico que te llama la atención, lo acechas en Internet, averiguas todo sobre él y luego atacas?"

"Te lo dije cuando nos conocimos, soy muy exigente".

Después de todo, parecía que lo estaba, Julia podría estar jugando rápido, pero no estaba jugando suelto, solo quería que él (y los otros hombres) pensaran que lo estaba haciendo. "¿El chucho?" Rick preguntó señalando al perro y tomando otro trago, "¿Perro guardián entrenado?"

En el sofá, sentado con las patas colgando sobre las piernas enroscadas de sus amantes, Max dejó escapar un gruñido. El doctor se pasó de la raya esta noche y Julia sintió que ella había hecho lo mismo preguntando por Hannah, así que siguió el curso de la conversación. "Así es, Maxie, díselo tú. No soy un perro callejero". Ella animó y acarició al perro. "Es un regalo de bodas de Craig", explicó sin querer hablar de su esposo más de lo que parecía que el Doc quería hablar de Hannah, "En su mayor parte, su trabajo le permitía trabajar desde casa, pero había muchas veces Craig tuvo que ir a la ciudad de

Nueva York donde se encuentra su empresa, a veces se ausentaba por días", suspiró, "no le gustaba la idea de que yo estuviera aquí sola".

"Sí, nunca se sabe lo que su esposa podría estar haciendo sola aquí en los suburbios mientras usted trabaja duro en la gran ciudad mala". Él se quebró. La tasa de criminalidad por aquí tenía que estar cerca de cero. "¿Namasté?" Rick preguntó y vio que la oreja del perro se erguía. Max escuchó la palabra de seguridad para 'renunciar', pero dudó que eso fuera lo que haría el perro si él o cualquier otra persona que no fuera Julia pronunciara la orden. "Significa..."

"Sé lo que significa, doctor". ella intervino. "¿Crees que es una extraña palabra de mando?"

"Creo que es una palabra extraña, punto".

"Depende de quién seas."

Terminando el vaso, se sirvió otro y luego volvió a llenar el de ella, aunque pensó que probablemente ya había tenido suficiente. "¿Llevas esa receta que te di?"

"Sí."

"¿Los tomas?" Como si tuviera que preguntar mientras miraba esos ojos vacíos y distantes al mismo tiempo.

"Sí."

"¿Cuántos tragos has tomado?"

"Seis."

Le quitó el vaso de la mano. "¿Esto hace seis?"

"Sí, devuélvemelo, Do-c".

"No." Lo puso en el suelo junto a su silla. "¿Comes?"

"Hoy no."

Él tampoco y ella podría usar los carbohidratos. Allí fuera, no creía que la entrega fuera una gran opción. "¿Quieres salir y tomar un bocado para comer?" Se ofrecería a cocinar, pero eso no era lo suyo. No se estaba cayendo borracha, aunque debería estar desmayada, él podría sacarla en público y sacarla de la casa a algún lugar que no fuera el bar, o El Royale podría ser algo bueno.

En el sofá, Julia se inclinó hacia adelante para que las velas iluminaran su rostro y esos ojos inquietantes. "Entonces, ¿qué... Do-c?" Preguntó aspirando el humo del cigarrillo y dejándolo salir lentamente.

Rick sintió una oleada de calor cuando se aclaró la garganta. "No sé, ya veremos, tal vez te devuelva el favor y te muestre mi lugar". El sugirió.

"Eso sería justo". Ella estuvo de acuerdo.

"O podríamos simplemente ir arriba ahora". Se aventuró y casi hizo una mueca ante sus propias palabras. Ella me va a echar fuera seguro.

"Aquí no, Do-c, nunca aquí". Después de apagar las velas y cerrar las puertas de vidrio de la chimenea, Julia cerró la casa y siguió al Doc hasta su auto. Al salir, pasando por el vestíbulo y la gran mesa redonda con su jarrón de flores, sus ojos se fijaron en el correo que estaba allí. Varios sobres de diferentes lugares, incluida la compañía eléctrica y su compañía hipotecaria. Todos ellos estaban sin abrir. Todo marcado como 'AVISO FINAL' en grandes letras rojas.

Julia estaba perdiendo esta casa. No es que fuera de su incumbencia, pero ciertamente era algo por lo que estar deprimido y la depresión podía hacer que las personas hicieran una cantidad de cosas, desde holgazanear en la casa en un profundo desánimo hasta buscar una pequeña distracción en los brazos de extraños en las noches frías.

tercero

Ese chico de anoche. Había sido un verdadero jabalí. Solo otro matón con una placa. No como este, no como The Doc. Ahora que estaban lejos de la casa y de todos sus fantasmas restrictivos, Julia se sintió más tranquila mientras se quitaba el abrigo y lo arrojaba en el asiento trasero. Buscando en su bolso, sacó un paquete de cigarrillos antes de tirar también el bolso en la parte de atrás. "¿Te importa?" Preguntó sosteniendo el paquete.

"De hecho, lo hago". Rick dijo mientras bajaba la ventanilla. Pero adelante.

"Gracias, doctora". Ella susurró y sacó un porro del paquete. "¿Quieres un poco?" Preguntó mientras se quitaba las zapatillas, las tiraba en la parte trasera y ponía los pies descalzos sobre el salpicadero.

"¿Qué? ¿No estás lo suficientemente alto?" Se quejó tomando el dulce humo.

"Nunca puede ser demasiado alto o demasiado entumecido". Regresó con tristeza y volvió a colocar el porro en sus labios ya que el Doc no parecía querer unirse a ella. "¿Cuántas de esas pastillas suyas toma en un día, Doc?"

"Touché," respondió Rick tristemente.

Julia subió el volumen de la radio y bailó en el asiento mientras fumaba su porro. Con los pies descalzos sobre el salpicadero, su pequeño trasero daba vueltas y vueltas sobre el asiento de cuero mientras su cabeza giraba de un lado a otro y cantaba junto con Miel de montaña salvaje de Banco Steve Miller. Ella giró esos ojos ahumados perdidos hacia él. "Dé la vuelta aquí, Doc". Ella dijo y señaló un camino a la derecha.

Rick no sabía qué había en este camino que era tan interesante, ciertamente no iba a ser un restaurante. "¿Qué hay aquí abajo?" Preguntó mientras disminuía la velocidad, el pavimento desapareció y en su lugar apareció un camino de terracería.

"Sigue adelante", susurró, "solo un poco más abajo".

"No sé si te diste cuenta, pero este auto no tiene tracción en las cuatro ruedas", se quejó.

"Solo un poco más, Doc. Ya verá. Le gustará. Lo prometo".

Un poco por el camino de tierra y Rick vio lo que estaba buscando. Un sitio público de lanzamiento de barcos. Estaba vacío ahora en la oscuridad de la noche con la lluvia fría cayendo sobre el río. Entró en el estacionamiento y apagó el auto. "¿Para qué querías venir aquí?"

"¿Es esa una pregunta real?" Julia preguntó mientras fumaba lo último del porro y luego arrojaba la cucaracha encendida por su garganta. Se acercó sigilosamente a su lado y le puso la mano en la entrepierna. "Vamos, Doc, ¿cuándo fue la última vez que lo hizo en el asiento trasero?" ella se atrevió

"¿Hace veinte años?" Respondió Rick mientras trataba de pensar no solo en cómo habían llegado a este punto tan rápido, sino también si su pierna aguantaría tal regalo. Si él se sentaba en el asiento y dejaba que ella hiciera el trabajo, lo haría. No hay problemas allí. No hubo problemas en ninguna parte, mientras ella lo masajeaba, él se quedó completamente atento. Había un problema; "No sé ustedes, pero yo no tengo ninguna protección".

"No pareció molestarte la última vez". Dijo con voz sensual y comenzó a bajar la cremallera y la cabeza. "No creo que te moleste ahora tampoco." Julia tiró de la palanca para levantar el volante y apartarlo de su camino antes de terminar el descenso. Sus labios se cerraron sobre su eje duro. Rick dejó escapar un profundo gemido cuando su lengua bailó sobre él. Antes de que supiera qué lo golpeó, sus pantalones y sus jeans estaban alrededor de sus respectivos tobillos, y ella no estaba esperando el asiento trasero, estaba saltando sobre él. Acomodándose sobre él, llevándolo dentro de ese lugar dulce y cálido. "¿Para esto vino, doc?"

Maldita sea, así es. Rick plantó su mano en la parte posterior de su cabeza para atraerla y besarla, pero ella lo esquivó y le mordisqueó la nuca. Si ella no iba a dejar que él la besara, él quería chupar ese cuello flexible, pero el suéter se interponía en su camino. "Quita esto." Rick tiró de él.

"Déjalo, hace frío". Ella susurró contra su cuello.

¿Frío? No desde donde estaba sentado.

"Vamos, Doc, fóllame". Ella rogó.

Atornilla el suéter. Rick se agachó y empujó el asiento completamente hacia atrás antes de agarrar sus caderas con ambas manos y empujarla más hacia él.

IV

Unos momentos después de que Mason y Julia se alejaran del bordillo frente a su casa, el anodino automóvil hizo lo mismo dejando las luces apagadas todo el tiempo que pudo para no ser notado. El pequeño barrio suburbano bien iluminado dio paso a calles secundarias oscuras mientras las seguía, el conductor no tuvo más remedio que encender las luces. Se quedó atrás, muy atrás, para que al buen doctor no le importara su presencia. Cinco o seis millas más adelante, el automóvil que tenía delante giró hacia una calle lateral, redujo la velocidad al pasar y leyó los letreros de las calles; sinuoso hueco y callejón sin salida. Condujo un poco por la carretera principal antes de dar la vuelta, apagar las luces y aparcar a la vista del coche de Mason. Estaban estacionados en un embarcadero público que cerraba al atardecer.

Desde su atalaya, a pocos metros de distancia, el ocupante del coche observaba cómo los dos amantes se abalanzaban como conejos mientras las ventanillas se empañaban con su aliento humeante. Antes de que pudiera ir demasiado lejos, decidió interrumpir y dar a conocer su presencia. Alcanzando el tablero, se preguntó si debería encender sus faros y las luces intermitentes rojas y azules. No. Que se sorprendan. Salió del auto, se alisó el cabello rubio hacia atrás, preparó su linterna y caminó hacia el auto. La pareja adentro estaba demasiado ocupada para notarlo parado afuera de la puerta viendo como se lo montaban, viendo como ella mojaba la polla de Mason. No, no se dieron cuenta y eso era justo y correcto, después de todo, Mason pudo verlos anoche, ¿por qué no debería observar el estilo del buen doctor a cambio? Unos segundos más,

"¿Qué demonios?" Rick dijo y agarró a Julia, quien se aferró a él con miedo cuando la luz brilló en sus ojos.

"Policía, baje la ventana". Llegó la orden a gritos.

"¿Los policías?" Oh, Dios mío, a Spaulding y Sinclair les encantará esto. "Está bien, sigue, bájate". Julia rodó hacia el otro lado del asiento, llevó las rodillas hasta el pecho para cubrirse mientras se ponía los jeans en su lugar. "Buenas tardes oficial", dijo Rick mientras se subía los pantalones y bajaba la ventanilla. "Sé que esto se ve mal, pero ella no es una prostituta ni nada".

"Oh, ya sé eso, doctora Mason".

La luz se alejó de los ojos de Mason. "¿Ritter?"

"Cuánto tiempo sin verte, ¿eh, doctor?" El gran hombre rubio canturreó, saboreando el momento y la mirada en el rostro de Mason. "¿Licencia y registro, por favor?" Encendió la luz en el coche. "Buenas noches, señora, ¿puedo ver su identificación, por favor?"

"No estábamos haciendo nada malo". Julia tartamudeó mientras pretendía buscar su bolso que estaba en el asiento trasero. Ella no quería darle su identificación y no vio ninguna razón para hacerlo, incluso si él era un policía. Rebuscando, ofreció una sonrisa triste, "Debo haberlo dejado en la casa, oficial".

Rick se giró y le dirigió una mirada aguda. Él acaba de verla tirar el bolso allí hace menos de diez minutos. Se mantuvo en silencio, después de todo era Ritter. Todo comenzó hace tres años cuando Trooper Ritter entró en la clínica con un resfriado y un gran caso de Más santo que tú. Ritter sintió que Mason había sido grosero con él durante el examen, por lo que Ritter decidió acosar a Mason en su camino a casa. Atrapó a Mason por un cargo de posesión que casi le cuesta a Rick su carrera. Bueno, seis botellas llenas de Oxies eran mucho y el estado de Vermont lo consideró posesión con intención de vender. Mason mostró sus recetas, Ritter dijo que estaban falsificadas, luego el bastardo comenzó a investigar a sus pacientes. Durante casi un año, Ritter acechó y acosó a Mason en todo momento. El Trooper lo detuvo por; conducción ebria, conducción temeraria, una luz trasera rota (que Mason estaba seguro de que Ritter rompió solo para poder detenerlo), incluso trató de arrestar a Mason por robar en una tienda... ¡dos veces! A Mason le parecía que cada vez que se daba la vuelta estaba el policía estatal Ritter. Mason trató de obtener una orden de restricción, pero no fue fácil conseguirla contra la policía. Al final de su juicio, cuando Mason fue declarado inocente, el juez fue muy explícito en su deseo de que Trooper Ritter dejara de jugar con el Doctor Mason.

"En realidad, señora, es Trooper... State Trooper Ritter. ¿Qué es ese olor? No sería marihuana, ¿verdad, doctor Mason?" preguntó Ritter mientras tomaba la licencia y el registro de Mason. "¿Esos Oxies no son suficientes para ti estos días? ¿Qué pasa con la lluvia y todo eso?" Ofreció astutamente. "¿Ha estado bebiendo esta noche, doctor Mason?"

Sí, lo tenía. Tomó una copa en el bar y dos en la casa de Julia, no tenía sentido mentir sobre eso, ya que Ritter probablemente podría oler el alcohol en su aliento junto con la marihuana en el auto. Rick estaba seguro de que estaba tomando un pequeño desvío hacia el centro antes de que terminara la noche. "No estoy borracho."

"No dije que lo fueras, te pregunté si habías estado bebiendo".

"Sí."

"Bueno, entonces, solo ejecutaré esto para asegurarme de que aún sean válidos. No estás bajo suspensión por DUI ni nada".

"No soy." Rick dijo enojado.

"Bien, entonces si todo sale bien tendré que darte un alcoholímetro, si pasas puedes volver a hacer lo que sea que estabas haciendo". Ritter dijo con una pequeña sonrisa maliciosa.

"Esto es acoso. El juez te dijo que me dejaras en paz".

"Puede presentar una denuncia formal por la mañana, doctor Mason".

"¿Te emocionaste mirándonos?"

La pequeña sonrisa maliciosa en el rostro de Ritter se iluminó cuando miró más allá del buen doctor a su compañero, "Esta noche no, doctor Mason. Esta noche no". Ritter dijo felizmente mientras regresaba a su auto y pretendía llamar para dar la información.

"¿Lo conoces?" Julia preguntó con la esperanza de sonar casualmente molesta a pesar de que por dentro estaba asustada.

"Desafortunadamente." Rick dijo con los labios apretados. "No te sorprendas si nos hace pasar un momento aún más difícil, me odia".

"¿Qué le hiciste?"

"¿Qué? ¿El Todopoderoso Google no escupió eso por ti?" Mason se quejó y la vio estremecerse. "Le metí un termómetro en el culo, no le gustó eso". Él la miró y la expresión de asombro en su rostro. "¿Qué? ¡Pensé que sacaría el palo!"

Julia se llevó la mano a la boca para no reírse. Sí, el soldado Ritter tenía un palo en el culo. Uno grande. No, Google no le había dicho sobre esto, si lo hubiera hecho, habría jugado sus cartas de manera diferente, ya que esto presentaba una situación complicada de la que no quería formar parte.

"Todo sale bien", dijo Ritter mientras se inclinaba hacia la ventana abierta y miraba a Julia.

"Te dije que lo haría. ¿Podemos irnos ahora?"

"Claro, justo después de que soples en esto... Doc. Vamos, sal del auto".

Jesús H. Cristo. Su bastón estaba en el asiento trasero y Rick no quería correr el riesgo de que Ritter dijera que estaba buscando un arma peligrosa, así que salió del auto sin él.

"Estoy seguro de que recuerda cómo va esto, ¿no, Doc?" Ritter dijo y levantó la pequeña máquina gris. "Respira hondo, sopla hasta que te diga que te detengas".

Rick hizo lo que le dijeron, puso sus labios en la máquina y sopló.

".06", reflexionó Ritter mirando la lectura.

"Mira, no estoy borracho. El límite legal es .08". Rick respondió. "Una vez más, ¿podemos irnos ahora?"

"Bueno, ahora, fornicar en público es un delito menor y podría denunciarte por ello". Ritter reflexionó mientras estaba de pie bajo la lluvia. "¿Estás seguro de que no es una puta?"

"Ella es mi cita. Te lo dije, no es una profesional".

"¿Seguro?"

"Sí", se quejó Mason con los dientes apretados.

"Está bien entonces, lo dejaré pasar, por ahora. Por... los viejos tiempos". Dijo sin dejar de mirar maliciosamente a Julia. "¿Qué dices? ¿Eso suena bien?" Ritter se asomó un poco por la ventana. "¿Doctor Mason?" Dijo como si tratara de dirigir la pregunta ya formulada al conductor.

"Poderoso blanco de tu parte".

"Bien, entonces, está arreglado". Ritter palmeó la puerta del coche. "Ustedes dos tengan una buena noche, pero llévenla a un lugar más privado".

Empezó a alejarse, pero luego se dio la vuelta. "Oh, sí, ya sabes, escuché que El Royale Hotel es bueno para eso". Antes de que pudiera regresar al auto, escuchó exclamar al Doctor Mason;

"¿TÚ y RITTER?"

El policía grande y fornido se río entre dientes y sacudió la cabeza felizmente mientras subía al auto con una sonrisa satisfecha y se marchaba.

Capítulo cinco

"¿Por qué estás tan molesto?"

"¿Qué soy yo... Jesucristo! ¿RITTER?" Rick criticó. "¿Le dejaste hacer lo que me dejaste hacer a mí, ¿eh? ¿Le dejaste meterte su polla desnuda dentro de ti?"

"No es como si lo hiciera a propósito, Doc. No es como si me propusiera follarte entre amigos. No tenía ni idea de que lo conocías". Eso era cierto; Julia no tenía idea de la historia entre el Doctor Mason y el Detective Ritter. "No te debo ninguna explicación".

"¿Fue él anoche?" Rick preguntó con los dientes apretados.

"No te debo..."

"¿Fue Ritter a quien vi follarte en la ventana anoche?"

"Sí", gritó ella y luego se llevó una mano a la garganta mientras se apretaba. "No es asunto tuyo, pero me ha estado persiguiendo durante meses, así que anoche lo dejé. ¿Y qué? No lo hice para molestarte, no sabía nada de esto".

"Pero sabías quién era él, ¿no? Como sabías quién era yo".

"No", admitió ella. Ritter intentó ligar con ella varias veces, pero ella no estaba interesada, así que nunca lo buscó en Google. "Lo he visto, pasa mucho tiempo en el bar, Doc. Incluso cuando estás allí y nunca parece molestarte".

Rick no recordaba haber visto nunca a Ritter en el bar cuando pasó junto a ella y abrió la puerta del pasajero. "Salir."

"¿Qué?"

"Fuera", dijo de nuevo. "No me debes nada, está bien. Puedo tomar decisiones por mí mismo, no voy a compartir la cama con Ritter, y estoy seguro como el infierno que tampoco tomaré sus segundos descuidados. Vete".

"Lo menos que puedes hacer es llevarme a casa". Ella protestó mientras miraba la lluvia fría.

"No es tan lejos", respondió él, no quería dejarla aquí bajo la lluvia, pero tampoco podía soportar mirarla, sin saber que había estado con ese bruto acosador, ella dejó que la tocara y, "¿Acaso tú?" Susurró y la agarró de la muñeca. "¿Lo dejaste montar a pelo?"

Julia no tenía idea de en qué se había metido, todo lo que sabía era que el gran hombre rubio pasaba el rato en el bar a menudo, él charlaba con ella de vez en cuando o lo intentaba de todos modos. No estaba muy interesada en él, pero su interés en ella era más que obvio. "No es asunto tuyo".

"Eso es un 'sí', ¿no?" Su agarre en su muñeca se hizo más fuerte.

"No", trató de gritar, pero solo salió en un susurro áspero. "Suéltese, doctor".

"¿Lo hizo como yo lo hago?" Susurró mientras la miraba. "¿Eh? ¿Era mejor? ¿Peor? ¿Cuál es su estilo?"

"¿Doc?" Julia trató de alejarse de él, pero era más fuerte de lo que parecía. "No sabía, lo siento". Lo que sea que realmente sucedió entre el doctor Mason y el soldado Ritter, debe haber sido algo grande y feo, Doc estaba enojado por esto. Ella no quería lastimar a The Doc; simplemente se había asustado después de que él la viera y la reconociera en la Sala de Coma. Cuando se encontró con Ritter anoche, a pesar de que él no era realmente su tipo, bueno, solo dijo 'sí'. Terminó lamentándose por ello en más de un sentido.

En lugar de dejarla ir, la acercó más y le dio un ultimátum. "Yo o ellos". Él escupió y luego la dejó ir. "O haces esto conmigo o lo haces con hombres como Ritter, ¿cuál va a ser? No puedes tener ambos".

Julia salió del coche seco y se sumergió en la fría lluvia de noviembre. "Ha sido un placer conocerlo, Doc".

"Eso pensé. Vamos, te vendría bien la ducha". Se burló.

Julia cerró la puerta de golpe.

Rick puso el pie en el acelerador y salió de allí dejándola atrás. Acelerando cuesta arriba, miró por el espejo retrovisor y la vio parada allí observándolo irse. Tenía todo el derecho de estar enojado, pero sabía que no debería dejarla ahí afuera, bajo la lluvia, sola, ahí afuera de noche. Había unas buenas tres millas de regreso a su casa. Estaba demasiado envuelto en su propia ira para hacer lo correcto y siguió conduciendo. Durante todo el camino a casa, la imagen de ella bajo la lluvia lo persiguió.

Llegó a su entrada, apagó el auto y luego buscó su bastón en el asiento trasero. Levantándolo era más pesado que de costumbre, al llegar al asiento delantero vio el bolso de Julia colgando del cayado. "Oh, mierda." Murmuró y se dio la vuelta. Allí estaba su abrigo y sus zapatos. La dejó parada allí sin nada, ni siquiera las llaves para volver a entrar a su casa. "Ella está bien."

Rick se dijo a sí mismo. Estaría mojada y fría cuando regresara a Chapman Lane, pero estaría bien y seguramente tendría un escondite o un vecino de confianza con una llave extra para dejarla entrar en la gran casa vacía.

¿No es así?

Llevó las cosas a la casa y miró su reloj para ver que la había dejado allí hace casi una hora. Ella ya estaba en casa. Ella estaba bien. muy bien No tuvo que conducir todo el camino de vuelta para averiguarlo. Media hora, dos whiskys y dos Oxies más tarde, los pensamientos seguían acosándolo hasta que levantó el teléfono y pulsó los siete botones. Sonó una, dos, tres veces y una voz masculina le dijo que Craig y Julia-Bebé no estaban en casa o que estaban ocupados, por favor deja un mensaje y alguien les devolverá la llamada. Su corazón se hundió cuando su estómago se convirtió en un nudo y trató de decirse a sí mismo que ella estaba sentada junto al teléfono y calentita junto al fuego mirando el identificador de llamadas, simplemente decidió no contestar su llamada, eso fue todo.

Ella estaba bien.

Ella era una niña grande. Ella podría cuidar de sí misma.

Ella estaba bien.

"¡Oh, maldita sea!" Gritó a la oscuridad. Agarrando sus llaves del escritorio para poder conducir de regreso a su casa, vio un taxi que se acercaba a la casa. Alguien salió; no podía ver quién era. Era un poco tarde para la compañía de sus vecinos y casi nadie venía a visitarlo. Hubo un pequeño golpe en la puerta, la abrió para verla parada allí, empapada, fría, temblando y descalza. Entonces recordó que sus zapatos estaban en el asiento delantero de su auto.

"Usted, Doc. Es usted". Julia susurró. Ahora págale al hombre. Señaló con el pulgar hacia el taxi que esperaba. Había caminado casi seis millas bajo la lluvia torrencial y descalza antes de que pudiera hacerle señas y él había tenido la amabilidad de aceptar su triste historia de su discusión con un novio que la dejó al costado del camino.

"¿A mí?" preguntó sin creerle. "¿Para qué? ¿Esta noche?"

"Tal vez mañana por la noche también, no lo presiones, Doc".

"Yo o ellos y no solo por esta noche o puedes volver al taxi e irte a casa, Julia-Bebé. Mi trato".

Julia-Bebé. Solo un puñado de personas la llamaban así. La única forma en que The Doc lo sabría es si llamó a su casa para ver cómo estaba. Había estado preocupado por ella y se sentía mal por dejarla de la forma en que lo hizo. "¿De verdad quieres pasar la noche sin mí?"

No, no lo hizo y debería considerarse muy afortunado de que ella lo hubiera perseguido. "Espera aquí." Rick salió y pagó al taxista. Cuando volvió a entrar, ella ya estaba desnuda en su cama.

"Deje la luz apagada, doctor". Ella susurró cuando él la alcanzó y redirigió su mano de la lámpara a su cuerpo. "No lo necesitamos, ¿verdad?"

Le gustaba mirarla y no entraba mucha luz por las ventanas en esta noche tormentosa. Si quería dejarlo así, estaría bien. Había suficiente iluminación de la farola para mostrarle su silueta e iluminar tenuemente su rostro. Su cabello estaba mojado y su piel estaba fría, pero era suave y sedosa. "¿Por qué viniste aquí?" Preguntó mientras se acomodaba en la cama junto a ella y dejaba que deslizara su mano por su muslo.

"Para usted. Nadie lo hace como usted, Doc". Nadie lo hizo y debería saber que había estado con muchos de ellos durante el último año. "¿Ya no me quieres?" Extendió la mano hacia el lugar entre sus piernas para descubrir que ese no era el caso en absoluto.

El tono de su susurro le hizo cosquillas en la oreja y volvió la piel de gallina. "Te deseo." Él inclinó la cabeza para besarla, pero ella lo esquivó de nuevo y posó los labios en su cuello, pero solo por un momento. Rick la agarró de la barbilla y la empujó. "¿Qué pasa, Julia-Bebé? ¿Ya no me besas más? Me acerqué demasiado, ¿eh?"

"Demasiado cerca", aconsejó, "ahora acércate un poco más". Ella rozó sus labios sobre los de él con la esperanza de que eso lo satisficiera mientras buscaba el cuello de nuevo, pero él no soltó su mandíbula. En cambio, la empujó contra las almohadas y el colchón y cubrió sus labios con los suyos. La cálida lengua húmeda separó sus labios mientras buscaba en su boca.

Ya no había sólo calor entre ellos, había pasión. Suficiente para durar e iluminar la noche.

Capítulo Seis

Con la bata de Mason ceñida alrededor de su cuerpo esbelto y ágil, Julia estaba de pie en la puerta del dormitorio viendo dormir a su Doc mientras sostenía dos humeantes tazas de café. Quería ir allí y despertarlo como era debido, pero él dormía tan plácidamente que no quería estropear el momento. Le gustaba la casa de Doc, era pequeña y acogedora, bien cuidada, bien amueblada con una mezcla de comodidad americana y 18th Century Antiguo. Sobre todo, este lugar era tranquilo y silencioso, había serenidad aquí. Le parecía que incluso el aire era más ligero aquí. De vuelta en su gran casa victoriana, vacía y muy solitaria, el aire era denso, como si no fuera aire en absoluto sino plomo convertido en gas. Siempre estaba empujando, empujando, empujando, hacia abajo sobre ella y, temía, no estaría satisfecho hasta que fuera aplastada.

Julia pensó que, si se lo permitía, podría quedarse aquí un buen rato viendo dormir al Doc.

No importa cuánto le gustaría, se decía a sí misma que no debía dejarse atrapar por esto, no dejarse atrapar por él. "Buenos días, Doc", susurró dulcemente mientras caminaba junto a la cama y le tendía una taza. "¿Dormir bien?"

Él tomó el café de su mano. Se veía bonita por la mañana, se veía bonita a cualquier hora del día, pero en este momento, estaba hermosa. Después de una noche tan dura, figurativa y literalmente, habría pensado que ella dormiría todo el día. "Muy." Tomando un sorbo de la bebida caliente, todavía se sentía un poco culpable por dejarla bajo la lluvia, simplemente saliendo de allí como un maníaco medio loco y dejándola tirada al costado del camino. Nunca debería haber hecho eso, nunca habría considerado hacérselo a nadie más. Fue solo más tarde, cuando abrió la puerta y la vio parada allí empapada de la nariz a los pies, se dio cuenta de que había hecho lo correcto... con ella. Julia realmente quería un tigre, por eso lo siguió a casa. Si él la hubiera dejado en su puerta, ella nunca le habría vuelto a pensar.

"No te preocupes, no me quedaré mucho tiempo".

"¿Quién está preocupado?" Miró el reloj; ya era hora de prepararse para el trabajo. "Llego tarde, tú también debes hacerlo". Tiró las sábanas y salió de la cama. "Me gusta la forma en que te queda". Él besó su mejilla.

"Gracias."

"¿Por qué no te lo quitas?"

"Eres un animal", susurró. "Mi ropa está en tu secadora, está casi lista, y luego llamaré a un taxi y me quitaré el pelo".

"No estás en mi cabello". Él la miró sin saber si debería decir las palabras que le daban vueltas en la cabeza, se le ocurrían tan raramente para uno y, para dos, los tigres no se disculparon, pero él no estaba. soy un tigre "Lamento haberte dejado allí anoche, pero estoy muy contento de que hayas venido aquí".

"Está bien, no es gran cosa". Ella se inclinó un poco más cerca. "Honestamente, no tenía idea sobre ti y..." la voz de Julia se apagó por un momento, "ese policía".

Rick no quería hablar de Ritter, eventualmente se involucrarían, o eso se imaginaba, pero no esta mañana, no después de una noche tan maravillosa. "¿Qué estás enseñando hoy?"

"¿Tararear?"

"Sabes que leí... el archivo." Dijo evitando cuidadosamente el uso del nombre de su esposo. "Decía que eres profesor en la Escuela Williams".

"Oh, ya no". Dijo con tristeza y luego continuó explicando: "Recortes presupuestarios. Cinco maestros fueron despedidos durante el verano y yo fui uno de ellos". Luego pasó a darle a Mason una versión muy abreviada de su vida. Graduada de Yale con una Maestría en Literatura Inglesa, Julia había sido profesora en la Universidad de Nueva York ayudando a jóvenes mentes ansiosas a explorar la literatura inglesa, y luego conoció y se enamoró de Craig. Hubo un noviazgo largo y tumultuoso teniendo en cuenta que estaba casado con la bella Susan Miller cuando lo conoció y tenían un hijo, Timmy.

Julia trató de mantenerse alejada de Craig, pero Fate tenía otros planes. Tantas veces como ella le dijo que se fuera, que fuera a casa con su esposa, él estaba de vuelta en su puerta. Casi 5 años después de conocer a Craig Miller, tres de los cuales se había divorciado oficialmente de Susan, Julia se casó con él. No quería criar una familia en la Ciudad. No creía que el largo viaje diario al trabajo le haría ningún favor a su relación y estaba enamorada. Se mudaron aquí. Mantuvo su trabajo en la firma de arquitectura de la ciudad de Nueva York y pasaba dos o tres días a la semana lejos de ella mientras ella renunciaba a su cátedra y aceptaba el trabajo en la escuela preparatoria privada con la esperanza de tener una familia algún día.

Demasiado para eso.

"Lo siento, Julio". La literatura inglesa, que explicaba mucho sobre ella y el hecho de que perdió su trabajo durante el verano, ayudó a explicar todos los avisos de vencimiento que tenía en la mesa del vestíbulo de su casa. Craig era solo un bulto sin vida, inútil, ahora, nada más que una gran pérdida económica que no tuvo el buen sentido de simplemente morir. Las facturas médicas deben ser asombrosas. Si él hubiera muerto, al menos su seguro de vida habría valido la pena para ella. Si él estaba muerto, tal vez Julia podría llorar su pérdida de una manera más constructiva y luego seguir con su vida. Tal como estaban las cosas, ambos estaban atrapados en el limbo. No era un buen lugar para estar y Rick lo sabría. La muerte habría sido más amable para marido y mujer. Craig estaba en algún lugar entre La Tierra de los Vivos y La Tierra de los Muertos, se había llevado a Julia con él.

"Yo también", dijo con un suspiro. "He estado buscando, pero todas las escuelas están recortando sus presupuestos y no hay muchos puestos vacantes para un profesor de inglés, especialmente uno que se especialice en novelas y literatura estadounidenses modernas".

"Tengo un puesto vacante para ti".

Ella se rió un poco. "Estoy seguro de que sí. Lo exploraré más tarde. ¿Tienes un día ocupado por delante?"

"No sé."

"Interesante trabajo el que tiene, Doc. Nunca sabe lo que va a hacer hasta que llega allí". Ella sonrió para él.

"Tu voz aún suena ronca, ¿me dejarás mirar tu garganta ahora?" Él puso sus manos en sus caderas. "Creo que he mirado todo lo demás". Rick guiñó un ojo.

Julia sostuvo la bata cerrada. "Estoy bien, pero gracias. ¿Por qué no te metes en la ducha y te refresco el café?"

"Oh, pensé que entraría todo miedoso y sucio", sonrió. "¿Cómo está tu cabeza?"

"Deje de quejarse, Doc. Estoy bien". Ella acarició la parte superior de su cabeza contra su pecho. "Muy bien". Sí, las cosas podrían estar bien ahora, Doc, si solo se queda conmigo por un rato. No mucho, lo prometo, solo un ratito.

Había algo de qué hablar y quería ser absolutamente claro en esta área. "Entonces... ¿dónde estamos?" Preguntó. "Anoche fue fantástico como siempre, pero lo digo en serio, Julia, o somos tú y yo, o eres tú y ellos". Se sintió un poco culpable al saber que no tenía derecho a hacer tales demandas a una mujer que apenas conocía, pero ¿cómo iba a llegar a conocerla mejor si seguía pasando su tiempo con otros chicos? Por lo menos, estaba preocupado por ella. Anoche él le dijo que se encontraría con el hombre equivocado alguna noche, lo dijo en serio y eso lo asustó muchísimo.

Fue el turno de Julia de sonreír mientras se alejaba de él. "¿Me estás pidiendo que... que sea constante... doctor?" Sus ojos brillaron. Había pasado mucho tiempo desde que alguien la hizo sentir como lo hizo el Doc, demasiado tiempo. Por alguna razón que no comprendía, cada vez que Rick estaba cerca, el mundo entero simplemente dejaba de girar. Todo quedó en silencio, había espacio para respirar y se sintió viva de nuevo. Por un tiempo, tal vez, sería bueno quedarse aquí y jugar a las casitas con él. "¿Quieres que use tu anillo?"

"¿Lo harías?"

"Solo si todavía tienes tu anillo de la escuela secundaria", se rió entre dientes.

"Lo buscaré más tarde. Mientras tanto, ¿qué dices?" Preguntó tratando de mantener el molesto sonido de esperanza fuera de su voz. "No te estoy pidiendo que te enamores de mí o que te cases conmigo..."

"Eso es bueno", el estado de ánimo en la habitación y el tono de su voz se volvieron serios. "Porque siempre voy a ser la esposa de alguien más, Doc. Craig siempre estará antes que usted".

Rick podría decir algo aquí, pero sería crudo y no obtendría el resultado que deseaba, así que decidió: "Te compartiré con él, pero no con el resto de ellos".

"Un día a la vez, pero... está bien. Si no esperas demasiado de mí, esto será más fácil". Ella invitó.

"¿Cena? ¿Es eso esperar demasiado?"

"Creo que eso estaría bien".

Oh, Dios. Bueno, mientras estaba en racha aquí; "Sabes, ya que no tienes nada que hacer", puso las manos en sus caderas, "ya sabes, como trabajo o algo así, ¿podrías quedarte aquí y yo podría escabullirme a casa un poco al mediodía?"

Eso sonaba muy tentador. "Tengo que ir a casa y cuidar de Max".

Maldito perro. "Sí, claro. O podrías simplemente no hacer eso y podrías estar desnuda en mi cama cuando regrese".

También tentador, pero "me temo que no". Max tendría que salir ahora, ella no lo dejó salir anoche y ya era hora de que él saliera esta mañana. Estaría buscando su desayuno y confundido por su larga ausencia. Tendría suerte si no se encontrara con montones de caca en el piso del dormitorio y una cama empapada de orina, ya que esa era la forma favorita de Max de mostrar su disgusto en esos momentos. "Pero me encantaría conocerte para cenar".

"¿Te recojo, alrededor de las siete?"

Julia suspiró y luego sonrió. "Supongo que es una... cita".

Media hora más tarde, sintiéndose bien, Rick se dirigía al trabajo dejando a Julia en la casa mientras su ropa terminaba de secarse. Al detenerse en el semáforo cerca del Hotel El Royale, la costumbre se hizo cargo y miró hacia la ventana de ella a pesar de que sabía que Julia todavía estaba en su casa. A la luz del día, la grieta en la ventana era más fácil de ver, parecía que alguien le había tirado una pelota de tenis o tal vez...

En medio del tráfico, Rick dio un giro de tres puntos y se dirigió de regreso a casa. Ella no lo dejó verla anoche, insistió en hacer el amor con las luces apagadas, no lo dejó mirar su garganta a pesar de que obviamente le molestaba y ahora sabía por qué.

Julia estaba medio asustada cuando la puerta principal se abrió de golpe. "¿Doc?" Acababa de sacar su ropa recién secada de la secadora cuando se estrelló contra la pared frontal. "¿Olvidaste algo?" Julia tartamudeó sin gustarle la mirada en sus ojos. "¿Qué pasa, doctor?" Siguió caminando hacia ella sin decir nada. "¿Doc?" Julia extendió los brazos frente a ella en un movimiento de 'detención'. "¡Almiar!"

"Tómalo." Rick ordenó.

"¿Qué-"

Rick extendió la mano y la agarró por la parte superior de los brazos para repetir su demanda, pero antes de que pudiera hacerlo, ella gritó de miedo y dolor; ella trató de alejarse de él mientras él le arrancaba la bata.

"No, por favor, no... Doctor... no lo haga".

En la fría luz de la mañana de otoño, ella estaba de pie en su cocina, desnuda y magullada. Su garganta, la parte superior de sus brazos, sus muslos, todo cubierto con huellas de patas. Sin duda, parte del trabajo práctico en sus muslos y caderas fue suyo, pero el resto fue... "¿Ritter?" Tenía que ser porque Ritter era el único otro chico que la tenía sola después de él y la última vez que Rick la vio no tenía moretones. "¿Te golpeó la cabeza contra esa ventana? ¿Fue así como te cortaste? Sé que no fue en ningún gabinete de vidrio, Julia-Bebé. Aunque fue un esfuerzo valiente de tu parte". Agarrando su mandíbula, empujó su cabeza hacia atrás para ver mejor el moretón que rodeaba su cuello. "¿Qué usó? ¿Su CINTURÓN?" El hematoma era demasiado uniforme para las manos desnudas de Ritter. "¡Maldita sea! ¡Dime!"

"Sí", tartamudeó ella.

Pensó que lo perdería. "¿Dejaste que ese hijo de puta te pusiera el CINTURÓN alrededor del CUELLO? ¿Qué diablos te pasa?" Él le gritó. Si eso era lo que realmente le gustaba, entonces estaba aún más loca de lo que pensaba y no quería tener nada que ver con ella. Julia se quedó allí, desnuda, temblando y luciendo muy avergonzada, pero no le respondió. Ella no tenía por qué los moretones hablaban por sí mismos. Mason se alejó de ella y trató de controlar su ira antes de volver a hablar, debe haberla asustado muchísimo cuando irrumpió por la puerta para empezar. "¿Te desmayaste?"

"Sí. "

Ahora estaba aún más preocupado, "¿Cuánto tiempo?" No tuvo que preguntar por qué ella no lo había dejado verlo ayer en la clínica, eso era obvio. No había esperado todo ese tiempo por él, esperó todo ese tiempo a que se fuera. Al final, solo recibió la mitad de la atención médica que necesitaba cuando él entró por la puerta.

"No lo sé." Ofreció Julia y alcanzó la bata que estaba en el suelo, temerosa de que el Doc fuera a patearla, pero no lo hizo. Él la dejó recogerlo y sostenerlo frente a ella. "Cuando me desperté, se había ido". ¡Estaba tan contenta de que él lo estuviera!

"¿Él te violó?" Rick la vio estremecerse ante la fea palabra. "No soy policía, me importa un carajo si en realidad dijiste 'no' o no, porque, a decir verdad, no creo que sea una palabra que salga de tu boca con demasiada frecuencia, excepto porque, tal vez, así... oh, no, por favor no te detengas". Él se burló de sus apasionados suspiros.

"Bueno, y pensé que te gustaba eso", respondió ella. Legalmente, lo que hizo Ritter no fue una violación, tal vez lo fue, no estaba segura, "No debo-"

"¡No se atreva a pararse allí y decirme que no me debe una explicación! Al menos, soy DOCTOR; ¡debería haber sido honesto conmigo ayer!"

Sí, tal vez debería haberlo hecho; después de todo, su garganta fue lo principal que la obligó a ir a la clínica, no la herida en su cabeza. Cuando entró en la sala de examen, ella simplemente no pudo hacerlo. "Fue simplemente duro". Esa fue toda la explicación que The Doc iba a obtener de ella. Julia se llevó la mano a la garganta y luego volvió a meterse en la bata atándola con fuerza a su delgada cintura. Fue duro. Fue desagradable. Fue humillante. Ella no quería hablar jodidamente de eso.

"Eufemismo del año". Rick criticó. Un pensamiento desagradable lo golpeó. "En la ventana, ¿qué estaba haciendo cuando te vi?" ¿Había malinterpretado lo que estaba viendo? "¿Él metió tu cabeza en el vaso?"

Hace dos noches, Julia vio a The Doc parado bajo la luz de la calle y Ritter también, en ese momento mientras estaban follando, Ritter simplemente perdió los estribos. En ese momento no sabía por qué, pero ahora sí, todavía no tenía idea de lo que realmente sucedió entre los dos hombres, todo lo que sabía era que, de alguna manera, había quedado atrapada en el fuego cruzado. "Así como te alejaste, sí". Julia había querido llamarlo, hacer algo, darle una señal, pero estaba tan sorprendida y luego avergonzada de tenerlo allí parado mirándolos, todo lo que pudo hacer fue susurrar su nombre. A pesar de que el gran bruto la estaba lastimando, se alegró cuando el Doc se alejó. "Es solo... un riesgo laboral, Doc, eso es todo". Julia dijo con voz áspera. "No es la gran cosa.

"Es un gran problema, lo vas a acusar".

Los ojos de Julia se agrandaron y sintió que la sangre se le escapaba de la cara. "No no soy." Afirmó con esa misma voz ronca. "No voy a ser un peón en este juego de ajedrez bastante retorcido que ustedes dos están jugando". ¡Y no permitiré que mi vida privada se exhiba públicamente!

¿Ajedrez? Mason no había visto a Ritter, ¿qué? ¿Un año? ¿Dos? No hasta anoche. Entonces, hasta donde él sabía, no estaba jugando ningún juego de ajedrez. ¿Fue Ritter? "¿Le dijiste dónde vives?" Esa era una pregunta estúpida, por supuesto, no lo había hecho, ni siquiera le daría su identificación al bruto cuando se la pidió. Julia probablemente nunca le dijo a ninguno de los hombres dónde vivía o cuál era su nombre.

"No, Do-c. Nunca le dije eso a nadie, aunque parecía que no te importaba un carajo".

"Tampoco Ritter", dijo más para sí mismo que para ella. Sí, Ritter lo sabía, así que el policía lo siguió hasta la casa de Julia o él ya estaba allí cuando llegó Rick. "No pensarás que fue solo una coincidencia lo de anoche, ¿verdad? Si lo crees, puedo asegurarte de que no lo fue". Las ruedas giraron en su cabeza. "¿Cuándo estuvo en el bar?"

"¿Lunes?" Julia se ofreció.

Negó con la cabeza, "No, dijiste que había estado en el bar cuando yo estaba y que no me importaba. Eso es porque no lo vi, ¿cuándo? ¿Nos vio juntos?"

Julia no entendió, pero lo pensó de todos modos. Ritter, el policía rubio, solía pasar el rato en el rincón más alejado de la barra junto a la diana cuando el Doc estaba cerca. Hasta ahora no había pensado en eso, pero tal vez era porque él no quería que el Doc lo viera. "Estuvo allí esa noche del verano pasado", dijo pensativa, "estuvo allí el sábado por la noche, y probablemente nos vio salir juntos las dos veces. ¿Qué diferencia hay?"

"¿Él trató de recogerte antes?"

Ahora ella se estaba molestando. "Sí, te lo dije".

Entonces, eso significaba que Ritter tenía que ver a Mason anotar con ella mientras él mismo se ponchaba. Eso debe haber cabreado a Ritter, pero bueno. Ritter se parecía mucho al perro de Julia, Max, una vez que mordía algo, se hundió y no lo soltó hasta que alguien lo hizo.

La secadora se apagó; Julia la abrió, sacó su ropa de abrigo y luego se vistió sin quitarse la bata. "No sé de qué se trata todo esto, Doc y yo no queremos saberlo. Lo que sí sé es que... sea lo que sea... para mí se acabó, ¿todavía quedamos para cenar esta noche?"

"Las siete en punto." Asintió con un suspiro. ¿Se acabó? ¿Estaba Ritter satisfecho después de haber roto una parte dura de lo que Rick estaba recibiendo? Incluso si Julia estaba diciendo la verdad y no quería tener nada que ver con Ritter, eso no significaba que la bola de baba no se insinuaría en su vida solo para pinchar a Mason. "Cuídalo, ¿de acuerdo? Créeme, es un psicópata". Eso era decirlo suavemente. "Con una placa y un arma". Agregó para enfatizar. Ritter debe haber parecido (casi) el compañero de juegos ideal para Julia; grande, fuerte, contundente, todo un macho alfa, pero Ritter no era demasiado brillante. No entendía el juego de Julia, diablos; Ritter no entendió que era un juego.

"No tengo ningún plan para verlo". Ella ofreció. "Tampoco me importa hacer ninguno". No, pensó que estaría bien si nunca volvía a ver a Ritter. "Llegas tarde al trabajo".

Había más cosas aquí, Rick simplemente lo sabía, podía sentirlo. Simplemente no podía entender qué era, pero eso estaba bien, por ahora, vendría a él.

Capítulo Siete

Un taxi amarillo se detuvo frente a la casa de Julia poco después de las 9:30 am.

Ella entró.

Salió con ese maldito perro atado. El perro no esperó, la arrastró hasta el árbol más cercano y, agradecido, hizo su trabajo después de haber estado encerrada sola en la casa toda la noche. Sabía que el perro estaba solo, había cometido el error de volver aquí primero en lugar de hacer el viaje a la morada de Mason la noche anterior. Ritter estaba seguro de que Mason la dejaría aquí después de que los detuviera, pero el buen doctor no hizo eso. Ritter se sentó allí durante al menos veinte minutos, bajo la lluvia, esperando a que ella regresara, cuando no lo hizo, tomó un lento viaje de regreso a Willington. En el camino, la pasó caminando bajo la lluvia torrencial, sin abrigo y sin zapatos. Estaba empapada hasta los huesos. El primer pensamiento que se le pasó por la cabeza fue ofrecerle llevarla, simplemente detenerse, bajar la ventanilla, sonreír y hacerle la oferta. Pero no, ella solo lo rechazaría, así que decidió ver a dónde iba. Después de todo, si su hogar estaba en su mente, estaba vagando en la dirección completamente opuesta. A la vuelta de la curva alrededor de un cuarto de milla se detuvo y apagó las luces. Ritter bajó la ventanilla para evitar que el parabrisas se empañara mientras miraba por el espejo retrovisor esperando que ella llegara tan lejos. Poco después de que llegó dando tumbos en la curva, un par de faros iluminaron su silueta, se dio la vuelta y comenzó a saludar. Ritter pensó que era Mason volviendo hasta que vio el taxi. Se detuvo, se paró fuera de la ventana del conductor un momento o dos y luego se subió atrás. Lo siguió hasta la puerta de Mason y aparcó al otro lado de la calle. si su hogar estaba en su mente, estaba vagando en la dirección completamente opuesta. A la vuelta de la curva alrededor de un cuarto de milla se detuvo y apagó las luces. Ritter bajó la ventanilla para evitar que el parabrisas se empañara mientras miraba por el espejo retrovisor esperando que ella llegara tan lejos. Poco después de que llegó dando tumbos en la curva, un par de faros iluminaron su silueta, se dio la vuelta y comenzó a saludar. Ritter pensó que era Mason volviendo hasta que vio el taxi. Se detuvo, se paró fuera de la ventana del conductor un momento o dos y luego se subió atrás. Lo siguió hasta la puerta de Mason y aparcó al otro lado de la calle. si su hogar estaba en su mente, estaba vagando en la dirección completamente opuesta. A la vuelta de la curva alrededor de un cuarto de milla se detuvo y apagó las luces. Ritter bajó la ventanilla para evitar que el parabrisas se empañara mientras miraba por el espejo retrovisor esperando que ella llegara tan lejos. Poco después de que llegó dando tumbos en la curva, un par de faros iluminaron su silueta, se dio la vuelta y comenzó a saludar. Ritter pensó que era Mason volviendo hasta que vio el taxi. Se detuvo, se paró fuera de la ventana del conductor un momento o dos y luego se subió atrás. Lo siguió hasta la puerta de Mason y aparcó al otro lado de la calle. Ritter bajó la ventanilla para evitar que el parabrisas se empañara mientras miraba por el espejo retrovisor esperando que ella llegara tan lejos. Poco después de que llegó dando tumbos en la curva, un par de faros iluminaron su silueta, se dio la vuelta y comenzó a saludar. Ritter pensó que era Mason volviendo hasta que vio el taxi. Se detuvo, se paró fuera de la ventana del conductor un momento o dos y luego se subió atrás. Lo siguió hasta la puerta de Mason y aparcó al otro lado de la calle. Ritter bajó la ventanilla para evitar que el parabrisas se empañara mientras miraba por el espejo retrovisor esperando que ella llegara tan lejos. Poco después de que llegó dando tumbos en la curva, un par de faros iluminaron su silueta, se dio la vuelta y comenzó a saludar. Ritter pensó que era Mason volviendo hasta que vio el taxi. Se detuvo, se paró fuera de la ventana del conductor un momento o dos y luego se subió atrás. Lo siguió hasta la puerta de Mason y aparcó al otro lado de la calle.

Cuando quedó claro que no iba a salir pronto, Ritter salió del coche, se arrastró hasta la parte trasera de la casa y miró por la ventana del dormitorio de Mason. No había luz y sabía por qué, pero estaba bien, incluso bajo la lluvia había suficiente luz de la farola para ver el interior y distinguir lo que estaban haciendo, si no los detalles minuciosos. La vista no era tan buena como la de la habitación 406 de El Royale, pero serviría para la noche y cualquier otra noche, especialmente una vez que la lluvia amainara y los moretones que él le había dejado en ella se desvanecieran. Entonces volvería a encender la luz.

Hace unos meses, se había aficionado a alquilar la habitación contigua a la suite que Julia mantenía en reserva permanente.

Dado que ya no estaba empleado por The Vermont State Troopers y que lo habían despedido en circunstancias menos que valiosas, pero con su pensión junto con una generosa indemnización por despido que le llegó con los sinceros deseos de VSP de que se fuera tranquilamente, Ritter estaba obligados a encontrar otra línea de trabajo. Como la mayoría de los expolicías, tenía dos opciones; abrir un bar u obtener una licencia de PI. A principios del año pasado obtuvo su licencia y abrió su negocio de PI.

El negocio iba bien, incluso si en general se trataba de casos aburridos relacionados con personas mundanas con problemas mundanos. La mitad del tiempo simplemente iba a Google y seguía los enlaces web para encontrar la información que le pagaban por encontrar. Era constante, pero carecía de la emoción genuina del trabajo policial. Luego, Susan Miller, ex esposa de Craig Miller, entró en su vida y lo contrató para espiar a la actual Sra. Miller, Julia. Susan Miller quería un cheque de pensión alimenticia y un cheque de manutención infantil más grandes a pesar de que su exmarido estaba en coma. Ella juró que esa 'pequeña puta', la actual Sra. Miller, estaba escondiendo una pequeña fortuna de la corte y quería que la encontraran.

La chica era una perra, Ritter comprendió de inmediato por qué cualquier hombre podría divorciarse de ella, pero tomó el caso y la mitad de su pago por adelantado. Lo primero que hizo fue revisar el historial financiero de la familia Miller y encontró que era un jodido desastre. Si Susan Miller pensaba que allí había dinero, estaba loca. Julia, y por asociación, Craig estaba endeudado hasta los ojos translúcidos. Las facturas médicas de Craig eran asombrosas. Al principio, sus facturas médicas estaban cubiertas por la póliza de seguro de salud que tenía a través de su trabajo como pez gordo en la firma de arquitectura de la ciudad de Nueva York. El trabajo de Julia también tenía seguro, por lo que el de ella sirvió como respaldo, pero luego su empresa lo dejó ir. ¿Qué elección tenían? La firma le dio a Julia una buena suma de dinero como un consuelo de "lo sentimos mucho", pero no duró mucho. Treinta mil dólares al mes en facturas médicas ahogaron a una persona con bastante rapidez. Julia tuvo que cambiar los planes de seguro a través de su trabajo a uno que costaba varios cientos de dólares más al mes solo con la esperanza de cubrir los gastos. Entonces Julia perdió su trabajo en la escuela preparatoria privada. Bailó lo más rápido que pudo durante meses para pagar un seguro privado. Dejó que la hipoteca caducara.

Sabía todo acerca de esos avisos VENCIDO que seguían apareciendo en su buzón haciéndola fruncir el ceño y preocuparse en su puerta cada vez que sacaba el correo del buzón. Cualquier día de estos no sería VENCIDO o incluso AVISO FINAL, un Sheriff aparecería en su puerta y le entregaría los documentos de EJECUCIÓN HIPOTECARIA. Julia tuvo que cambiar los planes de seguro a través de su trabajo a uno que costaba varios cientos de dólares más al mes solo con la esperanza de cubrir los gastos. Entonces Julia perdió su trabajo en la escuela preparatoria privada. Bailó lo más rápido que pudo durante meses para pagar un seguro privado. Dejó que la hipoteca caducara. Sabía todo acerca de esos avisos VENCIDO que seguían apareciendo en su buzón haciéndola fruncir el ceño y preocuparse en su puerta cada vez que sacaba el correo del buzón. Cualquier día de estos no sería VENCIDO o incluso AVISO FINAL, un Sheriff aparecería en su puerta y le entregaría los documentos de EJECUCIÓN HIPOTECARIA. Julia tuvo que cambiar los planes de seguro a través de su trabajo a uno que costaba varios cientos de dólares más al mes solo con la esperanza de cubrir los gastos. Entonces Julia perdió su trabajo en la escuela preparatoria privada. Bailó lo más rápido que pudo durante meses para pagar un seguro privado. Dejó que la hipoteca caducara. Sabía todo acerca de esos avisos VENCIDO que seguían apareciendo en su buzón haciéndola fruncir el ceño y preocuparse en su puerta cada vez que sacaba el correo del buzón. Cualquier día de estos no sería VENCIDO o incluso AVISO FINAL, un Sheriff aparecería en su puerta y le entregaría los documentos de EJECUCIÓN HIPOTECARIA. Sabía todo acerca de esos avisos VENCIDO que seguían apareciendo en su buzón haciéndola fruncir el ceño y preocuparse en su puerta cada vez que sacaba el correo del buzón. Cualquier día de estos no sería VENCIDO o incluso AVISO FINAL, un Sheriff aparecería en su puerta y le entregaría los documentos de EJECUCIÓN HIPOTECARIA. Sabía todo acerca de esos avisos VENCIDO que seguían apareciendo en su buzón haciéndola fruncir el ceño y preocuparse en su puerta cada vez que sacaba el correo del buzón. Cualquier día de estos no sería VENCIDO o incluso AVISO FINAL, un Sheriff aparecería en su puerta y le entregaría los documentos de EJECUCIÓN HIPOTECARIA.

A la luz de eso, Ritter no pensó que estaba escondiendo dinero, pero revisó los antecedentes de Julia para intentar determinar si tenía los medios para ocultar grandes sumas de dinero.

Julia Mansfield nació el 31 de octubre de 1974 en Castle Rock, ME. Era la única hija de Michael Mansfield y su esposa Miriam King. En general, parecía tener una infancia normal, aunque algo protegida y un poco idílica, hasta la edad de 8 años, cuando comenzó a tener problemas con, entre otras cosas, los médicos. La enviaron a casa por primera vez el primer día de la escuela primaria ese año después de que la llamaran a la oficina de la enfermera para un examen físico escolar. La pequeña Julia mordió a la enfermera de la escuela lo suficientemente fuerte como para sacarle sangre. Luego la mantuvieron fuera de la escuela primaria durante tres meses hasta que vio a su propio médico y fue vacunada para reingresar. Julia no quería ir al médico por lo que sus buenos y preocupados padres la drogaron y, cuando Julia recuperó el sentido mientras el pediatra la examinaba, ella sacó la pluma de su bolsillo y lo apuñaló con ella. Dos veces.

Temiendo que algo terrible le pasara a su preciosa niña, sus padres (y el sistema escolar) la obligaron a ver a un psiquiatra que le diagnosticó iatrofobia; un miedo irracional a los médicos. Si hubiera sabido entonces lo que sabía ahora, se habría reído como un tonto.

Aparte de eso, Julia Mansfield tenía una reputación brillante hasta que su padre murió cuando pareció desarrollar una pequeña adicción a la morfina. Eso terminó una noche en un accidente automovilístico que la envió a rehabilitación ordenada por la corte. Si bien todo fue levemente interesante, no hubo nada que indicara la capacidad de malversar u ocultar dinero. Incluso si fuera capaz de hacerlo, todavía no había dinero que ocultar. Siendo un hombre muy meticuloso, Ritter se quedó en el caso esperando entregar un informe aburrido a la ex-Sra. Miller en una semana o dos.

Luego la siguió al Tonio's Bar una noche donde la vio recoger a un completo extraño y llevarlo al Hotel El Royale. Tres o cuatro veces al mes iba al bar, recogía a un chico, cualquier chico, y lo llevaba al hotel. Diciéndose a sí mismo que era parte del trabajo, había intentado varias veces recogerla. Unas cuantas veces se sentó con él, le invitó a una bebida, pasó quince o veinte minutos con él y charlamos un poco, pero eso fue todo lo que consiguió. No le diría su nombre, a qué se dedicaba, dónde vivía o incluso dónde creció.

Julia nunca le invitó un segundo trago ni se ofreció a sentarse con él en una segunda ronda, ni siquiera cuando él se ofreció a comprar. Ella siempre fue educada y dulce, incluso cuando le decía que se fuera a la mierda. Volvería a la esquina más lejana con el rabo entre las piernas y la polla hormigueando por los pensamientos lujuriosos que coloreaban su mente. Ella siempre estaba fuera de la próxima perspectiva de la noche. La mayoría de las noches, incluso si tenía que quedarse hasta la medianoche, se iba con alguien, pero otras noches se iba sola y eso era por elección porque cualquier chico allí dentro la habría escoltado extasiado hasta su puerta. Ya sea sola o acompañada, Julia siempre iba a la habitación 404 del Hotel El Royale al final de la noche. Una vez que descubrió eso, se dio cuenta de que Julia se estaba escapando, el problema era que no tenía adónde ir, así que se conformó con un pequeño escape y luego regresó a su prisión por la mañana. se fue con alguien, pero otras noches se fue sola y eso fue por elección porque cualquier tipo allí dentro la habría escoltado en éxtasis hasta su puerta. Ya sea sola o acompañada, Julia siempre iba a la habitación 404 del Hotel El Royale al final de la noche. Una vez que descubrió eso, se dio cuenta de que Julia se estaba escapando, el problema era que no tenía adónde ir, así que se conformó con un pequeño escape y luego regresó a su prisión por la mañana. se fue con alguien, pero otras noches se fue sola y eso fue por elección porque cualquier tipo allí dentro la habría escoltado en éxtasis hasta su puerta. Ya sea sola o acompañada, Julia siempre iba a la habitación 404 del Hotel El Royale al final de la noche. Una vez que descubrió eso, se dio cuenta de que Julia se estaba escapando, el problema era que no tenía adónde ir, así que se conformó con un pequeño escape y luego regresó a su prisión por la mañana.

Ritter encontró eso muy interesante, tanto que, en su cuarta vigilancia, llegó al extremo de alquilar la habitación contigua a la de ella y cobrarle a la ex-Sra. Miller por el gasto. Los IP tienen juguetes tan maravillosos que no necesitan órdenes judiciales para usarlos. La cámara y los micrófonos eran sus favoritos y no costó mucho perforar un agujero del tamaño de un lápiz en el desmoronado yeso del hotel. Perforó cerca del zócalo de la pared que unía sus habitaciones y tenía una vista perfecta de su dormitorio. Unos metros más abajo perforó otro agujero y tuvo una hermosa vista de su sala de estar. Ritter la observó con cada uno de los hombres que trajo al hotel. Observó, escuchó y grabó los eventos.

Entonces, como el destino quiso, Ricardo Mason hizo su aparición en escena en agosto pasado. Estaba claro que el Doctor Mason estaba enamorado de la actual Sra. Miller. Ritter vio la cinta de su primera noche juntos a menudo, definitivamente fue una calurosa noche de verano. Mason no tenía precio, al principio parecía tan perdido, como un pez fuera del agua, pero luego se acostumbró y se decepcionó pasando los siguientes tres meses entrando y saliendo del bar, obviamente con la esperanza de encontrar a Julia. El fin de semana pasado, finalmente consiguió su deseo. Mason montó un gran espectáculo, sí, el viejo perro lo hizo. Ritter nunca hubiera imaginado que un tipo mayor con una pierna quebrada pudiera seguir siendo tan ágil.

¿Cuántas cintas tenía él de ella follando con este tipo o aquel tipo? Incluidos, por supuesto, el doctor Ricardo Mason y él mismo. Ritter no estaba seguro, pero pensó que podría iniciar un pequeño sitio de pornografía en Internet con su colección y ganar una buena cantidad de dinero, después de todo, Julia tenía un talento excepcional para lo que hacía. Los hombres pagarían una pequeña fortuna solo por mirarla y una gran fortuna solo por tocarla.

Hace dos meses, llevó su expediente a la ex-Sra. Miller, que no estaba contento con las malas noticias financieras, por decir lo menos. Sentado allí en su sala de estar, se preguntó qué diría ella si le hablara del hotel El Royale y de todos los hombres con los que se estaba tirando la actual señora Miller. La información no le sirvió de nada en la corte, no podía divorciarse de Julia en nombre de Craig. Incluso si pudiera, ¿qué tribunal no se solidarizaría con Miller, que estaba casi viuda? ¿Qué tribunal la miraría y la obligaría a divorciarse de un esposo que ya no podía cumplir con su parte del contrato matrimonial porque ella estaba recibiendo una buena parte adicional? Así que se lo guardó para sí mismo mientras metía su cheque de $10,000.00 en el bolsillo de su pecho con una sonrisa y un 'encantado de hacer negocios contigo'.

Pero no abandonó su investigación.

A pesar de que llovió anoche, no dejó la ventana hasta cerca del amanecer, ya que parecía ser cuando los amantes del interior terminaron. Empapado, temblando y con frío, Ritter volvió a su coche, pero no abandonó su vigilancia hasta que la vio marcharse hace una media hora. Sin embargo, se preguntó qué había hecho que Mason regresara a la casa de manera tan abrupta y enfadada. Ritter lo vio irrumpir en la casa e incluso desde el otro lado de la calle podía oír las voces que se elevaban dentro, aunque no podía entender lo que decían con verdadera claridad. Quince minutos más tarde, más o menos un minuto o dos, Mason, de un humor mucho más alegre, aunque todavía perplejo, salió por la puerta principal, subió a su automóvil y, supuso Ritter, finalmente se dirigió al trabajo. Diez minutos después, el taxi se detuvo y Julia se subió.

Ahora aquí estaba ella paseando a ese chucho viscoso suyo alrededor de la cuadra. Sería muy amable con el perro sintiéndose culpable por haberlo dejado solo toda la noche, lo más probable es que lo llevara a dar un paseo extralargo. Otras posibilidades eran que ella no hubiera encendido la alarma, de hecho, él no creía que ella siquiera tomara sus llaves. Mirando por todas las ventanas del auto y en el espejo retrovisor para ver la calle tranquila, Ritter salió del auto, cruzó la calle, miró a su alrededor nuevamente, luego probó la perilla para encontrar que giraba fácilmente en su mano y la puerta se abrió. "Mujer estúpida", murmuró, "¿no sabes que cualquiera puede simplemente caminar de esta manera?"

No tuvo mucho tiempo, veinte minutos en el exterior. Esta era la primera vez que realmente había podido entrar. Lo había intentado varias veces, pero el maldito perro siempre se interponía en el camino. Tendría que dispararle para pasarlo.

Atravesando rápidamente el frente, vio el santuario de Craig Miller sobre el manto de Julia, lo había visto junto con el resto del nivel inferior a través de las ventanas durante los últimos meses. El primer piso no le interesó, era el segundo piso que Ritter quería ver y casi subió los escalones de dos en tres a la vez mientras subía. Al llegar al rellano, casi corrió por el pasillo hasta el dormitorio principal.

El dormitorio de Julia, el que había compartido con Craig, era la única habitación terminada de la casa. Era un calmante azul pálido con acentos de cáscara de huevo. La cama principal era de la variedad con dosel completa con dosel romántico de encaje. Revisó sus cajones, acarició su ropa y se llevó la ropa interior a la cara, hundiendo la nariz en ellos antes de guardarlos en el bolsillo. Roció el perfume de canela en el aire y sobre la cama. Ritter pasó la mano por el colchón y las almohadas y se la imaginó acostada allí con el camisón de satén blanco sin usar la noche anterior.

El tiempo no estaba de su lado, no podía pararse y soñar despierto, se metió en el baño principal para mirar y tocar las cosas que había dentro. Había muchos frascos de pastillas en el botiquín, lo curioso era que estaban todos llenos y las fechas iban desde las pastillas que Mason le recetó ayer hasta hace dos años. Los llenó todos y nunca los tomó.

Esos no servirían.

De vuelta en el dormitorio, abrió la mesita de noche para encontrar una caja abierta de Newports. Perfecto. Rápidamente arrojó los paquetes restantes sobre la cama, sacó una jeringa de su bolsillo y comenzó a pinchar cada paquete en el fondo, solo una vez, e inyectó parte del líquido en los cigarrillos del interior. No quería apresurar las cosas aquí, de esta manera ella solo fumaría uno, posiblemente dos, cigarrillos contaminados por día, dependiendo de cuánto fumara en realidad. Se acumularía lentamente en su sistema y sería casi imperceptible excepto por una fatiga fácilmente explicable y algunos síntomas similares a los de la gripe para empezar. Cuando terminó, miró su trabajo. Ella nunca notaría los pinchazos en los paquetes, él los puso en los sellos de identificación fiscal solo para tener más cuidado, y no olería ni sabría mal, de hecho, incluso podría pensar que son un poco dulces.

Ritter perdió su trabajo porque era grosero, bocón y un francamente matón, pero él no lo veía así en absoluto. Cuando Julia Miller y Ricardo Mason se juntaron y saltaron chispas, Patrick Ritter encontró su oportunidad para vengarse. Mason le robó algo que amaba y Ritter se lo iba a devolver con la misma moneda.

En su camino por el vestíbulo, vio el santuario una vez más y la botella de ginebra en la mesa de café. La jeringa todavía estaba medio llena y eso la pondría bien. Con el corazón acelerado mientras entraba en la sala de estar, Ritter desenroscó la tapa, inyectó lo último del líquido y volvió a enroscarla. "Es hora de descubrir qué tan bueno es usted, doctor Mason. Veamos cómo se ocupa de esto". Murmuró mientras se dirigía a la puerta principal y luego de regreso a su auto. Detrás del volante, vio como Julia doblaba la esquina con el perro, le sonreía y le hablaba, el estúpido perro meneaba la cola y casi le sonreía mientras saltaba a sus pies. Ella entró y él se fue. Tenía uno o dos clientes para los que trabajar, tenía que pagar las cuentas y encontrar los medios para alimentar su pequeña obsesión de alguna manera, ¿no?

Ritter volvería esta noche y, sin duda, Mason también.

Capítulo Ocho

Todavía frío y húmedo al llegar a casa, Ritter se quitó la ropa que se le pegaba y provocó que su piel se erizara. Vagando desde la puerta principal hasta el baño, dejó un rastro detrás de él. Al abrir el agua caliente, ¡todavía no podía creer su suerte en lo que respecta a Ricardo Mason y la puta! ¡Huuuu! Ella hizo la olla aún más dulce, ¿no? A Ritter le daba igual si a una mujer le pagaban o no, si hacía lo que hacía Julia Miller entonces era una puta y le importaba un carajo por qué. Ni siquiera con las razones de la pobre Julia. Mason, por otro lado, ese hombre tenía que resolver todo y Julia Miller actualmente residía en la parte superior de su lista.

Al meterse bajo los chorros calientes para calentar su piel húmeda, no pudo evitar preguntarse qué le había dicho a Mason esta mañana. Condujo por la ruta habitual de camino a casa, pasó por delante de la casa de Mason y bajó hasta El Royale, donde miró hacia la ventana y vio la grieta. Quizás Mason también lo vio y eso fue lo que lo envió de vuelta a casa esta mañana. Con todas las pastillas que tomó, Ritter estaba bastante seguro de que Mason estaba loco. Pero él era agudo y esa mente aguda trabajaba de maneras extrañas y fascinantes que podían ser difíciles de seguir. A Ritter siempre le gustaron los desafíos y no había tenido uno como Ricardo Mason desde, bueno, su último encuentro con Ricardo Mason.

Julia, bueno, parecía muy apegada a Mason. Eso sorprendió a Ritter. Noche tras noche, la observaba en el bar mientras se sentaba en el rincón más alejado junto a la diana. Ella siempre estaba vestida a las 9 de una manera muy sofisticada y elegantemente sexy que exhibía los productos sin poner el cartel de 50% de descuento. La observaría entre la multitud hasta que encontrara un objetivo interesante; sus objetivos no tenían ton ni son que él pudiera ver. Recogió a este hombre y a ese hombre, pero pasó tres veces más una vez que consiguió que se sentaran con ella. Julia siempre pagaba sus bebidas. Se enjabonó con una barra de Ivory, pensó que era para que ella no se sintiera tan puta cuando todo estuviera dicho y hecho y el sol volviera a salir. La noche que Ricardo Mason entró, sus ojos se iluminaron e incluso se sonrojó.

¡Alabados sean los santos!

Ritter se enjuagó el jabón del cabello y sonrió ampliamente al pensar en el fin de semana pasado y en el espectáculo que Mason le había dado. Tenía que darle al buen doctor sus apoyos, incluso felicitaciones, por la forma en que manejó a Julia. La mayoría de los otros chicos que llevó de regreso al hotel eran idiotas torpes, demasiado tímidos o demasiado nerviosos o demasiado asustados por el simple hecho de que estaban allí con ella para serle útiles. De vez en cuando tenía uno que lo hacía con todo lo que tenía, a veces salían bien y ella se lo pasaba bien. Una cosa sobre Julia, ella nunca lo fingió, si no estabas haciendo un buen trabajo, ella no iba a acariciar tu ego. No, te iban a mostrar la puerta cinco segundos después de llegar. A Mason no se le mostró la puerta en ninguna de las dos ocasiones; de hecho, la primera vez que se acostó con él fue la primera vez que Ritter la vio hacer tal cosa. Julia nunca se durmió con el Hombre de la Noche, incluso si todo iba bien y se producía una segunda ronda, el hombre siempre la dejaba allí sola. Cuando se acurrucó en los brazos de Mason esa primera noche, Ritter estaba bastante segura de que había encontrado algo en Mason que no había encontrado en todos los demás. Dos horas más tarde lo dejó allí, pero esa fue otra novedad, nunca dejó al Hombre de la Noche solo en su habitación.

Durante unos meses después de que se enganchó con Mason, Ritter se acostumbró a llegar temprano al bar y tomar asiento en la parte de atrás. No pasó mucho tiempo antes de que notara que el Doctor Mason comenzó a aparecer tres, cuatro y hasta cinco veces por semana, preguntando al cantinero; ¿Ha estado aquí esta noche? Ritter sabía que tenía un pez en la línea. Parecía que el buen viejo doctor estaba tan enamorado como Julia. Quería estar allí cuando descubrieran ese hecho.

El fin de semana pasado los cielos se abrieron, los mares se abrieron y Dios concedió su deseo. No solo se durmió en los brazos de Mason por una pequeña siesta; ella durmió el resto de la noche allí con él como una amante. A la mañana siguiente lo hicieron todo de nuevo.

Entonces llegó el lunes.

Ritter había estado trabajando en otro caso que casualmente se centró en cierto médico en The Mountainside cuya esposa sospechaba que se acostaba con varias de las enfermeras. Tenía razón y Ritter no dudaba que estaba a punto de tomarlo por al menos la mitad de todo lo que tenía. Bien por ella. Una de las enfermeras era una perra fría como una piedra de todos modos.

Disfrazado, deambuló por el hospital hasta el lugar de encuentro habitual del sujeto y una de sus fulanas, tomó las fotografías que le pagaban por tomar y luego, dado que estaba tan cerca, pasó por delante de la Sala de Coma para ver si Julia estaba sentada allí con su marido. Ritter llegó justo cuando las puertas del ascensor se abrieron y el doctor Mason, junto con varios otros médicos, salieron apresuradamente. Esperó para ver si Mason la notaba y mucho menos la reconocía; no lo había hecho en el pasado, eso estaba bien porque Mason tampoco había reconocido a Ritter dando vueltas durante las últimas tres semanas y eso estaba bien para él. De pie al otro lado de la estación de enfermería, observó a Mason cerca de Coma Ward, observó a Julia mientras se tensaba al escuchar su voz, podía ver parte de su rostro y no se sonrojaba, estaba pálida como un fantasma. Cuanto más se acercaba el doctor Mason, más apartaba la cabeza de él, más intentaba el doctor Mason tener una buena vista de ella. Ritter estaba seguro de que Mason la reconoció, veinte minutos después, Mason estaba de regreso, pero Julia huyó mucho antes. No hacía falta ser un genio para averiguar adónde iba.

Ritter terminó en el hospital, corrió a casa para darse una ducha rápida y cambiarse de ropa y luego se dirigió al bar. Era temprano, pero llegaría pronto. Claro que lo haría, Mason la asustó esta tarde, la asustó bien y estaría buscando un poco de consuelo. Dos horas después allí estaba ella. Había hecho una parada en el salón y se había teñido el pelo con un tono más oscuro, a Ritter le gustaba más el rubio rojizo porque la hacía parecer un poco cachonda. Además... era temprano. Las ganancias fueron escasas. Ritter tuvo suerte.

Ritter se acercó a ella, se ofreció a invitarla a una bebida, ella le invitó una, a mitad de ella estaba corriendo descalza por la pernera de su pantalón. Menos de cinco minutos después de eso, estaban en la habitación de hotel de ella y él se lo dijo hasta la medianoche, mucho después de que Mason los viera en la ventana desde la calle de abajo. ¿Qué le dijo ella? A Ritter le hubiera encantado ser una mosca en la pared durante esa conversación, pero tuvo que conformarse con espiar desde el otro lado de la calle. La llevó a la ventana porque le gustó la idea de Mason de ponerla contra la pared, sí, a Ritter le gustó mucho y, de hecho, se había sentado en la habitación 406 con la polla en la mano acariciando mientras los observaba. su monitor Siendo más exhibicionista que Mason, Ritter pensó que la ventana era una mejor idea que la pared. Ella siguió, pero no felizmente,

"La próxima vez." Ritter le dijo. Podía verlo en sus ojos; ¿Qué próxima vez? Si no iba a ser invitado de regreso, entonces podría sacar todo lo que pudiera de esta noche. Así lo hizo. Desde el ángulo de la cámara, Ritter no podía decir en qué agujero se había metido Mason cuando la puso contra la pared, pero Ritter sabía cuál quería con ella contra la ventana. Él la empujó con fuerza contra el vidrio frío con una mano, agarró su cadera con la otra y hundió su dura polla profundamente en ese hermoso culo de un solo empujón. Julia soltó un grito áspero, le dijo que se detuviera, que no hiciera eso, que la estaba lastimando. Casi nunca les decía eso a los demás, por lo que Ritter sabía que debía ser verdad y eso lo excitó aún más. Ella se estiró hacia atrás y trató de alejarlo, Ritter puso sus manos en el vidrio y le dijo que las dejara allí. o conseguiría las esposas. Entonces ella se quedó callada. No hizo ningún escándalo hasta que vio a Mason al otro lado de la calle y se dio cuenta de que él también la había visto. Julia probablemente nunca se escuchó a sí misma decirlo, pero Ritter lo escuchó alto y claro a pesar de que fue muy suave y murmurado.

"Doc."

¿Por qué no te quedas ahí y miras esto?

Ese fue el pensamiento que pasó por su cabeza y dio todo lo que tenía mientras entraba y salía de ese fino culo en forma de lágrima. Sabía que Mason no podía ver su rostro ni el de ella, así que ¿por qué no cavar e ir a por ello? ¿A quién se lo iba a contar? ¿Masón? No es probable. A menos que... por alguna razón u otra... Mason se enterara por su cuenta. Eso solo llevaría al viejo doctor a la pared más cercana, ¿no? Claro, lo haría.

Mason se quedó allí mirando durante un minuto o dos, pero luego se alejó. Eso cabreó a Ritter. Quería que se quedara allí y observara hasta que terminara con ella.

"Doc."

Eso lo puso en marcha. "¡Callarse la boca!" Ritter agarró un mechón de su cabello, lo tiró hacia atrás y luego lo empujó hacia adelante contra el vidrio partiéndolo y su frente de alabastro. Su cráneo rebotó en el cristal y la fuerza se le fue de las rodillas, menos mal que él tenía esa polla dura en ella para mantenerla en pie o podría haberse caído. Vio el moretón púrpura en su cuello y las marcas de dientes en el medio. Un poco más fuerte y Mason le habría arrancado un trozo de carne como un lobo dando su primer bocado a la presa de la noche. La mano que había estado en su cabello fue a la otra cadera y la sujetó sin piedad mientras él la empujaba hacia abajo para poder empujar hacia arriba con más gusto. Sus muslos ya estaban cubiertos de marcas de patas, algunas de él esta noche, pero la mayoría de Mason. Surgiendo dentro y fuera de ella con una polla cada vez más dura, Julia comenzó a llorar. Ella no se lamentó. No lloró ni sollozó ni le rogó que se detuviera. Con la cara pegada al cristal, lloró en silencio hasta que él terminó. El clímax fue espectacular y tan duro como su polla, del tipo que un hombre realmente tiene que estirar para que llegue a buen término. Del tipo que lo deja temblando y con las rodillas débiles.

Parado aquí en la ducha, Ritter descubrió que tenía un trozo de madera duro solo de pensarlo. No tenía sentido desperdiciar el agua caliente y la espuma sedosa mientras dejaba que su mente divagara por este camino placentero con su polla en ambas manos acariciándola con fuerza.

Después de eso, cuando Julia recuperó la fuerza para ponerse de pie, trató de echarlo. Ritter no iría. No había terminado, la noche aún era joven. Cuando ella comenzó a decirle que iba a llamar a la policía, él le dijo con frialdad que él era un policía.

"Adelante, llama". se atrevió "Estoy seguro de que les encantará ayudarme contigo, cariño. ¿A cuántos de nosotros puedes enfrentarte a la vez? ¿Qué te parece? ¿Tres? ¿Cuatro? ¿Todo el recinto?"

Julia colgó el teléfono.

Ritter la agarró por los antebrazos, la arrojó sobre la cama, ella comenzó a gritar y él le dio una bofetada con la mano abierta en la cara. "Callarse la boca." Sus pantalones estaban sobre la cama junto a ella; vio el cinturón, lo arrancó de las trabillas y se lo abrochó alrededor del cuello antes de que ella pudiera protestar. Puede que no lo inviten a volver, pero sería una noche que Julia Miller nunca olvidaría.

En la ducha, su polla soltó su carga a la demanda de su propia mano enjabonada.

Fue toda la noche.

Cuando finalmente levantó su polla hambrienta y salió de la habitación, Julia estaba desmayada y necesitaba atención médica. Ritter pensó que tal vez se encontraría con su Doc. Tal vez tendría que explicarle cómo se había puesto tan jodida.

Fue a La clínica médica de la montaña ¿qué otra opción tenía? Facturaban en una escala móvil y Julia no tenía ningún seguro médico. Estaba sentado entre los infestados de gripe con una gorra de béisbol y gafas de sol detrás de un periódico. ¡Llevaron a Julia de vuelta y pasaron dos horas! La mujer podría haberse desangrado hasta la MUERTE para cuando alguien la miró. Menos mal que no le hizo más daño del que le había hecho. Pero, entonces, efectivamente, como si el destino mismo decidiera que Julia Miller y Ricardo Mason eran amantes desafortunados, Mason entró en su sala de examen. La piel comenzó a volar. Ritter escuchó al otro lado de la puerta.

Cuando se fue enojada y Mason se quedó en la puerta de la sala de examen mirándola con esa expresión abatida como un cachorro perdido, todo fue tan delicioso. Tuvo que salir corriendo para reír largo y tendido.

Cerró el agua, se puso una toalla alrededor de la cintura y entró en su dormitorio para cambiarse y ponerse ropa limpia y seca. Deslizándose, comando, en un par de jeans, se felicitó por ponérselo anoche. Ritter intervino el teléfono de Julia durante meses y fue fácil, ya que no tenía que entrar en la casa para interponer micrófonos en un teléfono inalámbrico, todo lo que tenía que hacer era buscar la frecuencia adecuada y luego escuchar. Debería haber intervenido en el interior. hoy pero no había traído los materiales apropiados con él. Lo que pasa con los teléfonos inalámbricos es que la gente a menudo se olvida de colgarlos. Julia Miller fue una de esas personas. Cuando Mason llegó a su departamento y el teléfono estaba sobre la mesa de café, escuchó todo lo que dijeron. Incluso los escuchó cuando estaban (probablemente) en el vestíbulo cerca de la cocina. Ella no tenía la intención de contarle a Mason sobre su velada con Ritter, por lo que se le ocurrió un plan improvisado para forzarla. Solo quería ver cómo reaccionaría Mason. Eso es todo.

Ritter dejó escapar una carcajada mientras se deslizaba una sudadera sobre su cabeza seca. "¿TÚ y RITTER?" Dijo burlándose de Mason entre ataques de risa. "Pobre bastardo." Desafortunadamente para Ritter, Mason siempre colgaba su teléfono, por lo que no había podido escuchar nada de la conversación una vez que ella llegó allí la noche anterior. De todos modos, no escuchaba mucho las conversaciones telefónicas de Mason, solo un montón de charlas médicas y la llamada ocasional a la línea de chat sexual local y al servicio de acompañantes. Debería arrestar a Mason por prostitución y, de nuevo, ya no era un policía de verdad y todo lo que hacía era completamente ilegal. Incluso si todavía tuviera su trabajo con la Policía Estatal, el Intento de Asesinato aún no sería legal. Ritter se decía a sí mismo que no estaba tratando de matar a Julia, si pasaba, pasaba—sería culpa de Mason por no ser tan inteligente como el viejo bastardo pensaba que era—pero matarla no era la meta. Sólo un posible efecto secundario. Es por eso que estaba tomando el enfoque lento y constante. Mason no pensaría en eso al principio, tampoco Julia, simplemente pensarían que tenía la misma gripe que todos los demás estaban contagiando. Poco después, con suerte poco después de todos modos, sería una perra si Mason se daba cuenta demasiado tarde, se daría cuenta de que algo andaba muy mal con la salud de su nueva novia. Luego, Ritter retrocedía y observaba cómo el doctor Mason se arrojaba al suelo tratando de salvarle la vida. Mason no pensaría en eso al principio, tampoco Julia, simplemente pensarían que tenía la misma gripe que todos los demás estaban contagiando. Poco después, con suerte poco después de todos modos, sería una perra si Mason se daba cuenta demasiado tarde, se daría cuenta de que algo andaba muy mal con la salud de su nueva novia. Luego, Ritter retrocedía y observaba cómo el doctor Mason se arrojaba al suelo tratando de salvarle la vida. Mason no pensaría en eso al principio, tampoco Julia, simplemente pensarían que tenía la misma gripe que todos los demás estaban contagiando. Poco después, con suerte poco después de todos modos, sería una perra si Mason se daba cuenta demasiado tarde, se daría cuenta de que algo andaba muy mal con la salud de su nueva novia. Luego, Ritter retrocedía y observaba cómo el doctor Mason se arrojaba al suelo tratando de salvarle la vida.

Si él fuera tan inteligente como pensaba que era, entonces Julia viviría.

Si él no estaba... bueno... ellos eran los descansos.

Oye, al menos, Ritter podría consolarse con el hecho de que, si Julia muriera, él habría terminado con su dolor de una manera que Mason nunca pudo. Después de todo, ¿no era ya uno de los muertos vivientes? Oh, no, no parecía que hubiera salido directamente de, Amanecer de los muertos pero, cuando lo pensabas, ¿cuál era la gran diferencia entre ella y esos zombis sin sentido? (Aparte del sexo escandalosamente caliente, por supuesto).

Sí, para Julia, podría ser un asesinato misericordioso.

Capítulo Nueve

La casa se sintió extraña cuando Julia regresó de pasear a Max, incluso el perro pareció notarlo. Ladró, aulló y deambuló oliendo el suelo como si estuviera siguiendo un rastro de olor. Miró a su alrededor, no faltaba nada por lo que podía ver, y nada parecía perturbado o saqueado. Debe ser sólo su imaginación. Deambulando por la cocina, preparó su segunda taza de café para el día, pero esta era solo para ella, The Doc no tendría ninguna. Alimentando al perro y absorbiendo el aroma del café preparado, sonrió para sí misma al pensar en él y en la forma en que la hacía sentir.

"¿Qué me pasa, Max, ¿eh?" Julia le preguntó al perro. Max no se molestó en levantar la vista de su croqueta, había sido una noche larga y solitaria para Max, y se estaba muriendo de hambre. "¿Por qué estoy haciendo esto?"

Listo el café, Julia lo llevó a lo que había sido la oficina de Craig por un corto tiempo. Se sentó frente a la computadora y luego miró a su alrededor en busca de un cigarrillo. Se había fumado el último de su paquete la noche anterior en el auto de The Doc. "Tonterías." Murmuró mientras introducía la contraseña y luego se apresuró escaleras arriba hacia la mesita de noche y el medio cartón de Newports que había allí. Metió la mano en la caja, sacó un paquete nuevo, lo desenvolvió y tiró el forro plateado. "Sabes", le dijo a su reflejo, "si realmente vas a salir con un médico, lo cual es una idea desagradable para empezar, probablemente deberías dejar de fumar antes de que él te saque de quicio".

Sí, bueno, el Doc no estaba aquí en este momento, así que... al diablo.

Metiendo el resto de la caja de nuevo en la mesita de noche, vio su cama. La colcha estaba desordenada y parecía que alguien se había sentado sobre ella. "Max, ¿estuvieron en la cama anoche?" El perro la miró con ojos culpables. El perro sabía que no podía subirse a la cama si ella no estaba en ella. "Bueno, al menos no te orinaste encima". Aunque hizo caca en la cocina, rascó los gabinetes de la cocina ya asediados y rasgó una de sus lindas almohadas de sofá en pedazos. "Vamos, Max, ya sabes qué hora es, vámonos".

Julia esperó hasta que estuvo de vuelta en la computadora antes de encender el cigarrillo. Primera parada en la Supercarretera de la Información; monstruo.com. Desde agosto, Julia pasó dos horas (o más) al día en línea buscando nuevos empleos. Primero iría a Monster, luego a HotJobs, luego a CraigsList y media docena de otros sitios de empleo antes de ir a los periódicos locales en línea. Eran tiempos difíciles, amigos y vecinos, sí lo eran. Parecía que todo el mundo andaba dando tumbos por la calle en busca de trabajo. Los puestos de enseñanza eran difíciles de conseguir y, últimamente, Julia comenzó a solicitar puestos de trabajo que no requerían un título, como los de la industria de servicios alimentarios. A primera hora de la tarde, había consumido una taza y media de café, la mitad del paquete de cigarrillos nuevos y había enviado casi una docena de currículums en línea, imprimí cuatro más y los envié con el correo de la mañana. En el correo de la mañana llegó su cheque semanal de desempleo por la gran cantidad de $ 350,00, muy lejos de la cifra que había estado trayendo a casa. Al menos era algo ya que los armarios de su cocina estaban casi vacíos, como casi siempre en estos días. Era bueno que no comiera mucho y solo tuviera que cuidar a Max en ese departamento, Julia y Max hicieron un viaje rápido al banco y luego a la tienda de comestibles.

A las 3:00 p. m. y al guardar sus paquetes, Julia comenzó a sentirse cansada y un poco adolorida. Se llevó una mano a la frente para sentir si tenía fiebre, pero no pudo detectarla. "Lo último que necesito es la maldita gripe". Ella maldijo. Se había sentado en la clínica durante horas entre toses, estornudos y sibilancias, probablemente también se había contagiado. Tal vez un baño caliente la haría sentir mejor y, Dios lo sabía, podría usarlo después de la noche anterior.

Vertiendo el agua en la tina de hierro fundido, Julia reunió sus artículos de baño favoritos. Todavía era temprano en el día y siempre prefería bañarse por la noche para poder ponerse un camisón o una camiseta y ser perezosa si planeaba quedarse en casa por la noche. Por ahora, eran casi las 4 en punto, tres horas hasta que se suponía que The Doc la recogería. Cuando la bañera se llenó, Julia volvió a bajar para recuperar su botella de Beefeaters. Eran casi las cuatro, así que tomar un trago o dos estaría bien, no tendría que considerarse alcohólica ni nada por el estilo. Añadiendo sales perfumadas de lavanda al agua caliente, dejó la botella en el suelo con un vaso limpio, un cenicero y su paquete medio vacío de Newports. En su dormitorio, se quitó la ropa de la noche anterior, la arrojó a la pila en la esquina para lavarla más tarde.

Max estaba de pie junto a la bañera con la barbilla apoyada en el borde mientras la miraba como si le estuviera preguntando; ¿Qué estás haciendo?

—No lo sé, Max. Julia suspiró y palmeó la cabeza del pitbull. "Danos un beso". El perro le lamió la cara y movió la cola. "Ese es un buen niño." Se inclinó sobre el borde de la bañera, se sirvió un trago de ginebra y encendió un cigarrillo. Relajándose en el agua tibia, bebió el alcohol claro y fumó mientras se preguntaba una y otra vez; ¿Qué demonios estoy haciendo?

Dormir con montones de hombres casi indiscriminadamente era una cosa, pero podía enamorarse de The Doc y lo sabía. Eso lo hizo peligroso. Tomó otro trago y el vaso estaba casi vacío, hizo una mueca extraña y se humedeció los labios. "¿Eso te sabe raro?" Le tendió el vaso al perro que lo olfateó y retrocedió. Eso no era nada nuevo; Para empezar, Max no era un gran fanático del alcohol. Max arrugó la nariz y soltó un gemido mientras miraba el vaso. Julia lo terminó antes de dejarlo en el piso de mosaico del baño y terminar su cigarrillo. "Bueno, esperemos que uno de esos currículums valga la pena, ¿eh, chico? Estaremos muriéndonos de hambre en la calle muy pronto". Julia tenía un plan para eso, la compañía hipotecaria seguía llamando y llamando y llamando. Les enviaba dinero todas las semanas, pero no era suficiente. Ella vendió las acciones que ella y Craig poseían hace más de un año, la cuenta bancaria se redujo a $68.00. Era bueno que ella fuera la propietaria del auto. Cuando la compañía hipotecaria finalmente decidió que iban a echarlos a ella ya Max de su casa, Julia pensó en mudarse a su habitación en El Royale. El gerente dijo que, dado que había sido una buena cliente durante el último año y medio, dejarían que el perro la acompañara. A $400.00 al mes, era mucho más barato y fácil de mantener que la casa a $1,700.00 al mes. Sus cheques de desempleo cubrirían el costo de la habitación, no tendría que pagar servicios públicos, el resto solo podría ir a comestibles y una variedad de artículos necesarios para seguir viviendo en el planeta Tierra. Por mucho que eso durara. Antes de que apareciera The Doc, Julia había estado contemplando seriamente el suicidio, no solo contemplando, investigando. Recorrió Internet en busca de las formas más eficientes e indoloras para quitarse la vida. Descubrió que tenía la solución perfecta en su botiquín y todas esas pequeñas botellas de color ámbar dentro.

Limpio.

Rápido.

Limpio.

Sin dolor.

Si no fuera por Max, quien terminaría en un refugio y probablemente sería asesinado solo por ser un perro guardián entrenado y un pitbull, ella habría terminado con todo cuando la despidieron durante el verano. Su trabajo y los niños eran las únicas cosas que realmente la mantenían en marcha de todos modos y se habían ido. ¿Qué quedó? Nada. ¿Cuál era el punto de quedarse? No había uno. Si no hubiera sido por el perro, su estúpido, maravilloso, siempre-allí-para-su perro, Julia habría terminado con todo hace bastante tiempo. Si no hubiera sido por Max, nunca habría sobrevivido a agosto, nunca habría estado allí la noche en que The Doc entró en el bar y algo en su vida cambió. Para bien o para mal, realmente no podía decirlo, pero estaba dispuesta a quedarse un poco más para averiguarlo. Al final, casi sin duda, todo sería para peor. Tarde o temprano, probablemente más temprano, el Doc se saciaría de ella, él se iría por su camino y ella por el de ella. Cuando eso sucedió, Julia todavía tenía ese plan al que recurrir.

Sumergiéndose bajo el agua para mojarse el pelo, oyó sonar el teléfono cuando salió. "Sé un buen chico y coge el teléfono, Max".

Las orejas del perro se erizaron, pero pronto se fue al dormitorio y luego volvió al lado de la bañera con el teléfono inalámbrico entre los dientes. "Buen chico, Maxie, eres el mejor perrito del mundo, sí lo eres". Ella lo felicitó y le quitó el teléfono de la boca a pesar de que estaba cubierto de baba de perro. Julia miró el identificador de llamadas para ver que la llamada provenía de Willington-Middleboro, tal vez Doc estaba llamando para cancelar su cita. "¿Hola?"

"¿Qué llevas puesto?"

Julia se rió. "Absolutamente nada, doctor".

"Estás mintiendo." Rick dijo esperanzado de que no lo fuera.

"No, honestamente, Doc. Estoy en la bañera. Desnudo".

"¿Sí?" Sí, tal vez estaba en la bañera, tal vez había un poco de eco en la línea como si estuviera en un baño. "Salpicar el agua". se atrevió A través de la línea telefónica oyó un gran chapoteo de agua cuando Julia pateó sus piececitos y golpeó el agua caliente de la bañera con la mano libre. "¡Maldita sea! ¿Tengo un buen momento o qué?" Rick se felicitó a sí mismo cuando la imagen de ella en una tina de agua humeante bailó en su mente. "Quédate ahí, puedo estar en tu puerta en veinte minutos".

"Me temo que no entrará. Las puertas están cerradas. ¿Qué pasa, Doc?"

"Solo llamo para asegurarme de que todavía estamos disponibles para esta noche. Sabes, ningún otro tipo ha venido y te ha robado lejos de mí".

"Ningún otro hombre, Rick". Dijo con una sonrisa triste mientras pensaba en Craig. "¿Adónde vamos esta noche?"

"Es una sorpresa." Rick bromeó.

"Eso no es justo, cómo voy a saber cómo vestirme para ti si no me dices a dónde vamos".

"¿Te vas a vestir para mí?" Rick lo pensó. "¿Qué tal si te desvistes para mí? Me gusta más esa idea".

"¿Hago un pequeño striptease para ti? ¿Te gustaría eso... Do-c?"

Al otro lado de la línea, Rick tragó saliva. Pensamientos de Julia desnuda en la tina fueron a pensamientos de Julia bailando desnuda en un escenario con un tubo de plata, pero, por supuesto, él era el único en la audiencia. "Pues, sí, sí, lo haría".

"Si me dices a dónde vamos, veré qué puedo hacer al respecto". Ella entrenó. Había pasado mucho tiempo desde que había tenido una cita real, Julia estaba casi segura de que había olvidado cómo fue y qué se suponía que debía hacer, pero vestirse para la escolta de la noche era algo que todavía sabía hacer. "¿Elegante? ¿Informal? ¿Bistec? ¿Hamburguesas? ¿Qué?" Continuó cuando él no respondió.

"Sí".

"Oh, eres de gran ayuda, Rick". Ella dijo en un tono levemente exasperado. "Vamos, dame una pista. ¿Me pongo pantalones? ¿Una blusa? ¿Un vestido?"

"Me gustan los vestidos".

"Un vestido. ¿De qué tipo? ¿Largo? ¿Corto?"

"En el centro." Le gustaban los vestidos cortos, pero no quería miradas indiscretas durante la cena. Rick no quería tener que vigilar a su cita con un ojo y a los demás hombres del restaurante con el otro. Aunque, eso tenía que pasar sin importar lo que llevara Julia. "Me gustan esos tacones verdes. Ya sabes, en caso de que estuvieras interesada".

Julia volvió a reírse. "¿No tiene una vida que salvar o algo así, Doc?"

"Estoy trabajando en eso, caramba". Resopló feliz.

"¿Todavía siete?"

"Estaré allí. Te pones bien y limpio ahora para que pueda limpiarte bien y sucio más tarde".

"Hasta pronto, doctor". Julia colgó la línea. "Hummm... ¿puedes volver a ponerlo?" Le preguntó al perro. Max se quedó allí mirándola como si dijera; ¿No te lo trajo suficiente? "Oh, está bien. ¿Qué pasa con eso?" Señaló el vaso vacío. "¿Puedes llenar eso?" Por supuesto que podía, Julia le enseñó cómo hacerlo hace meses y observó a Max mientras agarraba el cuello de la botella con los dientes, retrocedía un paso, miraba el vaso en el suelo y luego usaba sus poderosas mandíbulas para inclinar la botella. la botella de lado. Se detuvo justo cuando el vaso empezaba a desbordarse. "Te amo, chico, sabía que había una razón por la que te mantengo cerca. Esta noche recibirás un regalo extra". Las orejas de Max se alzaron de nuevo ante la palabra 'premio'. Ella le dio una palmadita y recogió el vaso. Tomó un sorbo, pero dejó el vaso con un suspiro y luego se frotó los hombros doloridos, se sentía cansada y agotada. Tal vez podría convencer a Doc para que le diera un pequeño masaje esta noche y luego otra vez, "Realmente no me siento muy bien, ¿tal vez debería devolverle la llamada y cancelar?" Le preguntó al perro. "No", suspiró, "él solo querrá saber qué anda mal y yo podría decirle que tengo gripe, pero no estará satisfecho a menos que deje que me revise... no en el buen sentido". ", le dijo a Max. "Sabes cuánto odio a los médicos... así que... ya sabes... de nuevo... ¿por qué diablos estoy haciendo esto? ¿Qué diablos estoy haciendo? Ya ni siquiera sé". Eso era cierto, Julia los odiaba... todos los médicos en todas partes eran más bajos que la suciedad en sus ojos y lo habían sido durante años y años. Todos eran tan presumidos y condescendientes, al igual que The Doc, él no fue una excepción a esa regla. Fueron groseros y agresivos y nuevamente The Doc no fue una excepción. Todos ellos sufrían de la aflicción más taciturna; El complejo de Dios. Allí, sin embargo, el Doc podría ser un poco diferente de sus compañeros, pero no podía estar segura. En cualquier caso, Julia Miller no era paciente de Ricardo Mason, así que no tenía por qué aguantar una mierda de él si no quería. "Los odio", murmuró a nadie, ni siquiera al perro. Julia Miller no era paciente de Ricardo Mason, así que no tenía que aguantar nada de él si no quería. "Los odio", murmuró a nadie, ni siquiera al perro. Julia Miller no era paciente de Ricardo Mason, así que no tenía que aguantar nada de él si no quería. "Los odio", murmuró a nadie, ni siquiera al perro.

Durante toda su vida adulta, Julia se negó rotundamente a ir al médico por cualquier motivo... tuvo que estar vomitando sangre durante días antes de siquiera considerar entrar a una clínica oa una sala de emergencias. Incluso entonces, ella no se quedaba en el hospital, siempre se negaba a que la dejaran ingresar, incluso cuando los médicos le tiraban de los pelos, nunca tomó una sola receta que le dieron. Los llenó porque sabrían si no lo hacía, pero eso fue todo. Los llevó a casa, los alineó en el botiquín y allí se quedaron. Julia ni siquiera tomó el Percocet que le dio el doctor, le mintió anoche, más que nada por costumbre. El Doctor siempre preguntaba; ¿Estás tomando tu medicación? La respuesta correcta siempre fue; Oh, sí, doctora. Fin de la historia.

Como ocurre con cualquier persona que no es inmortal, durante el transcurso de su vida cotidiana natural, se produjeron varios eventos que la obligaron a tratar con la comunidad médica; parecía odiarlos a todos, no estaba estrictamente reservado para doctores, enfermeras, recepcionistas, PA, MA... todos eran iguales a sus ojos. Racional o irracionalmente, podían irse al infierno en lo que a ella respectaba.

Cuando tenía 22 años, a su padre le diagnosticaron la enfermedad de Alzheimer, ella todavía estaba en la universidad, no lejos de graduarse de la Universidad de Maine en Orono con una maestría en literatura inglesa.

Comprensiblemente, las cosas se pusieron un poco difíciles en casa y Julia tuvo que tomar un trabajo de tiempo completo para terminar de pagar el último semestre. Cuando tenía 24 años, a su madre le diagnosticaron cáncer de ovario terminal, su padre estaba en un hogar de ancianos en ese momento porque se había vuelto demasiado para su madre. Julia, que acababa de conseguir un buen trabajo en una escuela preparatoria local y estaba trabajando para obtener su doctorado en la Universidad de Yale, se mudó de su casa en New Haven, Connecticut, para estar cerca de su madre en Castle Rock, Maine. Fue un año largo y agotador y, al final, Madre y Padre, Esposo y Esposa, murieron con seis meses de diferencia. Su padre nunca entendió por qué Miriam dejó de venir a visitarlo, eso estaba bien porque la mayoría de los días no la recordaba de todos modos. Eso también estuvo bien porque cuando ella puso a su padre en el suelo,

Que broma.

Poco después del funeral, Julia vendió su hogar ancestral y se mudó a Nueva York, donde comenzó a trabajar en la Universidad de Nueva York. Hasta el día de hoy, Julia no puede recordar gran parte de su vida entre los 24 y los 27 años. Todo fue solo un borrón que terminó con una rehabilitación forzada en un centro administrado por el estado después de que se topó con una tienda de donas local que no tenía cualquier aspiración de ser un servicio al carro. No es una buena escena.

¿El Doc y su reserva siempre presente de oxicodona no amarían esa historia?

Poco después de salir y regresar a su trabajo en la Universidad de Nueva York, donde había tomado una licencia prolongada a pedido del estado de Nueva York, conoció a Craig Miller. Cuando ella volvió a trabajar al comienzo del segundo semestre, la escuela estaba en remodelación, un día él se acercó a ella y le preguntó dónde estaba ubicado el edificio de administración. Ella pensó que él era solo uno más de la tripulación con sus jeans azules, su casco amarillo y su cinturón de herramientas colgando de su atractiva cintura.

Siete años después, salió del bordillo de Lexington y Park en el momento equivocado y los médicos regresaron, pero Craig no.

Al principio, Craig estaba en el Centro Médico Lagone en Nueva York, había tantos médicos que todos se confundían y corrían juntos en su cabeza. No podía recordar ninguno de sus nombres correctamente. Julia se las arregló lo mejor que pudo, incluso cuando quería comenzar a arrancarles los globos oculares sin razón aparente, se mantuvo en su lugar y mantuvo la boca cerrada. Luego, cuando se hizo evidente que el centro no podía hacer nada más por Craig, investigó el Centro de Investigación y Bienestar de Mountainside y descubrió que tenía un Coma Ward de última generación. Estaba cerca de casa y lejos del ruido de la ciudad. Contra las protestas de su exesposa, Julia mudó a Craig de regreso a Vermont. Ahora solo quedaban algunos nombres de médicos para recordar, como el Dr. Anaballini, que era el médico tratante de Craig. Ya no lo veía mucho,

Mientras se sumergía en la tina, se rió un poco ante la idea de que el Doc se enterara de algo de esto y cuánto más interesante sería ella para él si eso sucediera. Nadie estaba más sorprendido por su deseo por el Buen Doctor que la propia Julia.

Con Max montando guardia al lado de la bañera, Julia se lavó y se enjuagó antes de salir y decidir que una pequeña siesta sería una buena idea. Tal vez se sentiría mejor cuando despertara. Con miedo de que una vez que se durmiera se quedaría así, después de todo estaba exhausta por las festividades de la noche, programó su despertador para despertarla a las 5:30 para poder vestirse para la cena y estar lista cuando llegara Rick. "Vamos", le dijo al perro y Max saltó sobre la cama mientras ella se deslizaba bajo las sábanas. Él la miró con curiosidad como si dijera; Todavía sale el sol, ¿por qué estamos en la cama?

Julia apoyó la cabeza mojada en la almohada y salió como una luz.

Yo

La alarma se apagó; Julia alargó la mano y lo abofeteó con una mano pesada. Intentó levantarse, pero se sentía muy dolorida y adolorida. Incluso peor que cuando se acostó. Ella dejó escapar un gemido. "Vamos, no puede estar enfermo, tiene que levantarse". Abrió los ojos para ver al perro mirándola con una mirada ansiosa en sus ojos. "¿Tengo que hacer pis?"

Max saltó de la cama, deambuló en círculos esperándola.

"Ya voy, ya voy". Dijo aturdida y sacudió la cabeza en un intento de despejarse. "Oh, si tengo esta gripe, eso realmente apestará". Julia se quejó tirando las cobijas y plantando sus pies descalzos en el frío piso de madera. Eso fue útil. No mucho pero un poco, eso fue hasta que se puso de pie. El mundo comenzó a desvanecerse por un momento y Julia sintió que una ola cálida la inundaba y una gota de sudor más cálido brotaba de su frente. "Oh mierda." Murmuró y volvió a sentarse en la cama para consternación del pobre Max y su vejiga sobrellenada. Recuperando el aliento cuando el mundo comenzó a volver a enfocarse, vio la luz roja parpadeando en el inalámbrico. Le tomó un momento o dos reconocer que eso significaba que tenía un mensaje. Julia no recordaba haber visto la luz parpadear cuando llegó a casa de la tienda de comestibles. "¿Dormí mientras sonaba un teléfono?" Se preguntó a sí misma mientras lo levantaba y lo miraba como si fuera un objeto extraño. Eso no era propio de ella en absoluto; Julia siempre se despertaba cuando sonaba el teléfono si estaba durmiendo. Tenía un botiquín lleno de Lunesta y Ambien e incluso Halación, por supuesto que nunca tomó ninguno de ellos, si no podía noquearse con ginebra y marihuana entonces no podía dormir esa noche. Por otra parte, ella no se sentía muy bien y el Doc había hecho un buen trabajo con ella la noche anterior, no había mucho que dormir entre las cinco y las ocho de la mañana. A sus pies, Max gimió y la miró con urgencia. "Oh, todo bien. Deslizándose en su bata, se agarró a la barandilla mientras bajaba las escaleras con Max delante de ella y mirando hacia atrás cada poco paso para asegurarse de que todavía estaba allí. A través de la cocina hasta la puerta trasera que conduce al patio cercado para perros, abrió la puerta y Max salió corriendo a su corral. De pie en la puerta con el sol del atardecer desvaneciéndose y la brisa soplando a través de ella, se sintió un poco mejor mientras miraba el teléfono en su mano. Ella escuchó el mensaje; Deslizándose en su bata, se agarró a la barandilla mientras bajaba las escaleras con Max delante de ella y mirando hacia atrás cada poco paso para asegurarse de que todavía estaba allí. A través de la cocina hasta la puerta trasera que conduce al patio cercado para perros, abrió la puerta y Max salió corriendo a su corral. De pie en la puerta con el sol del atardecer desvaneciéndose y la brisa soplando a través de ella, se sintió un poco mejor mientras miraba el teléfono en su mano. Ella escuchó el mensaje;

"Maestra Miller, este es el profesor Ethan Collins, soy el jefe del Departamento de Inglés en Willington

colegio comunitario y he recibido su currículum. Muy impresionante. Me gustaría que viniera para una entrevista, estamos comenzando el lunes. Llámeme lo antes posible al 609-555-3456 extensión 2345. Espero conocerlo".

Julia se apoyó pesadamente en el marco de la puerta. Ella envió eso como una broma, no podían estar hablando en serio.

El documento.

Si él interfiriera, si consiguiera esta entrevista para ella, estaría furiosa.

"¿Ya terminaste?" Llamó al perro. "¿O quieres quedarte ahí fuera?" Max rascó la tierra en respuesta a su pregunta. "Bien." Julia cerró la puerta dejando al perro afuera en su corral mientras subía las escaleras para vestirse para la noche.

Le tomó más de 45 minutos decidir qué ponerse. Ella arrancó todo de su armario mientras se preguntaba ¿qué diablos estaba haciendo? ¿Iba a tener una CITA? Ella era una MUJER CASADA, ¡no podía salir en una CITA y mucho menos engalanarse! Las conexiones eran una cosa, pero esto era muy diferente. El Doc había estado en el ascensor esa primera noche; era un hombre peligroso. Parecía que no podía tener suficiente de él.

Al final, optó por un vestido verde, para combinar con los zapatos verdes que le pidió el doctor, pero no el vestido de suéter que había estado usando durante el fin de semana. Julia optó por un vestido de encaje que le colgaba justo debajo de las rodillas. Lo mejor de todo era el cuello de encaje verde que se cerraba alto alrededor de su garganta ocultando el feo moretón del cinturón de Ritter.

Sentada en su tocador mirando su reflejo en el espejo y pensando que debía estar loca, se recogió el cabello y se maquilló. La botella de ginebra estaba en la mesita de noche junto a su paquete de Newports. Sólo un trago y un cigarrillo, se estaba haciendo tarde y estaría aquí pronto. Julia bebió un trago y medio directamente de la botella y luego se sentó frente al espejo fumando su cigarrillo. Sabía un poco extraño, casi como la ginebra, un poco dulce, pero tal vez fuera por el trago que acababa de tomar. Se llevaría los cigarrillos con ella junto con una botella de spray para el cuerpo y un paquete de Altoids, si fuera necesario, se agacharía afuera y fumaría un cigarrillo. Ya no podía fumar en los restaurantes y ella haría todo lo posible por abstenerse de fumar en su automóvil. Si se llevaran su auto, podría ser otra historia.

Sus articulaciones parecían dolerle algo horrible, Julia se dijo a sí misma que estaba envejeciendo, y aunque había estado soleado hoy, había estado lloviendo la última semana y el clima húmedo no era bueno para sus articulaciones. Aunque tenía muchas pastillas mucho más fuertes que una simple aspirina, Julia optó por la botella de Bayer y tomó dos junto con otro pequeño trago de ginebra. Tapó la botella, aplastó los restos del cigarrillo que en realidad no era más que el filtro y luego fue al baño a cepillarse los dientes. Fuera lo que fuera lo que le estaba pasando, esperaba sinceramente que todo hubiera terminado para el lunes. No le haría mucho bien presentarse en la entrevista con gripe.

Justo antes de las siete en punto sonó el timbre de su puerta, la abrió y vio al Doc parado allí. "Vaya, no te ves guapo esta noche, Do-c". Ella lo felicitó con una sonrisa cuando lo vio parado allí, libre de arrugas por una vez, con un traje azul oscuro y una camisa azul claro que resaltaba sus ojos. "Adelante." Ella dio un paso atrás para dejarlo entrar a la casa.

"Para ti."

"Gracias," Julia se sonrojó mientras tomaba el ramo de flores de su mano. "Son hermosos."

Mason se sintió aliviado. Él pensó que tal vez ella pensaría que las flores eran raras, pero, para él de todos modos, ella parecía el tipo de chica a la que realmente le gustaban las flores. Se alegró de ver que tenía razón. "Tú tampoco te ves tan mal". Le gustó el vestido y el pelo que le puso incluso en los tacones que le había pedido. Se veía tan perfecta y bonita que él no podía esperar para quitárselo todo y arruinarla. "¿Listo?"

"Un momento, déjame ponerlos en agua". Se fue hacia la cocina. "¿Cómo estuvo tu día? ¿Salvaste esa vida?"

"Sí, va a vivir". Rick empezó a seguir a Julia, pero Max estaba sentado en el suelo entre el vestíbulo y la cocina. El perro lo miraba de una manera extraña que inquietó a Rick. "¿Qué pasa con el perro esta noche?"

Julia volvió al vestíbulo con las flores que él le dio en un jarrón con agua. "¿Tararear?" Miró a Max. "Ah, claro." Le dijo al perro. "Bueno, en ese caso." Dejando el jarrón sobre la mesa del vestíbulo, miró a Doc. "Ven aquí."

"Ah, no lo sé. No va a saltar sobre mí o algo así, ¿verdad?"

"Solo ven aquí." Julio dijo de nuevo. Rick caminó hacia donde estaban ella y el perro. "Extiende tu mano y dile que es un buen perro".

"Sí, ya sabes, soy médico y también toco el piano, ¿viste el piano de cola en mi sala de estar?" Levantó las manos y se miró los dedos. "Un poco parcial a estos."

"Pollo", resopló ella. "Hazlo."

"¿Pollo Pollo?" Listo para perder uno o dos dígitos, Rick respiró hondo y lentamente extendió su mano hacia el perro que lo atacó la noche anterior. "Bien, buen perro, Max, buen perro". El perro no gruñó, simplemente se sentó allí esperando que Rick lo acariciara y cuando su mano estuvo a la distancia para acariciarlo, el perro comenzó a olfatearla y luego la lamió. "Buen perro." Dijo de nuevo.

"Así es, Max, es un amigo". Julia dijo suavemente. "Ves, no te dolió, ¿verdad?" Ella le dijo. Ha reconocido que no eres una amenaza para mí.

"¿Ahora quiere que seamos amigos?"

"Exactamente. Has sido Max aprobado. Deberías sentirte honrado y orgulloso". Ella se rio. Luego volvió a mirar al perro. "Sé un buen chico, Max".

"Sí, la llevaré a casa... mañana. Nada de orinar en el suelo mientras tanto". Le dijo al perro. "¿Lo dejaste salir?"

"Hace solo unos minutos, vámonos, Doc". Ella enlazó su brazo con el de él mientras se dirigían a la puerta con el perro mirándolos con nostalgia. "¿Entonces adónde vamos?"

"Para cenar."

Julia puso la alarma antes de salir a pasar la noche.

La cena resultó ser un asunto bastante elegante, Rick hizo reservas en un restaurante local, bastante exclusivo. Los platos comenzaron a un precio que no podía pagar en mucho tiempo y compartieron una botella de vino tinto a la luz de las velas. "¿Estás bien?" Preguntó. "Te ves un poco pálido incluso para ti".

"Creo que me estoy enfermando de gripe", admitió. "Estar cerca de todas esas personas enfermas tanto tiempo..."

"Sí, apestan, ¿no?" Él se quebró y ella se echó a reír, pero cuando se acercó a ella, más que nada por la fuerza de la costumbre, para tocarle la frente, apartó la cabeza de él. "¿Ocurre algo?"

"No", murmuró ella. "No tengo fiebre". Julia no sabía si lo sabía o no, pero sabía que no quería que él se convirtiera en el Doctor Mason aquí en este ambiente romántico. "Tengo buenas noticias", aventuró. "Tengo una entrevista el lunes".

"¿En realidad?" Preguntó sin gustarle el repentino cambio de tema. "¿Dónde?"

Ella lo miró directamente y sonrió. "Colegio Comunitario de Willington".

"Genial." Estuvo de acuerdo y fue él quien se echó hacia atrás cuando ella se inclinó hacia adelante con esos ojos casi incoloros que parecían mirar a través de él.

"Usted no sabría nada de eso, ¿verdad, Doc?" Dijo ella en un tono acusatorio.

"¿A mí?" Miró un poco a su alrededor, sintió como si alguien los estuviera mirando y Rick había tenido mucho cuidado al conducir hasta aquí esta noche, miró el espejo retrovisor a menudo y dio un rodeo mientras buscaba cualquier señal de Ritter. "No, ¿por qué iba a saber algo al respecto? No te conseguí esta entrevista, Julia-Bebé, la conseguiste por tu cuenta. Buena suerte y felicidades".

Ella pensó que estaba diciendo la verdad. ¿Por mi cuenta? Guau. El pensamiento la golpeó como una tonelada de ladrillos. Y, en ese caso, ¿realmente dijo el profesor King que MI currículum era impresionante? Whoo-Hoo. Esta entrevista fue un gran problema y no solo alguien que le hace un favor a un amigo. "Lo siento, solo pensé que el momento era un poco conveniente".

Durante la cena entablaron conversaciones que iban desde el lugar donde crecieron o, en el caso de Rick, los lugares en los que había vivido mientras crecían. Julia dijo que Rick, siendo un mocoso militar, explicaba mucho sobre él, él le pidió que se lo explicara, ella le dijo que, en su experiencia, los mocosos militares nunca aprendieron a echar raíces. Siempre estaban buscando algo que nunca encontrarían. Nunca aprendieron a entablar relaciones con las personas porque siempre se estaban moviendo, nunca invirtieron en las personas que los rodeaban. Siempre estaban tratando de estar a la altura de un ideal de perfección escandalosamente inalcanzable o evitaban ese concepto por completo y simplemente dejaban de intentarlo en algún momento. "¿Qué pasa... Do-c?" Arrulló mientras terminaba la pasta primavera. "¿Es mi turno de acercarme demasiado?" Ella tomó su mano sobre la mesa mientras él la miraba con una expresión estupefacta, casi en blanco. "¿Almiar?"

Se aclaró la garganta. "¿Tienes mucha experiencia con mocosos militares?"

"No." Julia dijo con una sonrisa. El mesero se acercó para recoger los platos y preguntarles si querían postre. Ella lo miró en busca de la respuesta. Estaba pagando la cuenta. El Doc dijo que tomarían dos tazas de café, tomaría un trozo de tarta de manzana y luego miró a Julia. "Dos por favor." Ella le dijo. Julia sintió el persistente antojo de la nicotina, había estado combatiéndolo, tratando de soportarlo, pero el viaje al restaurante había sido más largo de lo que había pensado. "¿Me disculpas un momento, Rick?" Se levantó bolso en mano y Doc se puso de pie con ella. "Vuelvo enseguida".

"Deberías renunciar".

"No soy su paciente, Do-c". Dijo con una sonrisa y luego se dirigió a la puerta para fumar un cigarrillo afuera en el aire fresco de la noche.

Prometiendo disfrutar solo de unas pocas caladas, lo suficiente para calmar el antojo. Julia se quedó allí hasta que casi desapareció, mirando las estrellas y preguntándose qué estaba haciendo aquí en este lugar con este hombre. Aplastando el trasero con el tacón de su estilete verde, se roció con hombros blancos, se metió un Altoid en la boca y volvió a entrar. Café y pastel esperaban en la mesa.

"¿Todo mejor?" Preguntó.

"Mucho." Julia estuvo de acuerdo. "No empieces".

"No lo haré". Levantó una mano en señal de rendición y luego la bajó. "Si respondes una pregunta para mí".

"¿Qué?"

"Ritter—"

"¡Ay, doctora!" Julia cruzó los brazos sobre el pecho mientras se recostaba en la silla. "Pensé que habíamos terminado con esto".

"Solo una pregunta", reiteró, "solo una".

"Más vale que sea el último".

Tal vez. Tal vez no. "Está bien", murmuró. "Trató de recogerte antes y no lo dejaste. ¿Por qué el lunes?"

"Era su día de suerte". Julia resopló.

"Déjame reformular. ¿Por qué NO todas las otras veces? Dejando todo lo demás de lado, parece tu tipo". aventuró Rick.

"Mi tipo. Ya veo."

"No quiero molestarte, solo quiero saber por qué dijiste que no todas las otras veces".

Julia trató de dejar de lado su ira repentina. No fue demasiado difícil de hacer. "No lo sé, él solo, él solo, él tiene una mala vibra, Do-c. Sé que probablemente pienses que es gracioso, pero él tiene mal juju". Ritter no era su tipo, era demasiado grande para ella, 6'5 y 250 libras de puro músculo. Normalmente, como regla de precaución, se mantenía alejada de hombres tan poderosos físicamente. Además de eso, cuando se trataba de Ritter, estaba demasiado ansioso en las ocasiones en que se sentaba y tomaba una copa con ella. Pero estaba cayendo rápidamente en espiral esa última noche en el bar y cuando Ritter se acercó a ella, Julia estaba lista para cualquier castigo que pudiera repartir. Al menos ella pensó que lo era.

Mason se sentó al otro lado de la mesa pensando que para ella Ritter tenía malas vibraciones, mal juju y mal mojo, al menos acertó en eso, pero aún así no era una explicación, "¿El lunes su juju estuvo mejor?"

"Dijiste que esa era la última pregunta."

"¿Parte B?" Él se ofreció y la vio agachar la cabeza.

"Aww, Doc. No quiere la respuesta. Deje de preguntar".

"¿A mí?" Preguntó. "Te asusté cuando te reconocí en el hospital, ¿es eso?" Sabía que debería haber ido al bar en lugar de explorar su casa. Si lo hubiera hecho, se habría topado con ella antes de que Ritter pudiera llegar a ella. Te llevé hasta él.

"No es tu culpa, Do-c".

Sí, entonces ¿por qué se siente como si lo fuera? ¿Por qué me llamas Do-c? Sentado allí, tratando de evaluarla a la luz de las velas, metió la mano en el bolsillo y sacó una oxicodona. Se dio cuenta de todo y desde la noche anterior, Julia se había aficionado a llamarlo con tres nombres distintos, pero iguales; Doc, Rick y su siempre popular Do-c. Doc estaba bien, ella estaba jugando, o tal vez estaba frustrada con él. Rick estaba bien desde esta mañana—anoche no tan bien—, ella estaba siendo seria y tal vez juguetona. Do-c, esa forma casi pecaminosa en que lo dijo y lo había estado diciendo una y otra vez en su cabeza desde agosto, eso era una advertencia, no una provocación. "Yo no dije que lo fuera".

"Entonces, ¿podemos simplemente dejar esto?"

"Claro", dijo queriendo decir algo más que eso, "Soy un idiota, te lo dije. No quise molestarte". Le tomó la mano por encima de la mesa y ella dejó que la tomara. "No más preguntas sobre él, lo juro."

"¿Terminó? ¿Terminado? ¿Un asunto muerto?"

"Todo lo anterior." El acepto.

En ese caso. "Vamos a salir de aquí."

"¿A dónde iremos?" preguntó mientras se levantaba de la mesa y extendía su brazo hacia ella.

"Esperaba tu lugar".

"Qué coincidencia. Yo también".

Capítulo diez

Julia y Rick no regresaron a la casa, no de inmediato. Conduciendo por el camino oscuro y sinuoso, no pasó mucho tiempo antes de que ella se deslizara a su lado, soplando en su oído y acariciando su entrepierna. "Vamos, Doc, terminemos lo que empezamos anoche, deténgase".

Eso fue muy tentador y no había ninguna luz en su espejo retrovisor durante las últimas dos millas. "¿Por qué no me haces empezar?" Regresó e inclinó hacia arriba el volante. Justo al final de la calle, en una pequeña parte, había un autocine abandonado, entre aquí y allá, ella podía hacer que sus jugos fluyeran. Como si no lo estuvieran ya, pero un poco más de persuasión nunca está de más.

Dejó escapar un pequeño 'zumbido' y sonrió cuando él inclinó el volante justo antes de que bajara la cabeza entre sus piernas y comenzara a bajarle la cremallera. Su mano sedosa se abrió camino dentro. "Mantén tus ojos en el camino", aconsejó en un susurro mientras sacaba su polla endurecida y se la metía en la boca.

Detrás del volante, Rick respiró hondo y trató de mantener la vista en la carretera para que no se le resbalara la cabeza. Una mano en el volante y la otra en la parte posterior de su cabeza, "He estado pensando en ti todo el día", dijo con una voz lujuriosa y empujó su cabeza un poco más hacia abajo. Parece que lo perdonaría por sus preguntas sobre Ritter.

Julia apenas lo escuchó, su voz le hizo cosquillas en los oídos, pero sus palabras fueron confusas mientras ella yacía en el asiento delantero dándolo. Su nariz se enterró profundamente en la tela de sus pantalones, lo que le impidió acariciar el suave mechón de cabello debajo. Era frustrante no poder olerlo, sino absorber el aroma de su suavizante de telas, no podía esperar para quitarle estos pantalones. No podía esperar para tenerlo dentro de ella de una manera más satisfactoria.

El desvío del viejo Drive-In estaba cubierto de maleza, ya nadie bajaba por aquí, tenía que mantener los ojos abiertos y atentos para no perdérselo. Manteniendo ambas manos en el volante mientras él giraba por el camino lleno de baches, ella lo miró con la boca llena de su polla. "Pronto", dijo, "estaremos allí pronto".

La enorme pantalla de plata que una vez dominó el lugar no era más que un esqueleto de barras de hierro oxidadas. El estacionamiento que alguna vez había albergado familias felices y amantes clandestinos los viernes y sábados por la noche no era más que un espacio vacío de asfalto picado. Tenía que tener cuidado de no toparse con los soportes de los altavoces que aún estaban allí, ocultos por la espesa maleza. Poco menos de la mitad del recorrido, Rick aparcó el coche, apagó los faros, apagó el motor, pero giró la llave para dejar la radio encendida. No sabía por qué ella quería tener sexo en el auto, pero estaba feliz por eso de todos modos, lo hacía sentir como un adolescente travieso otra vez, especialmente estando aquí en el Drive-In. Se agachó y tiró de las horquillas de su cabello para dejar que se derramara sobre sus hombros.

Ahora que habían llegado a su destino, se puso a trabajar en el cinturón y en el broche de su cintura. Con ellos desabrochados, los tiró hacia abajo y él no ofreció resistencia, sino que levantó el trasero del asiento en el momento adecuado para echarle una mano con la tarea. Pronto se los quitaría de encima, pero ahora mismo esto era bueno. Podía olerlo ahora, su calor y su sexo y lo quería todo.

Rick se sentó al volante, con los ojos azules cerrados, completamente inmerso en la gratificación que ella le estaba dando. No estaba mintiendo, había pensado en ella constantemente durante todo el día. Incluso mientras luchaban por diagnosticar a un nuevo paciente que rápidamente pasó de problemas respiratorios leves a moderados a un derrame cerebral y luego a un ataque cardíaco, todo lo que podía pensar era en volver a poner sus manos sobre Julia esta noche. Como de costumbre, Rick sacó su trasero y el del paciente del fuego en el último minuto, pero eso también fue por ella, si no hubiera estado pensando en lo deliciosamente que ella le chupaba la polla, no se le habría ocurrido algo extraño. noción de un parásito que podría estar chupando la vida de su nuevo paciente. Mucho de la forma en que estaba chupando la fuerza vital de él ahora, pero mucho menos placenteramente. No importaba lo que intentara, no podía sacársela de la cabeza. parecía que ella estaba enterrada tan profundamente en su mente como él lo estaba en su boca en ese momento. Un brazo lo envolvió detrás de él, acercándolo más a ella, la otra mano ahuecando sus testículos mientras ella extendía ese largo y hermoso dedo índice hacia atrás para presionar y provocar el lugar sensible que esperaba, y que generalmente era ignorado y sin amor. No por ella. Las ventanas comenzaron a empañarse mientras su lengua se enrollaba alrededor de su duro eje, lamiendo hacia arriba, hacia abajo y alrededor.

**

Ritter se vio obligado a esperar fuera del viejo Drive-In y no estaba contento con eso... ni un poquito. No podía conducir hasta allí sin sus faros y no chocar contra un árbol pequeño o uno de esos viejos soportes para altavoces que salpicaban el lugar. Los faros seguramente lo delatarían. Ni siquiera podía entrar allí sin una linterna y eso también podría delatarlo, aunque sería mucho menos perceptible que los faros. O Mason sabía que lo seguían o simplemente le gustaba follar en lugares extraños, por otra parte, esa probablemente era Julia. Durante la siguiente media hora, más o menos, todo lo que pudo hacer fue sentarse detrás del volante, sus propias ventanas empañadas con un tipo diferente de pasión y esperar a que salieran.

**

El clímax fue tan duro que el cuerpo de Rick se puso rígido de la nariz a los pies cuando se levantó del asiento, con una mano agarrando la nuca de ella y con la otra golpeando el volante con los nudillos blancos mientras su pie pisaba el acelerador a fondo. Julia lo miró astutamente entre sus piernas, se humedeció los labios, le dedicó una sonrisa acalorada y luego levantó la tela de la camisa de vestir para poder acariciar su rostro contra su pecho agitado y escuchar su corazón acelerado. "Gracias por la cena." Ella susurró lamiendo lo último de él de sus labios. "Estaba delicioso."

Rick gruñó y luego se rió mientras luchaba por recuperar el aliento. "Compré postre también, ¿qué obtengo por eso?" Julia deslizó su brazo por detrás de él y él se agachó para acercarla a él. "Todavía no he recibido un beso".

Aunque a ella no le gustaría nada más, él no iba a conseguir uno ahora. "¿Cómo te parece el asiento trasero? ¿Crees que estás preparado o, ah, estoy pidiendo demasiado?"

"La pregunta es, ¿estás preparado para ello?"

"¿Oh?" Ella dijo y batió sus pestañas hacia él. "¿Por qué es eso, doctor?"

"Hacen estas pequeñas píldoras azules maravillosas", sostuvo su pulgar y su dedo índice a un cuarto de pulgada de distancia para mostrarle el tamaño, "excelentes para el flujo sanguíneo. El problema es que solo puedes obtenerlas con receta médica, menos mal que soy médico". ."

"No hablas en serio", dijo, pero la idea era intrigante y se llevó la punta del dedo a los labios para morder la uña.

Incluso a la pálida luz de la luna de la fresca noche de noviembre pudo verla sonrojarse. "Siéntate en el asiento trasero y descúbrelo".

"Hay una advertencia sobre esas cosas, ya sabes". ella aconsejó. "Si dura más de cuatro horas hay que ir al médico".

"Me consultaré a mí mismo, no te preocupes".

"¿Cómo está su corazón, doctor?" Julia bromeó. "Escucho..."

"Mi corazón está bien, Julia-Bebé" Ladeó la cabeza hacia el asiento trasero. "Ahora, ¿quién es el pollo?" Julia le dirigió una mirada ahumada y luego él la vio subirse al asiento. No pudo manejar ese truco en su mejor día, pero eso no le impidió disfrutar de la vista de su trasero mientras pasaba por su cara, solo quería morderlo, así que lo hizo, solo un poco. Dejó escapar un pequeño grito mientras caía sobre el asiento.

"Fresco."

"Todavía no has visto nada". Rick abrió la puerta, subió completamente el asiento delantero mientras salía del auto y luego se subió al asiento trasero con ella. "Estás demasiado vestido".

"¿Lo soy?"

"Um-hum", se inclinó para pasar su mano a lo largo de su pantorrilla y traer su pie hacia él para poder comenzar con los zapatos que tanto le gustaban. "Vamos a deshacernos de estos, deben ser incómodos", los arrojó en el asiento delantero antes de pasar el pulgar por el arco de su pie. Julia dejó escapar un largo suspiro. "¿Por qué las mujeres se torturan con estas cosas?"

"Porque los hombres las aman tanto".

"Cierto." Regresó con ambas piernas sedosas sobre su regazo desnudo. Lentamente, levantó el vestido un poco más, observando detenidamente esas increíbles piernas con sus medias negras y se preguntó si volvería a usar medias hasta los muslos. Entonces se preguntó qué más estaba usando allí debajo. "¿Sabes qué más nos gusta?"

"Dime."

Rick levantó el dobladillo del vestido más allá de esos muslos y esas caderas. "Oh, Dios, creo que te amo". Exclamó mientras su boca comenzaba a hacerse agua al ver, no muslos altos, sino medias de seda negras reales con un liguero negro y sin bragas.

Ella se rió, cubriendo su rostro con su mano, pero no sus ojos y estaban sonriendo mientras lo miraba mirarla. "¿Todavía estoy demasiado vestida?"

"Vamos a averiguar." El vestido verde oscuro de encaje tenía botones en la parte delantera, también tenía un cuello rígido de encaje alto que ocultaba elegantemente el anillo descolorido alrededor de su cuello. Esos ojos sonrientes dejaron de sonreír cuando alcanzó el botón superior. Anoche hicieron esto y él no sabía qué le había pasado, Rick se sintió mal por eso todo el día. No esta noche. Él sabía que esos moretones estaban allí y ella sabía que él lo sabía, así que no había razón para esconderse. Dos botones abajo. Tres. ¿Estaba temblando? Sí que estaba. Con manos firmes pero suaves empujó la parte superior del vestido, el cuello cayó a ambos lados de su cuello y, no, no estaba usando sostén o combinación. Excepto por una marca de mordedura o dos, que podría haber sido su trabajo práctico, esas pequeñas tetas impertinentes estaban en buenas condiciones. Ese cuello, no tanto. Rick sintió lástima por ella y se enojó, pero ninguno de los dos anuló o anuló el deseo de tomar el control y llenar su mente con todo tipo de buenas ideas. Se inclinó hacia ella y Julia apartó la cara, en lugar de empujar la punta, Rick puso una mano a cada lado de su cuello, solo sus dedos, los pasó a lo largo del moretón con una suave presión.

Al principio dolió, solo por un momento, pero luego su toque se sintió bien. Hizo que el dolor desapareciera, dejó escapar un pequeño grito.

"Lo sé, Julia-Bebé, lo sé. Shhhh". Quería consolarla y hacer que su dolor desapareciera, pero también quería tener una buena sensación de ese cuello y parecía que la única forma en que ella iba a dejarlo hacer eso era si no sabía que lo estaba haciendo.. Preferiría una imagen más completa de su cuello, pero esto tendría que ser suficiente. Nada se sentía fuera de lugar o dañado, pero era feo y dolía como el infierno. Fue difícil para ella tragar, Julia trató de comer su cena, pero se estremecía cada vez que intentaba tragar algo más grande que una moneda de diez centavos. Examen improvisado terminado, su curiosidad satisfecha (en su mayoría) era hora de volver al trabajo. Los botones se detuvieron en su cintura, desabrochó cada uno y luego deslizó las mangas hacia abajo sobre sus brazos para ver dónde la había agarrado Ritter, probablemente para arrojarla sobre la cama o el suelo.

"¿Qué quieres de mí, Rick? ¿Por qué me miras así?"

"Te voy a besar ahora y me vas a dejar." Él no esperó una respuesta, simplemente fue a besarlo, pero ella se dio la vuelta y le dio la mejilla. Él no se iba a conformar con eso y en su lugar plantó besos a lo largo del moretón en su cuello. Sabía lo sensible que era el área, solo tocarla causaba una extraña mezcla de placer y dolor. Julia respiró hondo. "No te compadezco".

Deseaba que eso fuera cierto, quería creerlo con todo su ser. "¿No? Pero creo que sí".

"No confundas la preocupación con la lástima". El avisó. "¿No tengo permitido preocuparme por ti? ¿Es eso?"

"No soy tu madre, Do-c, no te 'permito' hacer nada".

"No, simplemente no lo permites". Él respondió. "Si no lo hicieras, podría hacer esto..." fue por el beso una vez más, Julia dudó. Se dio la vuelta demasiado tarde cuando sus labios rozaron los de ella, dejó de darse la vuelta y comenzó a volverse hacia él. Sus brazos se envolvieron alrededor de su espalda y lo atrajo más cerca.

Oh, Dios, ¿qué diablos estoy haciendo? Ella no sabía Realmente no me importaba. Se sentía tan malditamente bien, quería tanto de él como pudiera obtener antes de que siguiera su camino. Suficiente para aguantar las noches frías y solitarias en El Royale que se avecinaban. "Te deseo." Ella susurró.

"Ven aquí", él se apartó y tiró de ella hacia arriba. Estaba de pie con toda su atención, pero a pesar de que el asiento delantero estaba completamente hacia adelante, él podía agacharse en la posición de una rodilla, ella tendría que hacer el trabajo. "Muéstrame cuánto me quieres".

Julia dejó escapar un gruñido largo y bajo mientras se sentaba a horcajadas sobre él. "¿No te estás olvidando de algo?"

No, no estaba olvidando nada, estaba en su billetera, sabía que ella no los traería con ella. Aunque no podía probarlo, Rick estaba absolutamente seguro de que no encontrarías un condón en ninguna parte de la casa de Julia Miller. Sus pantalones estaban en el asiento delantero y no sería la primera vez, se estaba acostumbrando a montarla a pelo. Y él realmente no estaba corriendo ningún riesgo de todos modos. Y eso fue porque, bueno, sin importar cuánto lo intentara, siempre sería Ricardo Mason. Entre episodios de discusión sobre el paciente, había hecho algo muy poco ético. Rose Montague acudía a la Clínica Willington-Middleboro una vez cada seis meses, su expediente decía que era "una paciente muy difícil", estaba lleno de notas sobre su comportamiento "abrupto" e incluso "abusivo", a él le parecía muy extraño. Rose Montague venía cada seis meses para hacerse la prueba de ETS. La última vez que estuvo fue hace apenas dos semanas y estaba limpia como una patena. "No." Él entrelazó sus manos detrás de su espalda. Vamos, Rosie, móntame.

"Si insistes." Sin condón. Eso fue tan bueno. Y fue tan malo Y ella lo dejaba hacerlo tan a menudo que realmente no debería hacerlo. Nada de eso impidió que ella se deslizara sobre él. No impidió que ella se moliera con él. besándolo Queriendo más. "Lléname, doctor".

**

En la calle, Ritter se sentó en el auto cada vez más furioso. Se estaba perdiendo toda la acción, estaban jodiendo allí, simplemente lo sabía. Tenía la esperanza de que esto fuera solo una pequeña parada rápida en boxes de camino al Evento Principal, pero habían estado allí casi cuarenta y cinco minutos. "A la mierda". Abrió la puerta, giró su cuello contra el aire de la noche mientras se adentraba en la espesura.

**

Dentro del viejo Drive-In, Rick y Julia se perdieron el uno al otro y la noche. No había nada más. Tal vez mañana habría teléfonos y faxes y pacientes y búsquedas de trabajo una vez más, pero en este momento nada de eso importaba. El peso de todo eso se disipó dando a Afrodita espacio para abrirse camino y hacer su magia en los amantes.

Los labios de Julia se cerraron en los de él, sus manos contra su pecho para hacer palanca mientras empujaban, se movía y se empujaba sobre él en el asiento trasero. Sus dedos comenzaron a doblarse y flexionarse, doblarse y flexionarse contra su pecho y empujó hacia abajo más lentamente y tardó más en arrastrarse hacia arriba. "Vamos, Rick, ven conmigo, ven conmigo... por favor". Ella rogó con su aliento caliente en su oído. El aire era caliente y pesado, se le hacía difícil respirar y no podía dejar de hacer lo que estaba haciendo si alguien amenazaba su vida. "¿Por favor?"

Rick la ayudó con esas embestidas largas y lentas, poniendo sus manos en sus caderas. Esas caderas encantadoras mientras se movían alrededor y arriba y abajo sobre él. Podría aferrarse a estos bebés durante muchas noches, eso estaría bien. Si ella siguiera haciendo esto, sería simplemente maravilloso. Los dedos de Julia se doblaron y se quedaron así, se clavaron en su pecho mientras su cuerpo se tensaba y no podía contenerse más. Levantó la vista para ver su rostro a la luz de la luna, esos ojos translúcidos cerrados, ella se mordió los labios y dejó escapar un gemido lento y bajo. "Eso es tan hermoso", susurró. Parecía una diosa, una diosa muy sexy, sensual y satisfecha mientras cabalgaba sobre él. Esos ojos se abrieron, se fijaron en los suyos, llamaron a algo muy dentro de su alma y no pudo evitar rendirse voluntariamente.

Cuando terminó, ella se derrumbó contra él, rodeándole el cuello con los brazos y hundiendo la cara profundamente en la nuca. "No puedo respirar".

"Sí", estuvo de acuerdo Rick en el mismo tono sin aliento. El coche estaba caliente, estaba echando vapor, se estiró y abrió la puerta para dejar entrar el aire frío de la noche. "Eso es porque absorbimos todo el oxígeno aquí". Usó la mano libre para agitar en el aire. "Respira hondo, Rosie, estarás bien".

A una distancia no muy lejana, Ritter vio que se encendía la luz del techo del coche de Mason y se detuvo en seco. Podía oírlos, se estaban riendo mientras jadeaban por aire, y juró que podía ver vapor saliendo del asiento trasero. Debe haber sido algún espectáculo, lamentó haberse perdido.

"¿Cómo está su corazón ahora, Doc?"

"Mejor que nunca." Él la envolvió en su brazo y enterró su rostro en su cabello. "¿Quieres ir a casa conmigo?"

"Sí. Creo que recién estamos comenzando".

Esas eran buenas noticias e hizo que el gruñón Trooper sonriera mientras se volvía por donde había venido para poder llegar antes que ellos al apartamento de Mason. No tiene sentido esperar a que terminen y escucharlos contarse lo buenos que eran. Esa parte no fue muy interesante. De esta manera estaría en posición y listo para comenzar cuando se reanudara el espectáculo.

**

Ni Rick ni Julia notaron nada fuera de lugar cuando se detuvieron en su casa, pero de nuevo se distrajeron el uno con el otro mientras tropezaban en la corta distancia desde la calle hasta la puerta. Ambos estaban apenas vestidos y se habían puesto la ropa al azar para el viaje. Apenas dentro del apartamento y dicha ropa ya estaba cayendo al suelo antes de que la puerta pudiera cerrarse y bloquearse. "¿Lo haces en el piano?" preguntó mientras tiraba de sus pantalones por última vez esa noche.

"No", dijo Rick mientras lo miraba. "No."

"Awww, vamos, Rick, ¿por qué no? ¿Tienes miedo de que... rompa tu instrumento?"

"Gracioso, no". La idea era atractiva, sin embargo, si la rompían y lo hacían, era muy costoso arreglarla. Le encantaba ese piano. "Tengo una mejor idea". Tal como lo había hecho Ritter ese mismo día, Rick y Julia dejaron un rastro de ropa desde la puerta principal hasta el baño. "Necesitas una ducha".

"Tú también."

"Perfecto." Abrió el agua.

**

Ritter ya estaba en el jardín, agradecido de que no hubiera luces detectoras de movimiento y bendiciendo a Fate por una noche despejada. Los vio en el pasillo y luego los vio entrar al baño. No había ventanas en el baño de Rick, pero pronto vio vapor saliendo por la puerta abierta. "Limpia a la perra". Murmuró descontento por tener que esperar una vez más.

**

En la ducha de vapor caliente, Rick lamentó no tener una botella de uno de esos jabones elegantes que parecían gustar tanto a las mujeres. Todo lo que tenía era una barra de jabón de primavera irlandés y tendría que servir, hizo una espuma espesa entre sus manos.

"¿Qué vas a hacer con eso?"

"Sabes lo que voy a hacer con él". Bajo los chorros calientes, Rick se inclinó, ella dejó que la besara y esas piernas se separaron cuando él deslizó su mano enjabonada entre ellas.

Ella mordió su labio inferior. "¿Tienes planes?"

"Varios."

"Sabía que había una razón por la que me gustas". Ella suspiró cuando su mano enjabonada se deslizó entre la calva entre sus piernas. Julia dejó que su propia mano se deslizara sobre la de él y luego la pasó para tocarse antes de quitarle la barra de la mano, pero él no parecía querer soltarla. "Vas a dejar que te devuelva el favor, ¿no? Estás tan sucio como yo, Do-c". Su labio superior se curvó en una pequeña sonrisa caprichosa. Él soltó el jabón, ella giró la barra en su mano y llevó la sensual espuma a sus testículos. "Tan sucio, Do-c".

"Otra razón por la que te gusto."

El más mínimo toque y estaba cerca de la erección de nuevo. "¿De verdad tomaste una de esas pastillas?" Preguntó aún intrigada mientras lo enjabonaba de punta a punta y luego por detrás. "¿Acaso tú?"

"¿Por qué? ¿Por qué estás tan interesada, Rosie?"

Julia realmente no lo sabía y se encogió de hombros mientras estaban de pie en la ducha, cada uno con la mano entre las piernas del otro. "¿Por qué harías eso?"

"Para seguirte el ritmo. En caso de que nadie te lo haya dicho, Julia-Bebé, eres insaciable". Ella siempre quería más, no importaba cuánto le diera, siempre quería solo uno más. Estaba empezando a preguntarse si ella era una adicta al sexo y no simplemente una ninfómana. Echó un vistazo más de cerca a la forma en que ella lo miraba. "No me va a hacer daño. Es solo una pastilla".

"Si tú lo dices, Do-c". Julia le dio un pequeño empujón hasta que ambos estuvieron de pie bajo el agua corriente, dejando que se llevara la espuma jabonosa. "¿Todo limpio ahora?"

"Ni siquiera cerca", sonrió y la giró hacia la pared de la ducha. "Te voy a ensuciar, luego te voy a limpiar, luego te voy a sacar de aquí y te voy a ensuciar". Le susurró al oído mientras ponía sus manos en lo alto de la pared cubriéndolas con las suyas. "Va a ser una noche larga".

Ella le devolvió la mirada. "¿Ese es tu plan?" El asintió. "Me gusta."

"Sabía que lo harías". Se deslizó dentro de ella por detrás.

"Oh, las cosas que me haces", gimió.

En la parte hacia abajo de la embestida, dobló profundamente la rodilla de modo que hacia arriba produjo ese largo y lento suspiro embriagador de ella que tanto lo excitó. "Sí, a ti también te gustan, lo sé".

"No lo sabes, Do-c, no lo sabes". La espalda de Julia se arqueó en saludo a su próxima oleada. "No te detengas".

A él también le gustó eso. Definitivamente dos de sus palabras favoritas en todo el idioma inglés cuando se le escaparon de la boca así. Lamentaba haberse burlado de ella con eso esta mañana y se alegraba de ver que su sarcasmo no se interponía en su camino esta noche. "No te preocupes, Julia-Bebé, no me detendré". Al oír sus palabras, parte de la fuerza se le escapó de las rodillas y él apretó con más fuerza sus manos, tiró de ella hacia arriba para evitar que se hundiera.

Allí se quedaron, sumidos en las garras de la pasión, en esa euforia en la que el mundo se desvanece y no hay nada más que el calor y la conexión de dos almas entrelazadas que disfrutan de las comodidades y los placeres de sus cuerpos igualmente entrelazados. Esa ráfaga de endorfinas y adrenalina y cualquier otro elemento clínico que pudiera nombrar implicado en el acto sexual pero que no le importaba se hizo cargo y no fue interrumpido por cosas como conducir a casa.

**

Cada vez más impaciente con la pareja lujuriosa que no cooperaba en el interior, Ritter comenzó a pasearse por el patio en las sombras, agradecido de que ninguno de los vecinos tuviera un perro para regalarlo. "¿Qué diablos pasa con esos dos? Follan como conejos". Se quejó. Entonces hubo una sombra contra la pared del fondo y la feliz pareja pronto los siguió, mojados y desnudos fueron del baño al dormitorio. "¡Aleluya!" Al menos la noche no sería un desperdicio total.

Desde el patio, vio cómo Julia se acostaba en la cama de Mason y Mason iba al armario. Volvió con dos corbatas. "Perro viejo". Efectivamente, Mason ató a Julia a la cama con ellos. A ella no pareció importarle.

**

"Permanecer allí."

"¿Adónde vas?"

"Uf", sacudió la cabeza, "quédate ahí".

Miró las corbatas en sus muñecas. "Sí, me quedaré aquí, parece que estoy ocupado en este momento de todos modos". Lo llamó mientras lo veía salir del dormitorio. Regresó con una pinta de helado en una mano y una pinta de crema batida en la otra. "¿Qué vas a hacer con la crema batida?"

"Ahh, deberías preocuparte más por lo que voy a hacer con el helado". Rick se burló mientras regresaba a la cama. Abrió el recipiente y se lo mostró. "Ron de mantequilla, ¿quieres un poco?" Antes de que ella pudiera responderle, sacó una cucharadita y se la metió en la boca. Sabroso, ¿no?

"Frío." Julia volvió, pero era dulce y sabroso.

"¿Frío? Hummm, imagina eso. El helado... está frío. ¿Quién diría?" Metió la cuchara en el helado y cogió la lata de nata montada. "Esta cosa, por otro lado, es... bueno, comparada con el helado, es... fría. ¿Verdad?" Inclinó la lata boca abajo y derramó una cucharada sobre su pecho. "Mi lengua, en otra mano más", le sacó la punta, "está... tibia". Rick se inclinó y tomó esa pequeña pechuga de crema batida en su cálida boca y la lamió para limpiarla. "Eso también es sabroso".

"¿Me estás dando una lección de ciencias, Doc?"

"Sí, y aún no hemos terminado, así que presta atención, habrá una prueba más tarde". Dejando la crema batida, se puso de pie y agitó su mano libre hacia sus piernas casi cerradas.

"¿Doc?"

"¿Vas a hacer que los separe?" se atrevió

"¿Lo harías?"

"¿Es esa una pregunta real?"

Julia se rió entre dientes, sí, ambos sabían la respuesta a eso. Dependiendo de lo lejos que dejara que el juego llegara, estaría feliz de llevarlo hasta el final si eso era lo que ella quería.

"Estoy esperando."

"Eres un asno".

"Eso ya lo sabíamos". El pauso. "Todavía esperando."

"Lo que quieras, Do-c". Las piernas de Julia se separaron, él se abrió paso entre ellas, sacó un poco más de helado con la cuchara y se lo metió en la boca.

El frío del helado y el calor de su lengua encontraron sus labios inferiores. "Ahhh". Se incorporó a medias mientras sus manos se tensaban contra las ataduras de sus muñecas. "Doc", gimió y lo escuchó y lo sintió reír. "Oh, Rick, ¿qué me estás haciendo?" jadeó y el mundo a su alrededor pareció girar. El helado comenzó a derretirse, se volvió cálido y pegajoso, su lengua empujó no alrededor de ella sino dentro de ella. Luego lo sacó de nuevo.

¡Mierda santa! Oh, tengo que dejar de hacer esto con él, tengo que dejar de hacer esto, tengo que... oh, por el amor de Dios, se siente tan bien.

"Te lo dije, deberías haber estado más preocupado por el helado".

**

Con la luz encendida y la persiana levantada, Rick y la bella Julia estuvieron en ello hasta casi las 2 am. Había algo diferente ahora, algo... íntimo. Ya no eran solo dos personas rascándose una picazón, si podía ver e incluso sentir eso desde afuera seguramente lo sintieron por dentro. "Disfrútala mientras puedas, amigo mío, no pasará mucho tiempo ahora".

**

Cuando terminaron, Julia se acostó en los brazos de Rick por un tiempo, pero pronto ese viejo impulso se hizo cargo. "Vuelvo enseguida."

"Te dejaré fumar aquí si quieres, hace frío afuera".

"Gracias, está bien. Lo sé, soy un ciudadano de segunda clase, estoy acostumbrado". Julia se envolvió en su bata y se dirigió a la sala de estar buscando en el suelo su bolso, lo encontró en el sofá. Al abrirlo, vio que el paquete estaba vacío, revisó un paquete completo hoy, así que abrió el nuevo que trajo consigo, sacó uno y lo llevó al patio delantero. Con las rodillas débiles y la cabeza dando vueltas, se quedó allí fumando el cigarrillo agradecido por la tranquilidad y el consuelo de la noche. No se dio cuenta de que Ritter estaba de pie junto a la esquina más cercana de la casa. En la oscuridad, se deslizó desde la ventana trasera hasta la delantera, estaba tan cerca que el humo le llegaba a la cara. "Tengo que terminar con esto", murmuró Julia para sí misma. "No puedo enamorarme de él".

Fue muy tarde. Estaba sobre su cabeza y lo sabía.

Julia levantó los ojos al cielo nocturno. "¿Por qué él?"

De pie justo al otro lado de la esquina de la casa, escuchándola hablar sola, Ritter se tapó la boca con la mano para sofocar la risa.

"Esto es una locura. Una locura".

Con el cigarrillo terminado y Dios no respondiendo esta noche, aplastó la colilla, la arrojó a la calle y regresó adentro para encontrar a Doc esperándola. Estaba apoyado sobre un codo mientras yacía en la cama. Cruzando la corta distancia hacia él, algo en la mesita de noche brilló y llamó su atención.

Eso no había estado allí antes, ¿verdad?

Dio un paso más cerca y miró del objeto de plata brillante en la mesita de noche al hombre en la cama y luego de nuevo. "¿Es eso?"

Se estiró y lo recogió. "¿Mi anillo de la escuela secundaria? Sí". Retiró las sábanas y esperó a que ella se subiera a su lado antes de ponérselo en la mano.

Julia lo miró en la palma de su mano; la escuela de San Marcos, decía en el exterior alrededor de una perla bastante grande, y en el interior estaba grabado; Ricardo Masón. Todos estos años, mantuvo su anillo de la escuela secundaria. "Sabías dónde estaba todo el tiempo".

"Soy un , acumulador nunca tiro nada".

"Eres un viejo tonto sentimental, eso es lo que eres, Rick. Muy encantador, aunque lo ocultas bien".

"¿Eso significa que lo usarás?" preguntó apartando un mechón de cabello de su rostro. "Tengo esto para acompañarlo". Abriendo su otra mano sacó una reluciente cadena de plata. "¿Qué dices? ¿Sé mi chica?" Abrió el broche y deslizó el anillo en la cadena.

Antes de que pudiera detenerse, Julia encontró las palabras; "Me encantaría", saliendo de su boca. Puso el collar alrededor de su cuello y ella sostuvo el anillo. "¿Tu cumpleaños es en junio?" Preguntó aún mirando el anillo y dudando que la perla fuera la piedra de la escuela.

"Claro que sí. ¿Cuándo es el tuyo?" Había visto su llavero que proclamaba que era Libra.

"Opal", respondió Julia, "octubre. Halloween". Ella lo miró a él. "¿Eso significa que me vas a llevar al baile de graduación?"

"Si tienes suerte."

"¿Qué tal si soy muy bueno?" Ella ofreció.

"¿Qué tal si eres muy malo?" Él respondió con una sonrisa.

Julia lo miró un poco culpable, "Creo que me has agotado por la noche". Se frotó el hombro y luego el pecho.

"¿Todavía no te sientes bien?" No es que pudiera decirlo por la forma en que ella hizo el amor con él esta noche.

"Simplemente adolorido, desearía que lo que sea que esto sea, viniera ya y terminara de una vez".

"Para mañana probablemente cumplirás tu deseo y te sentirás miserable". Ofreció alegremente. "¿Quédate conmigo esta noche?"

Sí, a ella le gustaría eso. "Apaga la luz." Dejó que la bata cayera al agua mientras se metía debajo de las sábanas con él. Abrió los brazos para abrazarla. "No, vienes aquí esta noche". En la oscuridad vaciló un momento, era tradicional que la mujer se acurrucara en los brazos del hombre y no al revés, pero él apoyó la cabeza en su pecho y la rodeó con el brazo. Julia lo abrazó. "Eso es bueno, ¿no?"

Oh sí, eso fue bueno. Pasó una pierna por encima de ella como si fuera una almohada de cuerpo completo mientras escuchaba el sonido de su corazón; agradable, constante, fuerte y sus pulmones; claro, sin congestión, tampoco tenía fiebre. Para alguien que estaba enferma de gripe, no parecía tener muchos síntomas. Para mañana eso cambiaría. Comenzó a dormirse, el sueño comenzó a inundarlo cuando ese corazoncito que bombeaba y que debería haber estado desacelerándose y preparándose para un largo y agradable sueño comenzó a acelerarse. "¿Julia? ¿Estás bien?"

"¿Lo ves a él?" Ella susurró en la oscuridad. "¿O solo soy yo?" Ella había estado acostada aquí, deleitándose con la calidez y el peso de él en sus brazos, queriendo abrazarlo así para siempre y sabiendo que eso no era posible sin importar lo que el anillo alrededor de su cuello pudiera decir. Estaba a punto de cerrar los ojos y tratar de dormir cuando el viento sopló una rama y debajo apareció la figura de un hombre. Se quedó allí, sin moverse, apenas respirando, mirando, mirando, mirando, para ver si la figura se movía o si desaparecía cuando el viento soplaba de nuevo. No hizo ninguna de esas cosas.

"¿Ves quién?"

"No te levantes". ella siseó. "Solo mira con tus ojos porque creo que nos está mirando. ¿Lo ves? ¿Allá, a la izquierda del gran árbol?"

Vio una figura, algo, tal vez alguien de pie junto al árbol, casi mezclándose con el tronco. "Quédate aquí."

Los brazos de Julia se cerraron alrededor de él. "No salgas, Rick".

Le quitó los brazos de encima. "Quédate aquí." Se puso su propia bata y pensó en cerrar la persiana, pero eso lo alertaría, así que la dejó abierta. Salió a la sala de estar y las ventanas delanteras para mirar hacia la calle tranquila y oscura en busca de un automóvil desconocido. "¿Todavía está por ahí?" Llamó al dormitorio.

Julia dejó de mirar por la ventana cuando lo vio salir del dormitorio. Se volvió hacia él ahora y no vio la figura parada allí. "No, creo que se ha ido".

Unas pocas puertas calle abajo, alguien salió de un patio delantero al que se podía acceder fácilmente a través del suyo. Se mantuvieron alejados de las farolas, deambularon por un camino, se subieron a un automóvil y se marcharon.

"¿Almiar?" preguntó Julia desde la puerta del dormitorio.

"Está bien, se ha ido". Bajó las persianas y se dirigió hacia ella. "¿Estás bien?"

"No crees que fue..."

"Sé que lo fue". Él respondió.

"¿Cuánto tiempo crees que estuvo allí?"

Conociendo a ese bastardo toda la puta noche." No sé." Él dijo.

Tirando de las mantas más apretadas a su alrededor, lo miró con esos ojos sobrenaturales, "¿Qué es lo que quiere? ¿Por qué sigue siguiéndote?"

Volviendo a la cama y tomándola en sus brazos, Mason se preguntó si estaba equivocada. No había visto piel ni pelo de Ritter en más de un año. ¿Qué habría puesto en marcha al lunático ahora? Tal vez fue Julia Ritter lo que perseguía y Mason fue un feliz accidente. Por otra parte, ¿quién podría conocer realmente los pensamientos de un matón de poder con una placa? "No sé." Sosteniéndola un poco más fuerte, ofreció: "¿Tal vez deberíamos llamar a la policía?"

Julia resopló involuntariamente: "¿Qué? ¿Las dos personas que Willington tiene que se hacen llamar policía local? Sí, ahora están dormidos y, además, Ritter es un policía estatal". Si no lo hubiera estado, si no hubiera mostrado esa placa mientras se abrochaba el cinturón la mañana en que la dejó dolorida y arrepentida, Julia lo habría denunciado a las autoridades locales. Tal como estaba ahora, solo trató de olvidarlo, pero parecía que él no se iría.

Pasando las yemas de los dedos por su columna vertebral, Mason asintió, "Sí". Trató durante meses de que los dos policías locales lo tomaran en serio y presentaran denuncias formales contra Patrick Ritter, pero lo único que dijeron fue que Mason no tenía pruebas suficientes. Probablemente estaba imaginando cosas. "Él se ha ido ahora. Está bien, Julia-Bebé, estamos a salvo aquí".

Capítulo Once

Rick se debatía entre querer que Julia se quedara en su casa o llevarla a casa a la mañana siguiente. Se había levantado varias veces durante la noche, despertándola en el proceso, para levantarse y revisar las ventanas, las puertas, la calle y solo para ver si había alguien cerca. No le gustaba la idea de irse de aquí solo todo el día más de lo que le gustaba la idea de llevarla a casa. Al menos en su casa había un sistema de alarma y Max, Ritter tendría dificultades para pasar al perro.

Parecía más pálida que ayer y parecía cansada, pero él había hecho un buen trabajo para que se pusiera así anoche. "¿Todavía no te sientes bien?"

"Dolor de cabeza", se quejó a la ligera, "te duele todo y estás cansada, eso es culpa tuya". Dijo con una sonrisa dolorosa. "¿Tienes alguna aspirina?"

¿Aspirina? ¿Quién tomaba más aspirina a menos que fuera en dosis bajas y tuviera una afección cardíaca? "Nop, pero tengo muchas otras cosas", comenzó a caminar hacia el baño.

"Está bien, Do-c, no se preocupe. Tomaré un poco cuando llegue a casa".

"Solo espera un segundo, tengo muchas cosas geniales ahí..."

"¡No!" Dijo con más fuerza de lo que pretendía y no le hizo ningún favor a su garganta. "Lo siento, todavía no he tomado mi café. Soy una verdadera perra a primera hora de la mañana". Julia tejió un camino inestable hacia el sofá casi como si estuviera borracha. Sabía que estaba sobria, a menos que hubiera logrado sacar su botella de whisky escocés de debajo de la cama durante la noche.

"¿Tienes fiebre?"

"No."

"¿Cómo lo sabes?" Él respondió y terminó de dirigirse al baño solo para regresar con un termómetro. "Abrir."

Julia se sentó en el sofá con la boca cerrada y sacudiendo la cabeza.

"¿Qué hay con vos?" Preguntó. "Solo abre la boca, no tuviste ningún problema con eso anoche". La animó con la esperanza de hacerla reír, pero ella se quedó allí sentada mirándolo con ojos fríos. "Julia, es solo un termómetro". Ella levantó la mano y la agitó para alejarla. "Está bien, me obligaste". Él suspiró antes de estirar la mano y cerrarle la nariz. Se sentó allí mirándola y ella a él. "Tienes que respirar un poco de tiempo. Ya que fumas, apuesto a que será mucho más temprano que tarde".

Julia firmemente contuvo la respiración y mantuvo sus labios cerrados con fuerza.

Él esperó.

Ella se puso un poco roja.

Él esperó.

Ella se puso un poco más roja.

"Abrir."

Julia negó con la cabeza. Quería gritarle; ¡DÉJAME EN PAZ!, quería patearlo, morderlo, hacer lo que fuera necesario para alejarlo de ella. Pero él era el mismo hombre que había pasado tanto tiempo de calidad con ella últimamente y era difícil justificar a los dos, pero ella estaba trabajando en ello.

"Te vas a desmayar pronto". Él advirtió. "No voy a soltarte. Si te desmayas, no me darás ningún problema. O... Puedo hacer esto a la antigua". Sus ojos miraron hacia su trasero. "Humm, ¿te gustaría eso?"

No, a ella no le gustaría eso y él era propenso a recibir una patada de mula en los dientes si lo intentaba.

"¿Que pasa contigo?" Preguntó aún sosteniendo su nariz cerrada y observando cómo su rostro cambiaba de rojo claro a carmesí. "Me dejarás amarrarte a la cama, me chuparás la polla, me dejarás meterla en tu culo, que por cierto me gusta mucho, ¿pero no me dejarás meterte este termómetro en la boca? Vamos, es más pequeño". Dijo con una sonrisa esperando persuadirla para que hiciera las cosas a su manera. Entonces se llevó una gran sorpresa.

Julia no abrió la boca, solo abrió los labios para mostrarle los dientes y entre dientes dijo; "No por mucho."

Caray, y aquí pensó que hizo un gran trabajo anoche. "Ay." Su mandíbula cayó antes de que pudiera detenerlo. "Ok, eso es todo. ¡Abre!" Usó la palma de su mano para cubrir su bonita boca. Eso la obligaría a abrirlo para respirar y cuando lo hiciera, el termómetro estaba entrando. "¿Qué pasa en esa linda cabecita tuya, eh, Julia-Bebé?"

¡Mis padres solían hacerme esto! ¡Esta misma cosa! ¿¡¿¡Sabes lo que les hice????! ¡Te voy a dar una bofetada tonta, Do-c! ¡Te voy a dar una bofetada muy fuerte y no te va a gustar! ¡Te voy a dar una patada en el culo si no me sueltas!

Eso no sería bueno y Julia se obligó a sentarse sobre sus manos.

Las piernas cruzadas de Julia saltaban arriba y abajo con nerviosismo y estaba empezando a temblar mientras lo miraba desde detrás de sus ojos sin pestañear. Para él, parecía que estaba a punto de gritar y pensó en esas notas en el historial de Rose Montague, en cómo era 'difícil', 'abusiva' y 'abrupta'. "Si no te gustan los médicos, ¿qué haces conmigo?" Ella no le respondió. "Sabes, Rosie, lo bueno de tener citas o, en nuestro caso al menos, follar con un médico, es que obtienes atención médica gratuita. La mayoría de la gente lo consideraría un beneficio bastante bueno". En esos ojos casi incoloros, vio claramente que Julia no lo consideraba un beneficio.

La fuerza de voluntad de Rick era más fuerte que la fuerza pulmonar de su fumador. Justo antes de que ella pasara de carmesí a azul y él comenzara a preguntarse si tendría que hacerle el boca a boca, debajo de su mano, la boca de Julia se abrió. Apartó la mano mientras tomaba una gran bocanada de aire junto con el termómetro. "No lo muerdas", advirtió. "No lo digas. Si todos mis pacientes fueran como tú, renunciaría".

"Mmbe te callas". Ella murmuró.

"¿Tal vez debería? Humm, sí, bueno, no sería la primera vez que cambio de trabajo". El termómetro comenzó a salir de su boca. "No te atrevas. No me hagas atarte". Pero ella podría hacer precisamente eso, así que le sostuvo el termómetro en la boca y juró por medio segundo que lo iba a morder. Tampoco esos dulces bocaditos que le gustaban.

La cosa estúpida en su boca emitió un pitido y ella lo escupió antes de levantarse del sofá.

Él lo recogio. "98.6, sin fiebre".

"Te lo dije, Do-c." Julia dijo con frialdad. "Si vuelves a hacer eso, puedes despedirte de mí trasero con un beso. No soy... repito... NO... ¡tu puto paciente!" Cuando llegó al final de la frase, ya le estaba gritando.

"Julia, qué demonios..." se levantó y trató de caminar hacia ella.

"¡Alejarse de mí!" Ella siseó mientras levantaba las manos para bloquearlo. "¡No me toques!"

Él no sabía lo que estaba pasando, pero ella parecía estar lista para escupirle clavos. Sin duda, serían más dolorosos que el termómetro, pero menos duros que el comentario sobre el tamaño de que todavía se estaba ahogando. Una vez más, al mirarla a la cara, un extraño podría haber pensado que la había quemado con un cigarrillo encendido en lugar de tratar de tomarle la temperatura. "¿Julia?"

"Lo digo en serio, Do-c, solo lárgate y no te acerques más".

"Puedo ver que lo dices en serio, lo que no sé es por qué. ¿Qué hice?"

"Eres un maldito doctor, ¿no es eso suficiente?"

¡Oh Dios! ¡Oh, cállate, Julio! ¡Callarse la boca! ¡Callarse la boca! ¡Callarse la boca! ¡No hagas esto! ¡Ahora no! Por el amor de Dios, niña... ¡CONTÓRESE! ¡Este es el mismo tipo del que no pudiste quitarte las manos de encima anoche! ¡Así que simplemente CONSIGA UN AGARRE DE MADRE!

Eso fue muy difícil de hacer porque todo estaba girando y estaba cubierto de rojo. Girando, girando, girando, todo alrededor mientras ella se detenía y observaba cómo su tono rosado se convertía en un borrón que corría. Su corazón estaba acelerado y trató de respirar, trató de pensar en cualquier otra cosa que no fueran médicos, píldoras, agujas, batas blancas, estereoscopios y esa voz cortés de 'lo-sentimos-pero-pero'. La presunción en sus ojos y la arrogancia en su voz y

¡CONSIGUE UN PUTO AGARRE, PERRA!

"Lo sabías antes de acostarte conmigo", respondió. "¿O es solo que estás siendo más maliciosa porque no has tomado tu café?"

No le gustaba la forma en que la miraba, pero ¿quién podía culparlo? Lo último que quería era perderlo por este miedo irracional y casi debilitante. Si ella se quedara aquí siseándole... bueno, le gustara o no, su nuevo novio tenía el poder de encerrarla durante 72 horas de 'observación'. ¿Acaso ESO no convirtió al hijo de puta en un hombre aún MÁS peligroso? "Yo... yo..."

"¿Tu qué?"

Julia se alejó unos pasos más de él junto con una respiración profunda.

¡Deja de girar! ¡Deja de girar! ¡Exijo que dejes de girar ahora mismo!

Tenía la mandíbula apretada con tanta fuerza que le dolían los dientes; se sentían como si fueran a romperse bajo la presión si ella no encontraba una manera de aliviarlo pronto.

Su nombre es Rick, sí, sí, es médico, pero es un hombre, y su nombre es Rick.

"I-atro-fobia." Murmuró. El mundo no dejó de girar, pero pareció desacelerarse y parecía existir la posibilidad de que ella pudiera obtener el control siempre esquivo de la realidad que tan desesperadamente necesitaba.

"¡¿Tienes miedo de los médicos?!" Sí, lo era, por supuesto que lo era. En este momento, parada aquí en su sala de estar, estaba aterrorizada de él y de un estúpido termómetro. Eso explicaba su comportamiento en la Clínica el otro día, cómo se puso caliente, muy caliente, en un momento y luego más fría que el hielo al siguiente. Explicó por qué el historial de Rose Montague decía todas esas cosas desagradables sobre ella. "¿Este es un diagnóstico real o algo que obtuviste de Internet?" Preguntó con escepticismo.

"Al igual que la Coca-Cola, es la cosa real".

"¿Cuánto tiempo lo has tenido?"

"Desde que era muy pequeño". Julia admitió, pero se abstuvo de contarle historias coloridas de visitas al médico de la primera infancia.

Había leído artículos sobre iatrofóbicos, pero nunca había conocido a uno en persona y mucho menos había tenido una relación tan íntima con ellos. "¿Por qué demonios me elegiste?" No tenía ningún sentido. Si odiaba a los médicos, ¿por qué se esforzaría por conocerlo? ¿Acostarlo?

"No tengo ni idea." Ella susurró, pero eso no era exactamente cierto, tenía una idea o dos, pero la que se le vino a la cabeza era simplemente tonta, era solo...

"No uso una bata blanca, ¿es eso?" Preguntó con voz astuta y sabía que tenía razón, probablemente solo en parte, pero tenía razón y lo era. Steward, Goodspeed e incluso Spaulding con los ojos marrones que te gustan, todos usan batas blancas, pero yo no.

Sí, por estúpido e irracional que fuera, Julia pensó que la falta de una bata blanca de laboratorio tenía bastante que ver con todo. "¿Es usted un lector de mentes, Do-c?"

"Cerca." El acepto.

"Mira, si dejas de ser el Doctor Mason, estaremos bien".

"Me temo que no puedo hacer eso, YO SOY el Doctor Mason. Solo hay uno de mí y eso es bueno porque el mundo no puede con dos. No te pedí que dejaras de ser quién eres, ¿verdad? "

"¿No?" Julia miró el anillo alrededor de su cuello. "Entonces, ¿qué es esto?" Ella lo miró con ojos tristes y él no le respondió. Miró hacia la puerta. "No sé qué decirte".

Ok, él le pidió que dejara de acostarse, pero tenía la intención de hacer lo mismo, no es que fuera un gran sacrificio de su parte, no le pidió que renunciara a su sustento por él. Tal vez ella no le estaba pidiendo que hiciera eso ahora. "¿Qué tal si dejo de intentar curarte?" No estaba seguro de poder hacer eso, pero sabía que podía escabullirse si tenía que hacerlo, como la noche anterior en el auto cuando examinó su cuello sin que ella lo supiera. El toque de un amante. El toque de un médico. Al final, no hubo tanta diferencia.

"Buena idea. Sé que soy una perra, Rick. Sé que es irracional pero no puedo evitarlo".

"Por eso es una fobia, es irracional". Dijo y luego suspiró. "No eres una perra. Antes de que empieces a gritar..."

"Humm, déjame adivinar... solo tienes una pregunta".

"Estas bien." Él felicitó. "¿Cuándo fue la última vez que fuiste a un médico para un examen? No me refiero a tu viaje a la clínica", hizo una pausa y luego agregó rápidamente, "o cualquier viaje a una clínica".

"La escuela primaria." Ella respondió rotundamente. "Si no cuentas la rehabilitación".

"¿Rehabilitación?"

"Fue hace varios años".

"¿Para qué?"

"No son pequeñas pastillas blancas", señaló su bolsillo, "eran azules, en realidad, pero no del tipo que tomaste anoche".

"¡¿Morfina?! ¿Te enganchaste a la morfina?"

"Dije que fue hace un tiempo. He estado limpio durante años, Do-c. Ya no tomo pastillas, nada más fuerte que la aspirina o neutralizador de acidez. Si no puedo conseguirlo sin receta, No lo tomo".

"No puedo conseguir marihuana sin receta en Vermont, pero la fumas".

"Es una sustancia natural..."

"También lo es el cianuro", bromeó. "Rellenaste la receta de Percocet que te di. Lo sé porque..."

"Tú los recuperas a todos", dijo en voz baja. "Cada receta surtida regresa al médico para su registro".

"¿Cómo lo supiste?"

Ella solo sonrió. "Es importante mantener contento al médico".

"¿Hacer lo?" Sacudió la cabeza, buscó en el bolsillo de sus pantalones para sacar su omnipresente botella de color ámbar y se tomó un Oxy, luego otro cuando sintió que se avecinaba una migraña. Tal vez fue un aneurisma.

Julia sintió que el agarre se volvía un poco más fuerte y sus pensamientos y palabras sonaban más locos. "Irracional", se señaló a sí misma, "¿entendido?"

"Entiendo."

"Cuando el médico escribe una receta, él sabe si la llenas o no, así que siempre debes llenarla de esa manera, él puede registrarla y estar feliz".

"Él no te molestará sobre por qué no estás tomando tus pastillas, ¿eso es eso? Así que tomas el 'guión, lo llenas, tú..." ella no lo tiró a la basura porque no querría simplemente cualquiera para encontrarlo y poner sus manos en él. "Tráelo... a casa", se detuvo de nuevo. ¿Qué hizo ella con ellos? ¿Enjuagarlos? Eso sería casi racional. Lo que sería irracional sería si ella... Parpadeó y sacudió la cabeza. "Los pones en el botiquín y los dejas allí, ¿no? El doctor nunca lo sabe, así que está feliz".

"Felicidades, Do-c. Lo descubriste".

"Wow", estaba asombrado. Claramente, él no conocía a esta mujer en absoluto. Retrocediendo un poco, dijo que había sido adicta a la morfina. "¿Heroína?"

"Nunca. Me aterran las agujas".

Sí, por supuesto que lo era. ¿Cómo se sentó allí mientras él la cosía? Oh, eso era correcto, ella no lo hizo. Saltó de la mesa y se arrancó la aguja de la cabeza. Debe odiar ir al hospital a sentarse con Craig. Debe hacerla sentir como si quisiera cortarse la piel y saltar fuera de ella.

"Solo la morfina", ella lo miró de cerca, "eso es, qué, uno, dos pasos por encima de esos". Ella miró hacia su bolsillo y la botella escondida dentro. "¿Cuántos de esas tomas?"

"Soy médico, confía en mí, sé lo que estoy haciendo".

"Eso es lo que todos dicen." Ella susurró.

"Cuidado, Rosie".

"Culpa mía." Demasiado cerca. No está bien. Ella se estaba calmando y lo veía como Rick una vez más, solo The Doc, el que amaba follar, pero entre aquí y allá estaban malévolo. Se estaban desvaneciendo.

"¿Qué haces si te enfermas, Rosie?" Preguntó con voz seria. "¿Realmente enferma? ¿Qué harías?"

"Morir".

Sin su permiso consciente, los puños de Mason se apretaron a los costados, "No es aceptable".

"Mira, no es que no haya ido al médico, Craig siempre me obligaba a ir y siempre me hacía tomar las pastillas que me daban, incluso si tenía que taparme la nariz para hacerlo, como acabas de hacer tú. " Dijo ella en un tono irritable. "Me tiraría sobre su hombro y me cargaría si tuviera que..."

"Él ya no está haciendo mucho de eso, ¿verdad?"

Julia quería abofetearlo, ¿cómo se atrevía a decirle tal cosa? Excepto que, por supuesto, era médico. "El punto es que he estado. Aquí y allá". Murmuró pensando en su botiquín de pastillas recetadas. ¿Cómo supo eso? ¿Cómo podría él saber acerca de su montón de pastillas viejas?

Mason agachó la cabeza y pensó en esos maravillosos ojos suyos y su piel de alabastro suave como la seda que parecía brillar a la luz de la luna convirtiéndola en una criatura etérea fantástica del cielo. Pero no lo era, solo era una mujer con una condición médica muy rara. "¿Qué pasa con los oculistas? ¿Ves a alguien por tu albinismo ocular?" Manteniendo la cabeza gacha, la miró solo con los ojos y supo que ella no lo hacía. "Es más probable que te quedes ciego, ¿lo sabías? Eres más susceptible al melanoma, ¿lo sabías?"

Julia le dio una pequeña sonrisa mientras se preguntaba cuándo él mencionaría su condición ocular, "Sí, Do-c, lo hice".

Debería tomar medicamentos para fortalecer sus ojos, debería tener anteojos especiales para ayudarla a lidiar con sus problemas de baja visión. Probablemente no podía ver dos pies delante de ella en la noche, pero caminó seis millas bajo la lluvia, en la oscuridad de la noche, descalza, para llegar a él, "Estás loco, ¿lo sabías?"

"Me han dicho". Julia estuvo de acuerdo. "Esto no es su culpa, estoy jodido, traté de decírselo. No lo tome como algo personal, ¿de acuerdo? Todos estamos jodidos, dañados y perdidos, Doc, incluso usted, es solo una cuestión". de grado, eso es todo. Así que, por favor, solo deja esto".

"Soy médico, ¿cómo diablos se supone que voy a hacer eso?"

"No lo sé", dijo con tristeza, "pero como todo lo que haces, estoy segura de que lo resolverás".

Mason pensó que eso podría ser cierto, pero el médico en él no se rindió: "¿De qué color es tu cabello? El color real".

Julia suspiró y luego soltó una bocanada de aire que se convirtió en una risita, "El rojo más claro que jamás hayas visto, como si alguien arrojara un cono de nieve de cereza a la nieve". Ella sonrió mientras inclinaba la cabeza hacia un lado, "Sé lo que estás pensando y lo hiciste bien, Do-c, no soy completamente albina, cerca pero no lo suficientemente cerca". Ella lo señaló con un dedo severo pero burlón, "si comienzas a preguntarme sobre el protector solar y el uso de mangas largas, realmente tendremos un problema".

El albinismo era extremadamente raro en las mujeres, si ella fuera su paciente, él la sometería a una serie de pruebas que harían que su bonita cabeza diera vueltas, pero eso probablemente no era necesario e incluso puede haber contribuido al odio hacia los médicos, "Escuché todo". antes, ¿eh?"

"Más de lo que puedes imaginar."

No, no era más de lo que podía imaginar, pero probablemente estaba lo suficientemente cerca. Ninguno de los médicos anteriores que la aleccionaron tuvo el privilegio de acostarse con ella, "Bien. Tío. Doy. Por ahora".

**

No mucho después de que se detuvieran frente a la casa de Julia. "Que tengas un buen día, ¿de acuerdo, Rick?"

Voy a entrar contigo. Esperaba que su conversación de esta mañana se centrara en Ritter, pero se encontró con una bola curva y todavía no podía creer que una mujer a la que realmente le habían diagnosticado iatrofobia consideraría salir y acostarse con un médico. Durante todo el viaje hasta aquí, se halagaba a sí mismo en silencio diciéndose que debía haber algo muy especial en él si Julia podía superar su fobia lo suficiente como para llevarlo a la cama o tal vez había algo más en él que la atraía. Pensó en el tigre que ella quería y en el que él quería que fuera para ella, "Voy a revisar la casa".

Julia miró hacia la puerta principal. "No crees... oh, vamos, Max está ahí. Nunca superaría a mi perro".

"No, a menos que Ritter le dispare a Max".

"¡Doc!"

"Lo siento", murmuró. "Tú no lo conoces como yo".

Por dentro, la casa se veía bien. La puerta estaba bien, la alarma seguía encendida, Max gimió que tenía que salir y Julia fue a la puerta trasera para dejar entrar al perro en el corral. Él la siguió. La puerta trasera también se veía bien. "¿Cerraste tus ventanas?"

"En el primer piso, sí".

"¿No en el segundo piso?"

"No siempre", admitió. "¿Cómo va alguien a subir allí?"

"Al igual que los gatos, la gente puede trepar y tienes ese gran olmo al costado de la casa, justo al lado de una ventana".

"Oh, esa cosa no se abre. Ojalá lo hiciera, podría tomar un poco de aire en el pasillo de arriba por la noche. Está cerrado con pintura o algo así, nunca he podido hacer que se levante".

"Quiero verlo."

"¿La ventana?"

"Tu alijo de pastillas".

"¡Oh por el amor de Dios!" Julia lloró y levantó las manos en el aire solo para bajarlas bruscamente a los costados.

"Hazme reír." animó.

"Están arriba, estoy seguro de que no querrás subir todo el camino hasta allí. Necesitarás otra pastilla o algo así".

"Si crees que no puedo subir unas escaleras, estás más loco de lo que pensaba".

"Eres exasperante".

"De regreso a'cha. Después de ti".

Julia abrió el camino escaleras arriba dando a sus caderas un pequeño silbido de enojo extra sabiendo que él estaba detrás de ella. Lo llevó al dormitorio principal sin pensar en Craig y luego se sentó en la cama. "Bueno, continúa, satisface tu curiosidad". Julia señaló hacia la puerta abierta del baño.

"¿Dónde están?"

"Oh, Do-c, estoy seguro de que los encontrará".

Entró en el baño y abrió el botiquín sobre el lavabo. Estaba repleto de botellas de prescripción. "¡Jesús H. Cristo!"

En el dormitorio, se rió por lo bajo mientras esperaba que cayera el otro zapato.

Salió a trompicones del baño con un puñado de botellas de color ámbar. "¿Tienes alguna idea de cuántos años tienen algunos de estos?"

"Oh, por supuesto." Ella murmuró. "Sigue adelante, Do-c".

Miró detrás de él y vio un gran cofre colgado en la pared cerca de la bañera. "Estás bromeando".

Ella no dijo nada.

Dirigiéndose al baúl lo abrió, debía medir tres pies de largo por tres pies de alto, tenía dos lados con cuatro estantes cada uno. El lado derecho en realidad estaba reservado para toallas y ropa de cama, pero el lado izquierdo no era más que botellas de medicamentos recetados. Rápidamente se dio cuenta de que los del botiquín eran sus adquisiciones más recientes. Los de aquí datan de hace casi 25 años. No había ni una sola botella fechada para los tres años que estuvo casada con un Craig Miller que aún andaba por ahí. Ella no mintió sobre eso, contra viento y marea, Craig la obligó a tomar las pastillas. Vegetal en Coma Ward o no, la opinión de Mason sobre Craig Miller acaba de subir diez puntos. "¿Dónde está la basura?"

En el dormitorio, casi entró en pánico: "Oh, no, no los tires".

"¿Por qué no?" Preguntó volviendo a la puerta, pero ella solo lo fulminó con la mirada, causando que Mason sintiera un escalofrío que le recorría la espalda. "¿Qué haces? ¿Empaquetarlos y moverlos contigo dondequiera que vayas?"

"Sí."

"¿Tienes idea de cuántos miles y miles de dólares en medicamentos tienes aquí? ¡Y se desperdicia! ¡Se desperdicia todo!" Él criticó. "Otras personas podrían haber USADO esto. ¡Otras personas HABRÍAN usado esto!"

"¿Quieres que te devuelva el anillo ahora?"

No, no lo hizo. El sexo era demasiado bueno para dejarlo ahora y ella estaba loca pero desconcertante. "Tienes que deshacerte de estos, Julia. Han pasado su fecha de caducidad; algunos de estos son peligrosos cuando envejecen".

"¿Van a explotar o algo así?"

¡Te voy a ahorcar, mujer! ¡Te lo juro, te voy a estrangular! ¿Por qué? ¿Por qué? ¡¿Por qué las guapas SIEMPRE están locas y SIEMPRE son las mejores en la cama?! ¿Por qué? ¿Qué es esto? ¿La pequeña forma de la Madre Naturaleza de vengarse del Padre Naturaleza? "No, no van a explotar", suspiró

mirando un frasco marcado como Amoxicilina y fechado en 1997. "¿Por qué no los tomaste? Estabas enfermo. Odias a los médicos, pero te las arreglaste para obligarlos aquí. y allí. Te dieron algo para ayudarte. ¿Qué es esto?

"Ya te lo dije, no me gustan las pastillas y no confío en los doctores... exceptuando la compañía presente, por supuesto."

"No realmente," corrigió. "¿Cómo te deshiciste de la infección?"

"La mayoría de las cosas desaparecen por sí solas", dijo con nostalgia, "dales suficiente tiempo y.. puf... desaparecen".

"Si eso fuera cierto, no tendría trabajo y no habría tantos hospitales esparcidos por el paisaje". No pudo detenerse. "Y Craig estaría aquí en mi lugar. ¿O esperas que un día se despierte, sonría, te tome en sus brazos y sea el mismo hombre con el que te casaste? Si ese es el caso, Julia-Bebé, yo Tengo que decirte que no va a suceder".

"Podría ocurrir."

"No, no se puede". afirmó. "Odiadme todo lo que queráis porque soy médico o por cualquier otra razón que queráis, no importa lo irracional que sea. Pero os digo... como médico y uno de los mejores en mi campo... Craig nunca se irá". despertar. Nunca.

"Tú... tú no sabes eso." Ella susurró.

¿Cuántas veces ya había tenido esta charla y con cuántos de los médicos de Craig? Sin embargo, no se hundió. "Sí, lo hago. Soy el mejor en mi campo, recuerda, así que toma mi opinión experta. Incluso si él se despertara, lo cual nunca lo hará", Rick tomó sus manos, "tú sabes". cuánto daño cerebral ha sufrido. Nunca volverá a ser el mismo hombre que conociste, no puede. Se ha ido. Se acabó. Puedes dejar ir esa esperanza porque te está matando". Se detuvo y esperó el; ¡Vete a la mierda, Do-c! ¡No vuelvas nunca más por aquí!

Eso no sucedió.

Los hombros de Julia se hundieron hacia delante y bajó la cabeza. De repente, el dorso de su mano estaba húmedo cuando una lágrima cayó sobre él. "No es justo."

"No, Julia-Bebé, no lo es." Rick envolvió su brazo alrededor de sus hombros y la acercó. "Pero así son las cosas y no podemos cambiarlas". Respiró hondo y se aventuró un poco más: "Es por eso que estás guardando todas esas pastillas, ¿no? No es por eso que empezaste a hacerlo, pero es por eso que lo haces ahora. Las vas a usar para echa un vistazo cuando todo esto sea demasiado para ti, ¿no? Cuando la barra, el alcohol y los hombres ya no maten el dolor, solo vas a tomar un gran puñado de pastillas viejas".

Julia comenzó a llorar más fuerte, aunque trató de contenerlo, "No es justo", gimió.

"¿Crees que eso es lo que él querría para ti?"

"No... no lo sé".

"Si te amara, y creo que realmente lo hizo, eso no es lo que querría. Querría que fueras feliz incluso si tienes que ser feliz sin él".

"No sé cómo, doctor".

Rick secó las lágrimas de sus mejillas, "Mientras estés viva puedes aprender cómo hacerlo, pero no puedes hacer eso si estás muerta". Se sentó allí con ella en la cama abrazándola cerca durante un buen rato mientras ella lloraba.

Capítulo Doce

Mason dejó a Julia con un sueño ligero, revisó la casa dos veces, incluidas todas las ventanas, antes de salir y poner la alarma. Podría haber adivinado el código, pero Julia se lo dio fácilmente; 01-01-11, su aniversario de bodas. No estaba de humor para algo tan mundano como los pacientes, arrinconó a Spaulding en su oficina y le habló de Ritter.

"¿Qué debo hacer?" Mason preguntó seriamente. "Quería llamar a la policía anoche cuando volvimos a la cama, pero ella dijo que no, dijo que él es un policía, ¿qué van a hacer? Y tiene razón".

Los policías se parecían mucho a los médicos, por mucho que a uno de ellos le gustaría en un nivel moral, era difícil hacer que se enfrentaran entre sí cuando se trataba de la crisis. La policía podría enviar a alguien a investigar a un merodeador habitual, pero si Mason decía que era Ritter, bueno, todo el mundo conocía la historia allí; podrían simplemente ignorarlo por completo. "No le da libertad para hacer lo que quiera".

"No debería de todos modos". Mason se metió un Oxy en la boca y frunció el ceño profundamente. "Odiaba dejarla en su propia casa, incluso con un sistema de alarma y un perro guardián".

"No crees que intentaría entrar".

"Con ese perro", resopló Mason, "no lo haría".

"¿Por qué crees que te está siguiendo?"

Esa también era la suposición de Julia, que Ritter estaba siguiendo a Mason tratando de ensuciarlo, pero ¿y si ese no fuera el caso? "Eso es todo, no creo que me esté siguiendo, creo que la está siguiendo a ella". ¿Y si fue Mason quien tropezó en medio de algo y no Julia? ¿Y si Ritter la hubiera estado observando en el bar, obsesionado con ella, de la misma manera que lo hizo con Mason hace dos años, noche tras noche observándola salir del bar con otro hombre, cualquier hombre menos él? Tal vez su obsesión creció y se volvió oscura y enojada. Cuando una noche, listo... Ricardo Mason entra en escena y se desata el infierno. "Creo que la ha estado siguiendo y acabo de aparecer".

Spaulding pensó en eso. "Eso sería, casi, conveniente para Ritter".

139

"¿Conveniente o exasperante?" Mason respondió. "La has visto, seguro que no la has visto arreglada, déjame decirte que se ve aún mejor cuando no lleva nada puesto, sí, es cuando más me gusta". Mason no pudo ocultar la sonrisa, pero luego se desvaneció. "Se quedó allí y nos miró, eso es enfermizo".

"Estás preocupado por ella. Quiero decir, estás realmente preocupado por ella".

"Es Ritter". Dijo bruscamente. "¿Olvidé mencionar eso?"

- Punto tomado. - Spaulding se inclinó sobre el escritorio. "Te gusta ella, ¿no? Más que el gran sexo que has estado teniendo y que, por cierto, te ha hecho mucho más llevadero últimamente".

Está loca. Fuera de sí.

"Eso no responde a mi pregunta. Además, te suele gustar y atraer a los locos".

"¿Sabes lo que es un iatrofóbico?"

"¿Alguien que tiene miedo de los médicos?" Spaulding ofreció pensar que Mason tenía una definición diferente en mente.

"Sí, y ella duerme conmigo". Hizo girar su dedo fino en el aire a un lado de su cabeza. "Loco."

"Sra. Miller... Julia... ¿es iatrofóbica?" Spaulding preguntó y luego escuchó mientras Mason relataba la historia de su mañana con ella. "¿Todo sobre un termómetro? ¿Qué hiciste con las pastillas?"

"Todavía están allí. Qué tonto, le dije que debería tirarlos y ella dijo que no, que prefería cargarlos con ella el resto de su vida".

"Tienes los casos más interesantes". Spaulding reflexionó.

"¿Celoso?"

"Del sexo, sí, el resto, está bien, te lo quedas". Se inclinó hacia atrás. "Es probable que supere la fobia cuanto más tiempo esté contigo, se acostumbrará".

"¿Algún día ella estará bien?"

"No." Spaulding dijo un poco exasperado. "Estará mejor y no se asustará si tratas de ponerle un termómetro en la boca. La mayoría de los psicólogos recomiendan una buena dosis fuerte de lo que te aqueja cuando se trata de fobias como esta. Una vez que las personas se ven obligadas a enfrentar el miedo irracional pierde su poder".

"La llevaré al hospital en busca de mierda y risitas, veré cómo maneja eso". Mason se quebró.

Spaulding lo dejó ir. "En cuanto a Ritter", negó con la cabeza. "Creo que tienes algo de qué preocuparte. ¿Por qué no llamas a ese amigo privado tuyo para ver si te puede ayudar?"

"¿Lucas?" Esa no fue una mala idea.

"¿Necesitas un préstamo?"

"Tengo este. Gracias." Mason se levantó y salió de la oficina de Spaulding para hacer una llamada telefónica a su viejo amigo, el investigador privado Lucas Buck.

**

Julia no durmió mucho después de que Doc se fue, se arrastró fuera de la cama y se metió en una ducha caliente. Se sentía como una mierda, pero no había ido a ver a Craig ayer y no quería empezar a saltarse días porque uno lleva al otro y muy pronto ya no iría. Julia no quería que Craig se sintiera solo. Sentada en su tocador y cepillándose el cabello mojado, Julia se quitó el anillo de Doc del cuello y lo colocó sobre la mesa. Abrió el cajón delantero, sacó un joyero blanco y lo abrió. Dentro estaban sus anillos de boda y de compromiso. Se los había empezado a quitar cuando empezó a frecuentar el bar pero solo por la noche, siempre se los volvía a poner cuando regresaba a casa. Luego llegó el día en que no se puso los anillos,

Allí se sentaron en su mesa uno al lado del otro, casi burlándose de ella. Uno con su pasado dorado brillante que debería haber sido un futuro dorado brillante. El otro con su perla perfecta, que le recordaba el océano azul en calma y luego los ojos de Rick. ¿Veía un futuro azul brillante allí o era solo una ilusión? ¿Cómo sabría ella la diferencia?

"Un anillo para gobernarlos a todos, un anillo para encontrarlos, un anillo para traerlos a todos y atarlos en la oscuridad". Julia dijo en voz alta y sonrió amargamente. El señor de los anillos había sido una de las series favoritas de Craig, las poseían todas en las versiones extendidas. Miró hacia abajo para ver al perro mirándola mientras se sentaba en el suelo a su lado. "Elige uno, Maxie", la alentó Julia, "adelante, solo elige uno y ese es el que elegiremos, ¿qué dices?" La sonrisa amarga se convirtió en una risa amarga.

Si sólo fuera así de simple. Deslizó el diamante y la banda de oro en su dedo. "¿Quieres ir a dar un paseo?" Julia no era idiota, solo porque no habló de Ritter con Rick esta mañana no significaba que no estaba en su mente. Se sentiría más segura si Max la acompañara al hospital hoy. Poniéndose de pie, tal vez demasiado rápido, el mundo dio un gran giro y su estómago dio un gran tirón. Ella tampoco pudo controlarlo, cayó de rodillas y vomitó en el suelo. Ella no había comido nada hoy excepto una taza de café que ellos dos tomaron en el camino a su casa, eso fue hace más de dos horas. Todo lo que salió fue bilis oscura. Olía extrañamente dulce y se veía horrible. La bilis era verde o amarilla, lo sabía porque había pasado suficientes mañanas vomitando en el baño después de una noche larga, pero esto era... diferente... estaba oscuro, casi rojo, o incluso negro. Tenía ese extraño aroma dulce debajo del ácido. "Debe haber sido algo que comí anoche,

Julia se sentó en el tocador durante unos momentos para recuperar el aliento mientras buscaba a tientas los frascos de aspirinas y . neutralizador de acidez Sus manos no parecían querer agarrarlos al principio, pero pronto se doblegaron a su voluntad y se metió dos de cada uno en la boca, uno a la vez. Tomaría un vaso de leche en la cocina para ayudar a calmar su estómago, justo después de cepillarse los dientes nuevamente. Eso sería en un momento o dos tan pronto como recuperara el aliento. "Oh, cuando esto finalmente llegue, será una buena pelea". Ella se quejó a su reflejo. Antes de que la debilitara por unos días, quería ver a su esposo.

Respirando de nuevo a la normalidad, Julia hizo lo que hace cualquier buen adicto a la nicotina y sacó un paquete nuevo de la mesita de noche junto con sus gafas de sol. Parecía particularmente brillante hoy y se suponía que debía usar estas cosas estúpidas cada vez que salía. Ella los odiaba; sin importar el estilo que eligiera, siempre pensó que eran pretenciosos.

Agarrándose a la barandilla un poco más fuerte que de costumbre y caminando un poco más lento de lo normal con Max a su lado, fue a la cocina por ese vaso de leche y la correa. Puso la alarma antes de subirse al auto y irse, encendiendo un Newport mientras salía en reversa del camino de entrada.

En el camino, Julia se detuvo para comprar una copia de The Wall Street Journal porque, bueno, porque eso era lo que siempre hacía. A Craig le gustaba leerlo por las mañanas, así que ella se lo leía cuando lo visitaba, cada página y cada artículo. Dejando a Max en el coche con las ventanillas abiertas, aunque hacía frío, entró en el hospital para sentarse junto a la cama de Craig. "Hola, cariño", dijo mientras se sentaba y tomaba su mano. "Lo siento, no llegué ayer, ¿me extrañaste?"

Él no respondió.

Ella no esperaba que lo hiciera.

"Traje el periódico y Max, está afuera en el auto, te extraña". Julia abrió el periódico y comenzó a leérselo. "Veamos qué está pasando en el mundo hoy". Justo al final de la primera sección, escuchó a Rick que venía por el pasillo. Julia dejó de leer para poder escuchar el sonido de su voz. No se volvió hacia las ventanas, pero tampoco se alejó cuando él apareció a la vista.

Mason se sintió raro e incómodo cuando pasó por la ventana de Coma Ward y la vio allí. La mujer con la que se había estado acostando sostenía la mano de su marido; no pudo evitar captar el brillo de la piedra en su dedo. Cuando le pidió que se casara con él, Craig Miller hizo todo lo posible. Fue la primera vez que vio sus anillos de boda, mientras su mano descansaba sobre la de Craig. Casi se sintió culpable. Julia lo miró cuando pasó, pero no sonrió ni saludó con la mano. Él siguió caminando y ella volvió a leer el periódico en voz alta. A medida que su voz se desvanecía por el pasillo y se alejaba de sus oídos, las noticias del mundo ya no parecían tan importantes.

Julia dejó caer el periódico al suelo mientras tomaba el brazo de Craig, se acostaba a su lado y lo ponía alrededor de ella. "Te extraño. Las cosas están tan desordenadas; ya no sé qué hacer". Dijo entre lágrimas mientras recostaba su cabeza en su pecho. Las siguientes palabras fueron tan duras que no sabía si podría hacerlo y no podía imaginar tener que hacerlo si él estuviera despierto. "Sé que nunca hablamos de esto, así que no sé qué querrías que hiciera. Ojalá pudieras decírmelo. ¿Me gustaría que estuviera solo? Tal vez lo harías, siempre fuiste tan posesivo, no lo sé". No lo sé. Ojalá lo supiera. Hizo otra pausa y luego se obligó a continuar. "Pero, verás, lo siento mucho por esto, mi amor, pero... he conocido a alguien". Julia susurró y se secó una lágrima de su ojo. "Él... me hace sentir... viva otra vez. Su nombre es Rick y es un médico de todas las cosas. Sé que te reirías de eso, mi amor. Si puedes oírme, probablemente lo estés".

Fuera de la puerta abierta de Coma Ward, Ricardo Mason estaba de pie escuchándola. No estaba en camino a hacer nada importante y, siendo el bastardo astuto que era, simplemente se deslizó de regreso aquí. En realidad, no había tenido la intención de espiarla o escuchar a escondidas una conversación tan personal y sabía que debería alejarse de la puerta. Por supuesto que no lo hizo.

"Por lo que sea que valga, creo que te gustaría, se parece mucho a ti". Ella se rió un poco y se secó otra lágrima. "No sé qué hacer. Estoy tan cansada de estar sola y sola. Tan cansada de estar sin ti, pero no vas a volver. No me rendiré contigo. No te dejaré sola.. Nunca. No lo haré. ¿Qué debo hacer, Craig? Mi vida se ha vuelto un absurdo. Necesito algo... alguien... a quien aferrarme. Sigo a la deriva, pero no sé hacia dónde". Ella podría hacer trampa. Podía sentarse allí y decirle que, si a él le parecía bien que ella saliera con Ricardo Mason, entonces Craig debería quedarse allí y no hacer nada. Esa sería la señal. Dejó escapar una risa cercana mientras el pensamiento seguía pasando por su cabeza en la voz de Craig. Pidiéndole que le apriete la mano, bueno, lo había hecho medio millón de veces y no había obtenido respuesta. ¿Por qué ahora debería ser diferente? "Él lo hace mejor. Creo que podría amarlo, pero no creo que me deje".

Fue entonces cuando Rick se giró y se alejó de la puerta sabiendo que se había quedado demasiado tiempo.

Poco tiempo después, Julia le dio un beso de despedida a su esposo sin ninguna resolución. El ascensor pareció durar una eternidad mientras ella estaba parada allí, moviéndose de un pie al otro y tratando de mirar a su alrededor discretamente para ver si alguien la estaba mirando. De repente, visitar a Craig la hizo sentir cohibida, sentada allí sosteniendo su mano y hablando con él mientras se preguntaba si Doc iba a asomar la cabeza en la habitación o, peor aún, si había hablado de ella y su pequeña aventura. haciendo sospechar al personal. Su corazón comenzó a acelerarse cuando comenzó a maldecir las puertas cerradas del ascensor. Justo cuando decidió que bajaría las escaleras, abrieron los dos tramos y allí estaba Evelyn Sinclair, jefa de personal y administradora en jefe de The Mountainside.

"Señora Miller", Sinclair trató de hacer que su tono fuera ligero y agradable a pesar de que ya sentía la tensión. Había tenido muchos roces con la mujer desde que Craig Miller se instaló en The Mountainside.

"Doctor Sinclair", respondió Julia en el mismo tono mientras subía vacilante al ascensor. "¿Cómo estás?"

Sinclair presionó el botón del vestíbulo, "Estoy bien. ¿Cómo está el Sr. Miller?" Esa fue una pregunta estúpida. La condición del Sr. Miller cambiaría cuando muriera y no un momento antes. Se dio cuenta de la pequeña serie de puntadas en la frente de la mujer, "¿Qué pasó?"

"Estoy bien y Craig es el mismo", Julia se giró para mirar las puertas. ¡De toda la mala suerte del mundo! Preferiría que las puertas se abrieran y Doc estuviera allí. Evelyn Sinclair fue la razón por la que Julia esperó tanto para hacer un movimiento en el Doc. Cuando nadie se fijaba en ti, era fácil observar a los demás y estaba claro para Julia que Doc estaba loco por Sinclair. Él siempre la estaba mirando, haciéndole groseras insinuaciones sexuales y dobles sentidos. La mayoría de las veces solo servía para irritar al doctor Sinclair, pero hubo otras ocasiones en las que ella le devolvió el zumbido y luego se alejó dejándolo sonriendo mientras él se lamía las chuletas y veía cómo su trasero se balanceaba de un lado a otro. Julia no conocía la historia entre los doctores Mason y Sinclair, pero a los ojos de Doc estaba claro lo que quería de ella en el futuro. Sinclair fue incluso la razón por la que Julia oscureció su cabello de color fresa normalmente pálido, esperaba que Doc encontrara el color más oscuro más atractivo ya que Sinclair tenía una hermosa cabellera negra ondulada que combinaba con esos grandes ojos marrones. "¿Tú?" El Muzak en el ascensor parecía demasiado alto, Julia se tiró de la oreja, sacudió la cabeza ligeramente y comenzó a balancearse un poco con los pies.

"Ocupado", intervino Sinclair, "nunca hay un momento aburrido por aquí".

Antes de que pudiera detenerlos o siquiera pensar en ellos, las palabras se le escaparon de la boca: "¿Doctor Mason lo mantiene alerta?"

Por un segundo, Sinclair se resistió, hasta donde ella recuerda, la Sra. Miller nunca mencionó a Mason, "Él hace su parte justa, ¿por qué? ¿Tuviste algún problema con él?"

Julia trató de recuperarse cuando el botón del Lobby se iluminó, "No", sonrió y se tocó los puntos, "Lo vi recientemente, eso es todo".

Los ojos de Sinclair se volvieron hacia arriba y pensó que esos puntos parecían obra de Mason, él siempre ataba las suturas al estilo del Colchón Vertical. También pensó que él podría haber tomado demasiadas píldoras antes de coser a la Sra. Miller, ya que había un parche de piel con doble costura. "¿Está seguro?" Recibió muchas quejas sobre Mason y estaba lista para cualquier cosa que la Sra. Miller, normalmente muy vociferante, tuviera que decir sobre él.

Julia respiró hondo cuando las puertas se abrieron, "Nop, eso es todo", forzó una sonrisa mientras cruzaba el umbral y buscaba en su bolso sus anteojos con lentes rojos. "Que tenga un buen día, doctor Sinclair".

Al salir del ascensor después de ella, Sinclair tartamudeó: "Usted también, señora Miller". Observó a la mujer tejer un camino ligeramente irregular hacia las puertas delanteras y salir al estacionamiento.

En el auto, Max estaba esperando y tenía ganas de orinar; Julia se sintió mal cuando le puso la correa y lo paseó por los terrenos del centro durante unos minutos agradecida por las estúpidas gafas de sol que ocultaban sus ojos rojos e hinchados. Sin embargo, no estaban haciendo nada por el aliento atrapado en sus pulmones. Julia trató de atribuirlo al excepcionalmente frío día de finales de otoño, pero eso no explicaba el ritmo acelerado de su corazón.

Subiendo al auto, encendió otro cigarrillo y lo encontró ligeramente dulce. "Algo debe estar mal con mis papilas gustativas". Se lamió los labios antes de dar otra calada. "Bueno, Maxie, parece que estamos solos con este". Le dio al perro una palmada en la cabeza. "Papá no fue de ninguna ayuda". Julia pasó su brazo alrededor del cuello de Max y le dio un fuerte abrazo al perro, él, a su vez, lamió un lado de su cara y luego acarició su hocico contra su cabello. "Somos tú y yo, chico, tú y yo contra el mundo. ¿Cuáles supones que son nuestras probabilidades? ¿De escasas a ninguna?"

El perro dejó escapar un ladrido.

"Ponte el cinturón de seguridad, es hora de irse". Max agarró la correa con los dientes y la atrajo hacia ella, Julia la colocó en su lugar. "Seguridad primero." Ella salió del lote.

Si Craig no iba a ser de ayuda, tendría que tomar una decisión por su cuenta. Ella sabía una cosa; tener los cálidos brazos vivos de Rick alrededor de ella era mejor que estar en los brazos medio muertos de Craig. Al salir del estacionamiento, Julia se dirigió directamente a la ciudad, pasó por delante de la casa de The Doc con la terrible sensación de que solo estaba mirando sombras. Sin embargo, las sombras fueron un comienzo, donde había sombra había luz. Calle abajo, aparcó frente al hotel El Royale. "Sé un buen chico, vuelvo enseguida". Ella le dijo al perro. Eran las cinco en punto y el encargado de la noche, el que ella conocía tan bien, acababa de entrar en servicio. "Buenas noches, Leroy".

"Buenas noches, señorita Montague". Leroy dijo con una sonrisa. "Siempre es un placer verte. ¿Qué puedo hacer por ti esta noche?"

Con el estómago nervioso, se acercó al escritorio sin saber qué estaba haciendo. Julia miró alrededor del vestíbulo del viejo hotel que probablemente se construyó alrededor de 1940. Su hogar lejos del hogar. Luego volvió a mirar a Leroy mientras buscaba en su bolso y sacaba la tarjeta de acceso. "Me gustaría entregar mi reserva, Leroy".

"¿Pasa algo, señorita Montague?" El pesebre nocturno preguntó con voz preocupada y sorprendida. Ella había sido su mejor cliente durante más de un año y si el personal había hecho algo para que ella entregara su llave, él quería saberlo. "¿Algo que hicimos?"

"No nada de eso." Miró la pequeña tarjeta blanca que había llevado consigo durante tanto tiempo. "Creo que, tal vez, simplemente ya no lo necesito".

Bueno, en ese caso, tal vez fueron buenas noticias. Tal vez la bella dama de los ojos extraños finalmente encontró lo que estaba buscando. Tomó la tarjeta de acceso de su mano y marcó su nombre en la computadora. "Ciertamente lamentamos perder su negocio, señorita Montague".

"Me gusta este viejo lugar", le dijo Julia. "Lamento dejarlo, pero, bueno, así son las cosas". La tarjeta se fue de ella, se sintió insegura pero aliviada de la misma manera. Ha sido un placer, Leroy.

"Espera, no te vayas todavía".

Julia se dio la vuelta.

"Es solo el 15; te debo doscientos dólares". Dijo con una sonrisa y abrió la caja.

Julia no había pensado en eso y le vendría bien el efectivo.

"¿Quieres subir y conseguir algo?" Todo el personal sabía lo que la señorita Montague guardaba en el cajón de la mesita de noche de la habitación 404. Como ella, era legendario.

Julia miró hacia el techo con su pintura descolorida de los Doce Olímpicos y el Monte Olimpo pensando en la habitación tres pisos más arriba y su contenido. —Está bien, Leroy, quédatelo tú. Dijo con un guiño y tomó el dinero que le estaba entregando. "Nos vemos".

"Cuídese, señorita Montague". Leroy dijo sabiendo que probablemente nunca la volvería a ver.

Max ladró mientras ella salía del hotel y miraba calle abajo. "Un minuto más, Maxie". Julia caminó las cuatro puertas hasta el bar.

"Buenas noches, señorita". Tonio dijo con una sonrisa. "¿Martini?"

"No, solo un trago de ginebra, por favor". Julia dijo y se sentó en el bar en lugar de en la mesa de la esquina.

"Un poco temprano esta noche", comentó Tonio poniendo el trago frente a ella. Todavía no sabía su nombre, pero sabía que bebió un martini con ginebra y que era la primera vez que pedía solo la ginebra.

"No me voy a quedar, solo pasé por esto de camino a casa".

"¿Está bien esta noche, señorita? Quiero decir, si no le importa que le pregunte". preguntó Tonio. Se veía un poco diferente esta noche. Parecía pálida, incluso para su piel clara, pero había un brillo en sus mejillas y una triste incertidumbre en sus ojos extrañamente hipnotizantes.

Julia devolvió el tiro. "Creo que tal vez voy a estar bien. Nos vemos, Tonio".

"Sí, nos vemos señorita". Al igual que Leroy diez minutos antes, Tonio sabía que nunca volvería a verla. "Cuídate." Él la llamó y luego recogió el dinero que ella dejó en la barra junto con el vaso de chupito.

Julia estaba a mitad de camino del auto; Podía escuchar a Max ladrando cuando la vio venir hacia ella cuando escuchó una voz que le heló la sangre.

"Buenas noches, señora Miller".

Julia no tuvo que darse la vuelta. "Buenas noches, soldado Ritter". Ella siguió caminando.

"¿Acabas de salir del bar?"

Que pregunta más estupida. "Me imagino que me viste." El coche estaba ahora a sólo dos coches de distancia.

"Lo hice, no vas a conducir, ¿verdad?"

Lo vio hacerle esto a Rick y ella no iba a ser su próxima víctima o su víctima repetida. Julia dejó de caminar y se dio la vuelta para mirarlo. "Ese es mi auto, me voy a subir a él y me iré ahora mismo. Si me pides la licencia y el registro, te los daré, lo revisarán, pero eso ya lo sabes". Dijo con una voz tranquila y clara. "Si quieres darme un alcoholímetro, también está bien, pero podemos volver al bar y Tonio puede atestiguar el hecho de que me sirvió un trago de ginebra. Eso difícilmente me califica como borracho".

En el auto, Max ladró más fuerte y rasguñó las ventanas mientras intentaba salir. El perro incluso trató de pasar por la grieta de una pulgada que dejó en la ventana.

"Solo velando por su bienestar, señora Miller, eso y junto con el bienestar del público en general". Ritter sonrió de forma casi amistosa e hizo un gesto hacia la calle. "No pareces borracho, así que no creo que nada de eso sea necesario".

"Gracias." Dijo sarcásticamente y comenzó a caminar hacia el auto.

"¿Ese perro con licencia?"

"Sí y registrado en el estado de Vermont, soldado. Es un arma letal". Dijo ella en un tono casi burlón. "Si eso es todo, me pondré en camino ahora".

"¿Cómo está el doctor Mason?" Ritter la llamó porque no quería acercarse demasiado al coche y las mandíbulas que se rompían dentro. "Ustedes dos parecían muy acogedores".

"¿Qué noche sería esa?" Julia replicó. "¿Anoche o el martes por la noche?"

"Ambos." Ritter respondió con la misma voz fría y dio un paso hacia ella. "Es un drogadicto, Julia. Es arrogante, farisaico y egocéntrico. Nunca te amará. Ya está enamorado de sí mismo".

"Es la Sra. Miller para usted, soldado Ritter y no le pedí su consejo".

"Debería escucharlo... Sra. Miller", dio otro paso y se inclinó hacia ", parece un poco formal, ¿no cree? He estado dentro de usted".

"¿No tuviste suerte?" Julia escupió porque no quería que le recordaran la noche y si necesitaba tal recordatorio, podía mirar los puntos en su cabeza y el moretón alrededor de su cuello. "Déjame en paz. Deja a Rick en paz. No hemos hecho nada".

"¿Cómo está Craig?" preguntó Ritter. "¿Sigues siendo un vegetal?" Se rió un poco y luego sonrió. "¿Tú, Julia? ¿Cómo te sientes estos días? ¿Eh? ¿Cómo está tu cabeza?" Dio otro paso. "¿Mason te lo cosió?"

Julia se sintió amenazada. Se había sentido amenazada cuando él dijo 'buenas noches, señora Miller', pero ahora estaba demasiado cerca. Ritter probablemente pensó que estaba a salvo del pit bull que actualmente se estaba volviendo loco encerrado en el automóvil, ya que todavía no podía alcanzar la manija de la puerta. El Lexus tenía varias características. Sosteniendo sus llaves, presionó un botón en la cadena y la puerta remota se abrió. Max salió volando del auto, saltando hacia Ritter, cuyos ojos se abrieron de par en par mientras su rostro se ponía blanco. Con las mandíbulas chasqueando, ansioso por arrancar un buen trozo de carne, el perro saltó hacia él. Ritter levantó los brazos para cubrirse la cara.

Julia agarró el collar, alejando al perro de su objetivo. Max no estaba contento. "Namasté". Dijo con los labios apretados y se aferró a la correa. El perro tiró de la correa, ladró y mordió al policía, pero él se quedó al lado de su ama. Esperó hasta que el detective bajó los brazos. Digo otra palabra y te arrancará la garganta aquí mismo, ahora mismo. Si yo fuera tú, me daría la vuelta y me iría.

Ritter no necesitaba una gran escena pública y la gente los miraba a ellos y al perro. Sin placa para exhibir y esconderse, era solo otro matón en la calle. "Te veré, Julia".

"No si te veo primero".

Ritter se metió las manos en los bolsillos y se alejó calle abajo.

"Buen chico, Maxie. Buen chico". Julia palmeó la cabeza del perro cuando dejó de tirar de la correa y su corazón comenzó a desacelerarse. Ese es un hombre muy peligroso, pensó mientras se quedaba allí mirando para ver si se daba la vuelta. Lo hizo, a medio camino de la barra; Ritter se dio la vuelta y luego volvió con la misma rapidez. "Vamos a casa."

Capítulo Trece

Al abrir la puerta principal de la casa, Julia sintió un escalofrío junto con la sensación de que no estaba sola. "¿Hola?" Ella llamó. Miró al perro, pero estaba bien. La puerta estaba cerrada. La alarma estaba puesta. Sin embargo, no podía evitar la sensación de que alguien había estado aquí. "¿Hola?" Ahora las orejas de Max se aguzaron y alertó. "¿Escuchas a alguien?" Julia no escuchó a nadie, pero los olió. Colgando en el aire, como si fuera una mañana cualquiera y Craig hubiera bajado las escaleras saltando recién salido de la ducha, el aroma de Grey Flannel Cologne flotaba sobre ella y la envolvía. "¿Craig?" Julia miró hacia las escaleras con la débil esperanza de verlo allí de pie, sano y salvo, con los brazos abiertos y una sonrisa en el rostro.

La casa solo repetía su silencio.

¡Por supuesto que no había estado aquí! ¡Eso fue estúpido! Ella acaba de dejarlo en el hospital hace más o menos una hora y todavía estaba en coma. No se limitó a levantarse, tomar un taxi y volver a casa entre entonces y ahora. Era sólo su mente jugándole una mala pasada. Sin embargo, se estremeció cuando cerró la puerta. ¿Fue una corriente lo que sintió? ¿Un viento errante de la casa? ¡Probablemente! ¡Es una maldita casa vieja, Julia-Bebé!

"Hace frío aquí, ¿eh?" Le preguntó a Max que solo estaba sentado allí mirándola y si un perro podía parecer preocupado, entonces Max lo hizo. Julia encendió la calefacción por primera vez este año, generalmente se acurrucaba junto al fuego, pero tuvo la repentina necesidad de esconderse en su habitación para pasar la noche. Tal vez era eso, tal vez había una ventana abierta en el dormitorio y estaba soplando el aroma de la colonia por las escaleras. No podía recordar si había abierto la botella hoy para olerla. Al subir el termostato, vio que la lucecita roja del teléfono parpadeaba indicándole que tenía un mensaje.

La voz de la mujer mecánica le habló. "Tienes... dos... mensajes no escuchados. El primer mensaje no escuchado recibido hoy a las 3:15 p. m...."

"Hola, Jules, soy Tim. Lo siento, te extrañé. Voy a bajar y ver a papá por un rato este fin de semana, ¿esperaba que mi habitación todavía estuviera abierta? Llámame. Espero que estés bien. Adiós ."

"Segundo mensaje no escuchado recibido hoy a las 4:36 pm".

"Hola, Julia, soy Rick. Mira, lo siento, tengo que cancelar nuestra cita de esta noche... Yo, ah, tengo un gran caso y no puedo escapar. Te llamaré más tarde".

"Fin de los mensajes no escuchados".

Sintiéndose extrañamente desinflada y aliviada al mismo tiempo por el mensaje de Rick, con la persistente sospecha de que él estaba mintiendo en el fondo de su mente haciendo que la piel de gallina se erizara aún más, colgó el teléfono. "Parece que solo estaremos tú y yo esta noche, Maxie". Probablemente sería bueno para ellos pasar una o dos noches separados y tener algo de perspectiva. Claramente, se estaban moviendo demasiado lejos y demasiado rápido y era necesario un descanso.

Vagando con paso vacilante hacia la cocina, buscó a tientas la pared para mantenerse en pie y pensó que el tiro debía de haberle ido a la cabeza. Tratando de mantener sus ojos enfocados, alimentó al perro y miró en el refrigerador, pero no tenía hambre. Lo último que comió fue la cena de anoche, pero solo pensar en la comida fue suficiente para que se le revolviera el estómago. Max, sin embargo, engullía con avidez cada croqueta que ponía en el tazón y luego la miraba pidiendo más. "Pensé que habían dicho que eras un pitbull, pero creo que debes ser al menos medio cerdo". Comentó con una risa mirando el recipiente vacío y lo volvió a llenar hasta la mitad. Cogió una botella de agua de manantial de la nevera y un paquete de uvas. Dejando al perro para terminar su cena, vagó por la casa vacía hasta la sala de estar donde pensó que podría juntar algunas de sus velas para llevarlas arriba por la noche. "¡MÁXIMO!" Julia gritó cuando la botella de plástico con agua y la bolsa de uvas se le cayeron de las manos. "¡Oh, Maxie, no lo hiciste!"

El perro se detuvo a mitad de la trama y vino corriendo a su lado.

En el suelo de la chimenea estaba la fotografía de Julia y Craig el día de su boda. El cristal se hizo añicos, la fotografía quedó destrozada como si el perro la hubiera mordido. "¡Perro malo!" Julia reprendió fuertemente. Max bajó las orejas y la cola mientras la miraba. Julia le devolvió la mirada. Cuando atraparon a Max haciendo algo mal, gimió y luego se fue y se escondió. Ahora, el perro se acercó a los pedazos rotos de la fotografía de su boda, los olfateó y comenzó a dejar escapar ladridos bajos y ásperos. "Sé que lo hiciste". Ella le dijo. Es solo que no lo noté antes, eso es todo. Rick estaba aquí y.. y revisó las ventanas de la sala de estar, y habría dicho algo si la fotografía estuviera en el suelo. Tal vez él tampoco se dio cuenta. Julia volvió a mirar la repisa y pensó en lo extraño que era que solo la fotografía estuviera rota cuando había dos velas en frasco frente a ella y estaban bien. Si Max hubiera saltado aquí, ¿no habría derribado todo o al menos fuera de lugar? Las velas estaban exactamente donde las había dejado. "Aléjate de ahí, ya has hecho suficiente. Vuelve a tu cena". Le gritó al perro y comenzó a recoger los vidrios rotos. La fotografía no se podía salvar y ella lloró un poco por eso. Tendría que ponerse en contacto con el fotógrafo y ver si todavía tenía los negativos para poder hacer otro. Con el desorden limpio, Julia recogió sus velas, agua y uvas antes de subir cansinamente las escaleras para pasar la noche.

En el dormitorio, pensó que el aroma de Grey Flannel era más fuerte. Todavía era temprano, pero ella no iría a ninguna parte y no esperaba ninguna compañía. Julia se quitó los zapatos, los jeans y se quitó el suéter antes de sentarse en el tocador para cepillarse el cabello. La botella de colonia estaba allí, donde había estado desde el último día que Craig salió de esta casa, pero ahora la tapa estaba quitada. Miró hacia la ventana junto a la cama para ver que estaba abierta. No recordaba haberla dejado abierta, alargó la mano para cerrarla y mantener a raya el aire frío de la noche. Estaba empezando a salpicar por ahí. Julia tomó la pequeña botella gris oscuro y olió su contenido antes de ponerle la tapa y volver a colocarla sobre la mesa.

Quitándose los anillos de boda y de compromiso, alcanzó la caja, pero no estaba. "Lo dejé justo aquí", murmuró para sí misma, "justo al lado de Rick... ¿dónde está el anillo?"

Sí, antes de irse al hospital, Julia estaba segura de haber puesto la caja blanca en el tocador justo al lado de Rick's High School Ring. Por otra parte, se sentía enferma y mareada y tal vez... "Tal vez se cayó al suelo". Empujó el taburete hacia atrás, se levantó y luego se apoyó en las manos y las rodillas en sujetador y bragas para gatear por el suelo de la habitación. Buscó cada centímetro desde debajo del tocador hasta entre este y la cama y debajo de la cama y no encontró nada. "¿Qué demonios?" Levantarse de nuevo no fue tan fácil como bajarse y sus ya doloridas articulaciones protestaron por la indignidad. "Necesito un masaje." Se quejó mientras usaba la mesa para ayudarse a levantarse mientras trataba de combatir la sensación de vértigo que regresaba.

Si no estaban en el suelo, entonces... abrió el cajón central del tocador y allí estaba la caja blanca. Ella debe haberlo vuelto a poner después de todo. Julia lo abrió y puso dentro el anillo de bodas y de compromiso. El anillo de Rick no estaba en el cajón. No estaba en el baño. No estaba en la mesita de noche. "Bueno, no solo se levantó y se alejó". Oh, Cristo, si él se lo pedía, ¿qué iba a decirle ella? Levantando las manos con exasperación, sacudió la cabeza, casi tropezó hacia atrás como resultado y tuvo que agarrarse a la pared de nuevo, fue entonces cuando vio la papelera. Allí estaba el anillo de Rick mirándola. "Oh, no, de ninguna manera, no lo tiré". Se dijo a sí misma mientras lo recuperaba.

Tal vez lo hizo, tal vez accidentalmente, después de haber estado enferma, tal vez...

El teléfono comenzó a sonar, el tono agudo la hizo saltar mientras lo sacaba de sus pensamientos. "¿Hola?"

"Hola, Jules, ¿cómo estás?"

"Hola Tim." Julia dijo un poco aliviada. "¿Vienes este fin de semana? Estoy seguro de que a tu padre le gustaría eso". Si supiera, si entendiera.

"Sí, pensé que tal vez podría quedarme contigo".

"Sabes que tu habitación siempre está aquí y lista para ti". Mientras sea dueño de la maldita casa, de todos modos. "¿Cuándo vienes?"

"Probablemente no llegué allí hasta el viernes por la noche, pensé en quedarme a pasar la noche, visitar a papá un rato el sábado y regresar el domingo". se aventuró. "¿Está bien? ¿Demasiado? ¿Tienes planes? No voy a echar a tu novio, ¿verdad?"

"Está bien", le dijo Julia.

"¿Sin planes?" preguntó Tim. "¿Sin novio?"

"Ninguno."

"Aww, Jules", dijo de esa manera que solo un chico de 17 años puede decirlo. "¿Bingo? ¿Bolos? ¿Algo? ¿Algo?" No la veía mucho y su madre la odiaba, pero a Tim le gustaba Julia, ella siempre fue buena con él. Se sentía mal porque ella estaba atrapada con su bulto inútil de padre, encerrada en esa casa y desperdiciando su vida. "Tienes que salir de esa casa, Jules".

"Lo siento, Tim, tendrás que sufrir conmigo el fin de semana".

"Traeré algunas películas".

"Traeré las palomitas de maíz. Nos vemos el viernes por la noche". La línea se cortó en su mano y Julia colgó el teléfono. Era un buen chico, no era su culpa que su madre fuera una perra real. Tendría su habitación lista antes del viernes, cambiaría las sábanas y abriría las ventanas un poco. Se quitó el sostén, se deslizó un camisón por la cabeza antes de retirar las sábanas y meterse en la cama con el control remoto. Max entró en la habitación y saltó sobre la cama para acostarse a su lado. Deseando un cigarrillo, buscó su bolso, pero estaba abajo y los cigarrillos estaban en el auto. "Mierda. Te estás perdiendo, Julia-Bebé, ¿lo sabías?" Murmuró y abrió el cajón de la mesita de noche para sacar un paquete nuevo. Si estaban en el bolso de abajo, iría a buscarlos, pero no tenía ganas de deambular por ahí en camisón. Abrió el paquete nuevo, vertió lo último de la ginebra en el agua para darle una pequeña patada y luego encendió la televisión justo cuando comenzaba a llover.

**

Ricardo Mason canceló su cita con Julia Miller por varias razones, pero la principal fue para poder reunirse con un detective privado a las 7 en punto. Mason quería saber qué estaba pasando antes de continuar con ella. La segunda razón fue la conversación que había escuchado a escondidas hoy. La parte en la que le dijo a Craig que Rick probablemente no dejaría que lo amara simplemente se le quedó en el estómago. ¿Quién era ella para decir algo así? Para su esposo de todas las personas, sí, estaba en coma, ¿y qué? Ella no podía saber eso de él.

Pero ella lo hizo.

Ella tenía razón en el dinero.

Le gustaba ella. Sí, le gustaba mucho. Le encantaba estar con ella y estar en ella. La encontró exasperantemente interesante y podía verlos pasando una buena cantidad de tiempo juntos. Ella hizo que él quisiera hacer cosas como conectarse y acercarse, besar, abrazar, abrazar y hacer el amor. Julia hizo que él quisiera ir tan lejos como para hacer cosas por ella, como bajar el asiento del inodoro. Sin embargo, eso no significaba que seguiría adelante y, eventualmente, encontraría una manera de joderlo. El truco era que lo haría a propósito, ya sea para ahuyentarla o simplemente para ver cuánto podía soportar. Mason dudaba que estuviera en él permitir que alguien lo amara porque muy en el fondo, Ricardo Mason se consideraba desagradable. Julia obviamente no sentía lo mismo, pero ¿qué demonios sabía ella? Ella estaba loca. Sin embargo, había

"Déjame aclarar esto, ¿quieres que siga a un policía?" Lucas Buck, el investigador privado que Rick estaba contratando, preguntó mientras se sentaban en la cabina de la esquina más alejada de un restaurante local. Había hecho muchos trabajos extraños para Mason en el pasado, pero esto estaba más allá de los límites. "¿Hablas en serio o es uno de tus pequeños juegos? He oído todo tipo de mierda sobre este tipo, y sobre ti, pero él, bueno, es una mala noticia, ya sabes".

"Lo digo en serio." Él dijo. "¿Puedes hacerlo?"

"¿Puedo hacerlo?" Lucas se burló. "Sí. ¿Lo haré? No lo sé. ¿Qué está pasando? ¿Qué estás buscando realmente?"

Rick trató de pensar en cómo poner esto. Ritter ha estado siguiendo a una mujer que conozco.

"¿Novia?"

"Flojamente." Rick estuvo de acuerdo.

"Solo golpeando botas, ¿eh?" preguntó Lucas y se metió un pepinillo en la boca. "¿Está caliente?"

"Su nombre es Julia Miller". Sintiéndose un poco culpable, empujó una pequeña carpeta hacia el IP. Dentro estaban la dirección, el número de teléfono y el número de la seguridad social de Julia (cortesía de los registros del hospital) y una fotografía que había obtenido de las cintas de vigilancia de hoy en el hospital. Dentro también estaban los nombres y direcciones del bar y del hotel El Royale.

Lucas abrió la carpeta. "Dulce", exclamó mientras miraba su foto. "Bien hecho. ¿Quieres saber si él también se lo está poniendo a ella?"

"Ya lo hizo", dijo Rick con amargura. "Presta atención, tu objetivo no es Julia, es Ritter. Te lo di para que tengas un punto de partida. Descubre por qué la está siguiendo, SI es que la está siguiendo".

"Tal vez él solo piensa que ella está buena, Doc, yo ya lo creo". Lucas dijo sonriendo hacia la fotografía.

"Sí, ¿te pararías fuera de mi ventana y nos mirarías? ¿Toda la noche? ¿Qué tal mi auto?"

Lucas pensó en eso y la idea no estuvo exenta de atractivo, pero tampoco era exactamente su estilo, de hecho, era francamente espeluznante. "Cupón, ¿eh? Mucha gente se excita con eso, por lo general son inofensivos".

"Él no es inofensivo". Rick afirmó. "Creo que la está acosando". Por eso le dio a Lucas el nombre y la dirección del Hotel El Royale. Quería saber si alguien había visto a Ritter por allí aparte de la noche que pasó con Julia. Los vecinos de su casa probablemente estaban demasiado ensimismados para darse cuenta, pero el recepcionista allí era inteligente y lo recordaría.

"Está bien, lo tienes". Lucas asintió finalmente. Le gustaba trabajar para Mason, por lo general era divertido y tenía bastante diversión, pero mirar la cara de Mason ahora era diferente. Este Ritter, Mason lo encontró una amenaza real para la mujer bonita o para él mismo. "Tendré algo para ti mañana a esta hora, no estoy seguro de qué o cuánto, pero algo".

Mason se sentó allí viendo a Lucas salir del restaurante preguntándose de qué manera fue. ¿A quién estaba siguiendo realmente Ritter? ¿Él o Julio? ¿Por cuánto tiempo? Lo que no dejaba de recordarle era la insistencia de Julia en que Ritter había estado en el bar "muchas veces". Rick, no iba al bar 'muchas veces', es cierto que iba con más frecuencia en los últimos meses, pero si Rick no vio a Ritter, tal vez fue porque Ritter no estaba allí, excepto cuando Julia estaba allí. El hijo de puta hizo la vida de Rick y la de sus amigos y colegas absolutamente miserables por nada. Tenía el poder de la insignia de su lado, pero Rick estaba condenado si iba a dejar que Ritter lo usara contra Julia. Tal vez él no dejaría que ella lo amara, pero eso no significaba que se quedaría de brazos cruzados y la vería lastimada.

Todavía era bastante temprano en la noche y Rick pensó en reunirse con Julia, pero luego lo pensó mejor. Aún así, dijo que la llamaría más tarde para hacerlo. Él le diría que todavía estaba en el hospital y tal vez la vería mañana. Esas eran sus intenciones cuando sacó el celular de su bolsillo y marcó el número de su celular. Uno, dos, tres timbres y le dijeron que Julia estaba lejos de su teléfono, por favor deja un mensaje. ¿Lejos del teléfono? ¿No era el objetivo de un teléfono celular? ¿El hecho de que fuera pequeño y portátil y pudieras llevarlo contigo en todo momento? Dejó un mensaje corto y luego probó la línea de su casa solo para encontrar que estaba ocupada. Al principio no sabía qué era el sonido extraño en su oído, era raro que uno escuchara una señal de ocupado en estos días con Call-Waiting y seguramente ella tenía eso.

Levantándose de la mesa para regresar a su auto, se dijo que volvería a intentarlo cuando llegara a casa. En casa, con frío y temblando por la corta caminata desde la acera hasta la puerta de su casa con la lluvia cayendo como estaba, metió una cena congelada en el microondas y esperó hasta después de comerla para volver a probar con Julia. Tal vez ella recibió el mensaje de que él canceló la cita y no quería hablar con él, si ese era el caso entonces él no quería verse necesitado. Limpiándose lo último de la salsa de tomate de su barbilla con el dorso de la mano y tirando el recipiente de plástico a la basura, un fuerte trueno hizo eco del aterrizaje del pequeño contenedor. Miró hacia la ventana para ver que la pequeña tormenta estaba revolviendo bien las cosas.

Con un mal presentimiento en la boca del estómago, usó el teléfono de la cocina para volver a intentarlo con Julia. Ya debía estar en casa, bueno, eso era, a menos que decidiera pasarse por el bar o El Royale después de ver a Craig y darle la mala noticia. La línea de la casa todavía estaba ocupada. El celular solo le decía que dejara un mensaje. "Julia es Rick, llámame cuando escuches esto". Preguntándose dónde estaba y si estaba en casa con quién podría estar hablando durante tanto tiempo, observó la lluvia caer contra la ventana. Con la mente desordenada y el corazón preocupado, volvió a sentarse en el sofá para encender la televisión. Camiones monstruo estaban en esta noche y no quería perderse eso.

Justo después del primer comercial, sonó el teléfono, pensando que era Julia, no miró el identificador de llamadas. "Hola."

"Hola, doctora".

Saludo familiar pero no la voz de Julia. fue lucas

"Sé que dije que te llamaría mañana con algo, pero pensé que querrías saber esto de inmediato".

Bajó el volumen de la televisión para poder oír fácilmente por encima del rugido de los motores. "¿Qué es?"

"Tu amigo, Trooper Ritter. Ya no es Trooper Ritter y no lo ha sido por un tiempo". Lucas dijo mientras miraba el monitor de la computadora. "Es un detective privado, perdió su trabajo con la policía estatal por alteración del orden público".

"¿Él no es un policía?"

"Nop, él no es un policía". Lucas estuvo de acuerdo. "Te avisaré cuando tenga más..."

"¿Sabes dónde está ahora mismo?"

"Todavía no lo he seguido, solo estaba haciendo un poco de trabajo preliminar en Internet". Lucas trató de explicar. "¿Doc? ¿Mason?" No hubo respuesta.

Rick volvió a marcar rápidamente los números de Julia y obtuvo la misma respuesta, que era ninguna respuesta. Dejando la televisión encendida detrás de él, agarró sus llaves y se dirigió a su casa. Al llegar miró a su alrededor buscando un auto familiar pero no lo vio, tampoco vio luces encendidas en la casa. Llamó al timbre, golpeó la puerta, miró por la ventana delantera pero no vio nada. "¡Julia!" Rick gritó antes de tocar el timbre una vez más. Nadie respondió, pero el auto estaba aquí y el perro ladraba arriba.

Los cielos se abrieron en su camino hacia aquí y la lluvia caía a cántaros mientras los relámpagos crepitaban en lo alto. Un rayo brillante ilumina la noche y el patio de Julia. La puerta estaba abierta y dio la vuelta hasta la puerta trasera, estaba cerrada con llave, la luz de la cocina estaba encendida y podía ver la fotografía sobre la basura. "¡Julia!" Gritó con más urgencia y golpeó la puerta con el puño. Max entró corriendo en la cocina de la nada y lanzó su pequeño y firme cuerpo contra ella con tanta fuerza que hizo que Rick tropezara hacia atrás y bajara los escalones. El perro volvió a golpear la puerta mientras ladraba y aullaba. "¡Julia!" Volviendo a la puerta, observó con asombro cómo el perro corría por tercera vez hacia ella, Max saltó en el aire, sin intentar romper la puerta o romper la ventana, sino agarrar la cerradura con sus fuertes mandíbulas. Esta vez lo consiguió. Los pitbulls nunca se sueltan una vez que le sacan los dientes a algo. Colgado de la perilla de la cerradura de la puerta trasera, el perro comenzó a retorcerse, balanceando su trasero en el aire hasta que la cerradura giró y la puerta se abrió. Rick no sabía si debía entrar o no con el perro parado allí ladrando y mirándolo, pero luego Max volvió a la casa tranquila y lo siguió. "¿Julia? ¡Vamos, respóndeme!"

El perro esperó al pie de las escaleras y luego las miró ansiosamente.

Ella está allá arriba. Él le ha hecho algo y ella está ahí arriba.

Temeroso de lo que iba a encontrar cuando llegara a su destino, Rick obligó a sus piernas a subir los escalones de uno en uno sin perder de vista al perro que se dirigía al dormitorio principal. Con el corazón en los pies y el estómago en la garganta, se asomó por la esquina. La cama estaba vacía, las sábanas echadas hacia atrás. En la mesita de noche había un paquete de cigarrillos, una botella vacía de ginebra y una botella vacía de agua de manantial junto con su anillo de High School.

Julia estaba tirada en el suelo boca abajo en un charco de su propio vómito.

"Oh, mierda, perra loca". Rick murmuró pensando que se había bebido hasta el estupor. Se tiró al suelo y le dio la vuelta. Su rostro estaba rojo, cubierto de su propia sangre; le mojó la barbilla hasta el pecho y manchó el bonito camisón de raso blanco. "¡Julia! ¡Julia despierta!" Rick se inclinó para ver si estaba respirando y se encontró con un aroma extrañamente dulce debajo del humo del cigarrillo y la ginebra. Tal vez fue el agua. Julia estaba muy quieta, apenas respiraba y sus ojos no respondían a la luz cuando abrió los párpados. Sacando el teléfono celular de su bolsillo, marcó el 911. "Este es el doctor Ricardo Mason; necesito una ambulancia en 12 Chapman Lane...".

Capítulo catorce

Desde el otro lado de la calle, Ritter observó mientras Mason salía corriendo de la casa de Julia junto a la camilla en la que estaba acostada. La subieron a la ambulancia; Mason dejó su auto atrás y subió a la parte de atrás con ella. Con la sirena a todo volumen y las luces parpadeando, la ambulancia despegó rumbo al Centro de Investigación y Bienestar de Mountainside.

Eso fue inesperado. Ritter pensó que pasarían al menos dos días más antes de que Julia se diera cuenta de que necesitaba atención médica y tres o cuatro después de eso antes de que realmente la buscara. No había contado con que ella fumara todos los cigarrillos contaminados en tan poco tiempo. Otra cosa inesperada fue la repentina aparición del hijastro que nunca visitó a su padre comatoso pero que llegaría, o habría llegado dependiendo de las cosas, este fin de semana. Escuchó su conversación telefónica con el joven Timothy Miller, los mensajes telefónicos que le dejó y encontró el de Ricardo Mason de particular interés. Lo último que deseaba, aunque lo esperaba, era que Mason abandonara la relación. Con sexo caliente y listo como el que ofrece Julia, ¿qué tipo en su sano juicio se rendiría? Entonces otra vez, Ricardo Mason no estaba en sus cabales y probablemente nunca lo había estado. Lo último interesante fue que Julia había estado tratando de llamar a la línea de casa de Mason justo antes de que se cayera. La escuchó colapsar y pensó en entrar, pero decidió no hacerlo mientras la escuchaba vomitar y luego luchar por respirar con los pulmones llenos de humo venenoso.

Esperando unos momentos, se alejó del bordillo bajo la fuerte lluvia.

Yo

Corriendo a través de las puertas de la Sala de Emergencias de The Mountainside, Mason fue recibido por el Doctor Sinclair. "¿Qué está sucediendo?" Preguntó apresuradamente mirando a la mujer pálida en la camilla. "¿Amigo tuyo?" Ella miró de nuevo. "¿Señora Miller? ¿Qué le pasó? Acabo de verla esta tarde". El doctor Sinclair se encontró con Julia Miller esta tarde y estaba mucho mejor que esta noche.

"No sé, sal del camino". Dijo bruscamente y empujó a su jefe mientras la camilla lo seguía. Los técnicos de emergencias médicas empezaron a girar a

161

la derecha. "No, sígueme". Mason ordenó mirando hacia atrás por encima del hombro. "La quiero arriba, no sentada en esta trampa mortal".

"¡Masón!" Sinclair dijo bruscamente.

"¡¿Qué?!" Él respondió de la misma manera, mientras se giraba rápidamente para mirarla. "Ella está enferma; no necesita esperar aquí a que alguien lo diga... yo lo acabo de decir". Él resopló. "Eso todavía es lo suficientemente bueno por aquí, ¿verdad?" Mason salió cojeando tras la camilla hasta el ascensor.

"¡Ella tiene que ser admitida!"

"¡Más tarde!"

Todo salió bien en el apresurado viaje al hospital; Los signos vitales de Julia estaban débiles, pero aguantando. La respiración y los niveles de oxígeno eran bajos. La presión arterial estaba en el lado bajo de lo normal, la temperatura justo en el dinero, el pulso también en el lado bajo de lo normal. Su color estaba apagado, estaba pálida. No vomitó durante el viaje, al menos en parte debido al hecho de que la mayoría de las veces no se despertó.

Despertar

En un hospital.

Julia iba a enloquecer.

Al salir del ascensor y pasar por delante de la oficina de Mason, su equipo lo vio pasar corriendo. Estaban aquí hasta tarde en otro caso que Mason no se molestó en atender. "¿Es eso?" preguntó Steward.

"Más importante aún", intervino Wylds, "¿verdad?"

Vieron a Mason pasar por la oficina con los paramédicos y la mujer en la camilla. Un segundo después estaba de vuelta fuera del cristal y haciendo la señal de 'mueve tu trasero y ven conmigo' con la mano.

"La mayoría de los días no puede aprender sus nombres. ¿Desde cuándo los acompaña?" preguntó Wylds.

"Me gana", respondió Steward, "pero parece que estamos en eso, así que vamos".

Saliendo corriendo de la oficina, Wylds agarró un portapapeles con papel nuevo. "¿Qué está sucediendo?" Preguntó mientras comenzaba a poner lápiz en papel.

"Mujer, treinta y tantos años, los síntomas comenzaron con dolores en el cuerpo, dolor de cabeza", comenzó Mason y luego comenzó a pensar. Dijo que estaba enferma de gripe. "Sin fiebre, tos o congestión". Los paramédicos convirtieron la camilla en la habitación más cercana. "Otros síntomas incluyen," ¿Qué? "Marcha inestable", dijo pensativo al recordar a Julia caminando por su apartamento esta mañana y diciendo que estaba un poco "mareada. Culminando en vómito con sangre y pérdida del conocimiento".

"¿Cuánto tiempo fue el inicio?" Steward preguntó mientras observaba a Wylds y Goodspeed ayudar a los técnicos de emergencias médicas a llevar a la mujer a la cama del hospital.

"¿Un día? ¿Dos?" Mason se preguntó en voz alta. "Quiero una ecografía de su arteria carótida". Miró de ella a su equipo, "tendrás que mantenerla sedada o saltará de esa cama en el momento en que se despierte y se irá de aquí gritando".

Eso parecía un poco detallado y junto con la forma en que Mason se apresuró a entrar con su nuevo paciente, "¿Amigo tuyo?" preguntó Wylds.

"Más o menos", dijo Mason de mal humor. "Diez miligramos de lorazepam". Él ordenó.

Wylds lo miró. "¿Estás tratando de mantenerla sedado o inconsciente?"

"Lo que funcione mejor, comencemos con esto". Ante los ojos inexpresivos de sus colegas, agregó: "Ella es iatrafóbica y no sabe que está aquí y no lo sabrá hasta que se despierte o a menos que lo haga. Si desea evitar esa escena bastante desagradable, dele la oportunidad". disparo."

Como el resto, Wylds nunca se había encontrado con un iatrafóbico, principalmente porque los iatrafóbicos hacían todo lo posible para evitar al médico. "Si está fuera de sí, no puede decirnos qué le pasa, cuáles son sus síntomas". Wylds protestó. "No tienes idea de lo que le pasa, podría ser una sobredosis de drogas por lo que sabemos. ¿Cómo la vamos a tratar si no sabemos...?"

"Lo sé", dijo Mason en voz alta, "Ok, sé cuáles son sus síntomas. Solo mantenla en una neblina feliz. No es una sobredosis". Wylds le dirigió una mirada desagradable. "Puedes confiar en mí en eso".

Wylds sintió pena por la mujer cuando empujó el émbolo en la vía intravenosa.

"¿Por qué el ultrasonido?" inquirió Steward.

"Echa un vistazo a su cuello". Mason señaló a Julia inconsciente y observó cómo Steward giraba su cabeza para mover su cabello. "Tiene un par de días, pero la arteria podría estar pellizcada. Perdió el conocimiento, pero no sabe por cuánto tiempo y, a juzgar por la forma en que ha estado dando tumbos, puede estar experimentando una sensación de vértigo". Si la arteria estuviera pellizcada, eso explicaría muchos de los síntomas de Julia, pero no el vómito con sangre. No podía evitar la sensación de que Ritter le había hecho algo a Julia. "Quiero un análisis de sangre completo. Mientras haces eso, Wylds", se metió la mano en el bolsillo y le arrojó un juego de llaves a Steward, "ustedes dos vayan a ver la casa de Julia".

"¿Llaves?" Steward preguntó casi estupefacto mientras los sostenía hacia la luz. "¿No tenemos que irrumpir esta vez?"

"No, adelante, eres negro, pero aún puedes usar la puerta principal". Mason le dijo que luego metió la mano dentro de la mesa cerca de la cama de Julia en busca de libreta y papel. "Hay una alarma", dijo y anotó el código, "no olvides restablecerla". Le tendió el papel a Wylds.

"¿Tienes las llaves de su casa y el código de la alarma?" preguntó Wylds. "¿Quién es ella?"

"Julia Miller", le dijo Mason molesto, "el código". Sacudió el papel a Wylds. Al menos no tendrían que preocuparse por Max, Animal Control se lo llevó con la promesa de cuidar bien al perro hasta que Julia llegara a casa. Wylds lo tomó de su mano. Todavía seguro de que Ritter le había hecho algo a Julia, Mason dejó de querer decirles que buscaran todas las toxinas conocidas. Ritter podría ser un bruto y un matón, pero ¿un asesino? Incluso Mason tuvo dificultades para tragarse eso. Más vale prevenir que lamentar. "En el baño principal descubrirás por qué esto no es una sobredosis". afirmó. "Trae una bolsa de basura".

"A garba-" Wylds se detuvo y capituló. "Está bien, lo que quieras, tú eres el jefe".

"Así es, yo soy el jefe. Me vendría bien más de eso por aquí". Aconsejó y luego pensó. "Cerca de la cama hay una botella vacía de ginebra, una botella de agua y un paquete de cigarrillos".

"¿También quieres esos? ¿Qué es lo que estamos buscando aquí?" Steward preguntó aún sin creer que tenía las llaves de la casa de la Sra. Miller. "¿Moho? ¿Toxinas transportadas por el aire? ¿Qué?"

"Cualquier cosa que puedas encontrar. Tú", se volvió hacia Wylds, "quiero un examen toxicológico completo y contenido de alcohol en la sangre también. Vas a encontrar marihuana, no me importa eso. Estaré en mi oficina." Tenía la esperanza de que ella volviera drogada y borracha hasta la saciedad, pero tenía la ligera sospecha de que no iba a tener tanta suerte.

En su pizarra blanca, Mason sacó dos Oxicodona y comenzó a escribir con mucho cuidado. ¿Cuáles eran sus síntomas? Le dijo a Wylds que lo sabía, pero eso fue solo para callarla. De pie frente a la pizarra en blanco, Mason se dio cuenta de que había estado demasiado interesado en el sexo fantástico que estaba teniendo con Julia durante los últimos días para notar ningún síntoma. Se había estado quejando el último día más o menos... ¿qué dijo?

El escribió:

DOLOR DE CUERPO DOLOR DE CABEZA FATIGA/ RUNDOWN

Sí, así era, Julia había estado segura de que iba a tener gripe.

¿Qué otra cosa? Ella había estado inestable sobre sus pies temprano esta mañana; se dio un golpe al ego al decirse a sí mismo que era culpa suya que ella anduviera rara esta mañana.

MARCHA INESTABLE MAREADO-LIGERA

¿Qué hay de la cena de anoche? Ella no comió mucho. Entonces, ¿qué pasa con...

PÉRDIDA DE APETITO

¿Qué hay de esta mañana? Accidentalmente había tocado un gran nervio para estar seguro, pero ¿eso explicaba su ira explosiva? ¿Qué tal un poco más tarde en la mañana cuando se echó a llorar por Craig? ¿Qué hay de esta tarde cuando la vio visitando a Craig y, por alguna razón en su cabeza, soltó una carcajada? ¿Estaba alucinando o sus emociones estaban fuera de control?

¿CAMBIOS DE HUMOR?

Luego estaban los síntomas obvios;

VOMITO SANGRIENTO PERDIDA DE CONCIENCIA RESPIRATORIA

En el viaje en ambulancia, su respiración había sido muy superficial y dificultosa, actualmente Julia estaba con oxígeno, aunque se estaba defendiendo.

"Está bien, Mason", dijo Sinclair cuando entró en su oficina, "Supongo que la Sra. Miller al menos está instalada en una habitación, ¿le importaría decirme qué está pasando?"

"Ella está enferma, ¿no es obvio?" Mason espetó.

Sinclair frunció los labios y respiró hondo. "¿Alguna idea de lo que le pasa? ¿Estabas con ella cuando colapsó?"

"La encontré en el suelo", dijo Mason con los dientes apretados. No quería explicarle a Evelyn Sinclair su relación con Julia Miller.

"¿Dónde?"

Mason agachó la cabeza. "Su habitación."

"Ah, claro." reflexionó Sinclair. "¿Cuánto tiempo ha estado pasando esto? Si estás... involucrado... con ella, entonces no deberías tratarla".

"¿Que te importa?" Mason espetó. "¿Solo viendo el culo del hospital o estás celoso? Si lo estás entonces bésame y házmelo saber y si no, ahí está la puerta, úsala y déjame hacer mi trabajo".

"Voy a usar la puerta, pero todavía tiene que ser evaluada".

"Tienes toda su información; es lo mismo que ese vegetal de arriba". Sinclair se dirigió a la puerta. "¡Ey!" Sinclair se dio la vuelta. "¿La viste esta tarde? Eso es lo que dijiste, ¿verdad?"

"Sí, me pareció bien". Sinclair estuvo de acuerdo. "Bajamos juntos en el ascensor e incluso caminé con ella hasta la puerta principal".

"¿Ella no estaba inestable sobre sus pies? ¿No dijo que le dolía la cabeza? ¿Parecía pálida? ¿Dificultades para hablar?"

"Ella no estaba borracha si eso es lo que me estás preguntando". Sinclair amonestó. ¿Había estado tambaleándose en el ascensor? Tal vez lo había estado, sí, lo estaba, y Sinclair pensó que simplemente se estaba balanceando al ritmo de Muz-ak en el ascensor. "Tal vez tambaleándose... solo un poco, pero aparte de eso, no, lo estaba", luego pensó por otro segundo, "estaba bien", dijo de nuevo, "no sé, probablemente no sea nada, pero para ti nada es siempre algo."

"¿Qué es?" Mason espetó.

"Parecía... drogada. No drogada, pero no sé. Simplemente parecía... feliz". Ese fue un gran cambio; por lo general, Julia Miller era tan gruñona como Ricardo Mason. "Las cosas eran divertidas para ella, tal vez un poco demasiado divertidas". aventuró Sinclair. "Pero reírse no es un delito y como cuando la veo, sus ojos suelen estar rojos e hinchados por el llanto, pensé que era algo bueno. Probablemente veas una catástrofe acechando en el horizonte".

Sus ojos deberían haber estado enrojecidos e hinchados por el llanto porque, aunque se rió, casi soltó una carcajada, cuando Mason la vio, Julia estaba llorando. "Fuera de aquí." Se quejó y volvió a la pizarra blanca. Borró el signo de interrogación junto a CAMBIOS DE ÁNIMO.

Sinclair dio unos pasos hacia él. "Antes de irme y sé que no tengo que recordarte esto", puso los ojos en blanco y se puso la mano en las caderas. "Pero es ilegal sedar a un paciente con el único propósito de mantenerlo en un hospital en contra de su voluntad. Se llama asalto e, incluso, encarcelamiento ilegal".

"Ella puede hacer que me arresten después de que averigüe qué le pasa".

"Eso es lo que pensé, así que te anulé, la Sra. Miller no recibirá más sedantes hasta que se despierte y nos diga qué le pasa...".

"Julia no es doctora. No sabe qué le pasa".

Como no le importaba que Mason usara el nombre de pila de la señora Miller con tanta familiaridad, Sinclair lo anuló. "Y entonces ella puede decirnos si quiere quedarse aquí o no".

"Ella no sabe lo que quiere", dijo Mason sabiendo que sus palabras tenían dos significados y viendo lo mismo en los ojos de Sinclair. Pensó que era mejor continuar con el argumento médico en lugar de ponerse personal. "Ella es iatrafóbica". Masón explicó. "Cuando se despierte, saldrá corriendo de aquí".

"Esa es su elección. No la tuya". Con eso, Sinclair dio media vuelta y salió de la oficina.

Eso le dio un poco más de dos horas para resolver el rompecabezas. No mucho tiempo.

**

"Entonces, ¿quién crees que es ella? ¿Crees que es, ya sabes... ella?" preguntó Wylds.

"¿Su?" Steward respondió en el mismo tono cortante. "Si quieres decir si creo que la Sra. Miller es la mujer con la que Mason ha estado durmiendo, entonces la respuesta es sí, lo creo". Steward giró la llave y abrió la puerta principal de la casa de Julia. "Buenas excavaciones". Dijo al entrar y girarse hacia el panel de alarma.

"¿Qué se supone que debemos estar buscando?"

"Ni idea. Busquemos el dormitorio principal y comencemos allí". Steward sugirió. En el dormitorio, Steward guardó en una bolsa la botella vacía de ginebra, la botella de agua y los cigarrillos antes de que el anillo de plata brillante llamara su atención.

"Bueno, Mason tenía razón", dijo Wylds saliendo del baño con una bolsa Hefty. "No es una sobredosis de drogas, ¿quieres mirar esto? Debe haber cien recetas aquí y no creo que ninguna de ellas haya sido abierta".

"¿Mirarías esto?" Steward respondió y levantó el anillo. "Adivina a quién pertenece".

"No sé... ¿quién?"

Steward sostuvo el anillo y leyó la inscripción; "Ricardo Mason, es su anillo de la escuela secundaria. Odio decírtelo, Wylds, pero parece que Mason y la hermosa Sra. Miller hablan en serio". Escuchó mientras Wylds dejaba escapar un largo suspiro melancólico. "Sí, parece que vas a tener que ser feliz con Goodspeed. Mason está comprometido de otra manera".

Sintiendo una punzada de culpa, Wylds miró con añoranza el anillo de plata en la mano de Steward. Tuvo su oportunidad con Mason y él no estaba interesado o al menos fingía que no lo estaba. Ella tenía Goodspeed ahora y estaban muy enamorados, de alguna manera eso no impidió que esto le doliera menos. "Aparte de esto... cosas." Ella hizo un gesto hacia la habitación. "¿Qué se supone que debemos estar buscando?"

Steward se encogió de hombros. "No estoy seguro, Mason ordenó una prueba de toxicología, así que hagamos lo habitual..."

"¿Recoger esporas, mohos y hongos?"

"Lo tienes, Egon".

**

Wylds se encontró con un Sinclair molesto en el pasillo y luego se paró frente a la puerta de Mason mirando a su jefe, lo vio mirando la pizarra y llamó antes de entrar.

"¿El ultrasonido?" Mason preguntó extendiendo su mano por el archivo que llevaba Wylds.

"Mostró algunos daños menores en la arteria carótida, algo de pellizco, pero no es nada que pudiera causarle síntomas aparte de un dolor de cabeza y tal vez algo de mareo".

Si Mason pudo eliminar esos dos síntomas de la lista, ¿qué le quedó?

"El análisis de sangre también ha vuelto".

"¿Y?"

"El nivel de alcohol en la sangre es bajo; tal vez ella tomó una o dos inyecciones durante un período de tiempo. informe toxicológico está limpio, tenías razón sobre la hierba; los niveles de THC están casi fuera de los gráficos. Si unes eso con los cigarrillos que fuma, podrías ser cáncer de pulmón. Aparte de eso, es solo una aspirina y probablemente el buen viejo neutralizador de acidez ".

"No es cáncer de pulmón", respondió Mason, "tiene problemas para respirar en este momento, pero créanme, anoche no tuvo ningún problema con eso". Tampoco fue intoxicación por alcohol.

"Su recuento de glóbulos rojos está hecho, está anémica, ¿está tomando algún medicamento para eso?"

"No importaría si lo fuera." Mason reflexionó. No, las pastillas que le hayan dado estaban cómodamente guardadas en su botiquín, sin abrir y sin usar. "Ella no lo aceptaría".

"Su recuento de glóbulos blancos también ha bajado. ¿Estás seguro de que quieres quitar el cáncer de la mesa?"

¡Sí, sí, sí, quería quitar el cáncer de la maldita mesa! El hecho de que él lo quisiera no lo hacía así. "Hazte una radiografía de tórax. Date prisa mientras aún duerme".

"Estoy en ello." Dejando el archivo atrás, Wylds salió de la oficina.

**

Ritter se escabulló por los pasillos del Centro de Investigación y Bienestar The Mountainside con jeans azules desteñidos, una chaqueta amarilla desteñida, un bigote pegado de aspecto muy auténtico y una gorra de béisbol. Nadie se fijó en él mientras merodeaba por el pasillo fuera de la habitación de Julia o por el pasillo de la oficina de Mason. Observó a los médicos drogar a una mujer que ya estaba inconsciente, escuchó a Mason gritar órdenes y vio a Steward y Wylds irse. Ritter pensó en seguirlos, pero luego decidió no hacerlo. Harían la búsqueda habitual de su casa, tal vez encontrarían algo útil y tal vez no. Esperaba que lo hicieran, por el bien de Julia, pero si no sucedió, entonces no sucedió. suceder. De cualquier manera, nada interesante sucedería allí. No pasaría mucho de interés alrededor de Julia hasta que se despertara.

Si se despertó.

Ritter deambuló por el pasillo un poco, sabría cuándo se despertaría porque encontraría a Mason tropezando apresuradamente hacia su habitación. No se perdería el espectáculo cuando ella abriera los ojos y, por lo que escuchó de Mason y los demás, podría ser todo un espectáculo. En lugar de seguir a Steward y Wylds, o Goodspeed, que estaba en el laboratorio realizando pruebas aburridas hasta que aparecían los resultados y luego se dirigía a la oficina de Mason. Ritter acampó en la sala de espera justo fuera de la vista de las grandes paredes de ventanas detrás de las cuales estaba sentado El Gran Doctor en su Pizarra Blanca; estaba solo en la habitación y murmurando para sí mismo. Parecía malditamente irritado, incluso frustrado.

Con la taza de café recién hecho en la mano, la recogió junto con el periódico en la cafetería de abajo, Ritter se acomodó en el banco contra la pared para esperar y observar.

**

"Recibí los resultados de la radiografía de tórax y... ¿qué diablos es todo eso?" preguntó Goodspeed mientras observaba los frascos de píldoras en la mesa de conferencias.

"Contenido del botiquín de Julia", dijo Mason.

"Sí, y la mitad de estos son recetas de B-12". Steward dijo mientras miraba hacia la mesa.

"Bueno, eso ayuda a explicar el conteo de células, ella tiene anemia por deficiencia de vitaminas". Goodspeed dijo mientras se sentaba, "la radiografía está limpia. Para ser fumadora, tiene unos pulmones geniales".

"¿No lo sé?" Mason comentó.

Steward y Wylds habían podido separar las botellas y las cajas en grupos, siendo los dos más grandes las botellas recetadas llenas de aerosol nasal B-12 y un suplemento de folato recetado. "Este es de 1998". Steward dijo mientras sacudía la cabeza incapaz de creer lo que estaba viendo.

"Entonces eso es todo, ¿verdad?" Wylds dijo mirando de las pastillas a la pizarra. "Es anemia aplásica. Su recuento de glóbulos rojos y blancos es bajo, al igual que sus plaquetas y, obviamente, ya es propensa".

Escaneando los resultados del trabajo de laboratorio por enésima vez, Mason miró hacia arriba. "La anemia aplásica no tiene un inicio tan repentino. No explica el vómito con sangre".

"Discute con el técnico si quieres... oh, espera, ese sería yo". dijo Goodspeed. "Hice bien las pruebas, puedes verificar dos veces si quieres. Tienes algo mejor, escuchémoslo".

La anemia aplásica encajaba perfectamente, pero no le sentaba bien. Tal vez simplemente no quería que fuera anemia aplásica porque había tratamiento, pero no cura más que un trasplante de médula ósea. Julia fumaba. Odiaba a los médicos, no aceptaba sus recetas. Bebía como un pez. Las posibilidades de que ella llegara a la cima de la lista de donantes eran remotas. Las posibilidades de que ella quisiera estar en él eran aún menores. Sin embargo, si Julia no fuera Julia y fuera simplemente una Jane Doe de la calle, él diría... "Hazte una biopsia de médula ósea para confirmar".

Turno de Wylds para hablar. "Tendremos que esperar hasta que se despierte para eso".

"Hazlo ahora." Mason ordenó. "Si esperamos a que se despierte nunca lo conseguiremos, ella no lo consentirá".

"Al menos, es invasivo y doloroso". argumentó Wylds. "¿Por qué no comenzar con una tomografía computarizada de la axila? Echaremos un vistazo a sus ganglios linfáticos. Si confirma el análisis de sangre, entonces haremos la biopsia".

"¿Quién está a cargo aquí? ¿Tú o yo?"

"Eres, pero..."

"¡Entonces haz lo que te digo que hagas, maldita sea!" Miró su reloj. "¡No! Espera, otros veinte minutos, espera".

"¿Qué?" Steward preguntó volviendo al asiento del que acababa de levantarse. "Pensé que dijiste..."

"Sé lo que dije. Pero vas a tener que sacarla por esto y.."

"¿Expulsarla?" Steward preguntó con desconfianza. "La última vez que revisé, generalmente usamos anestesia local para esto".

"No esta vez, vas a usar general". Mason dijo con voz desafiante. "Dado que ella ya salió, eso sería redundante, ¿no?"

"Mason, Sinclair dijo..."

"¡Sé lo que dijo Sinclair!" Criticó y metió la mano en su bolsillo para sacar esa amigable botella de color ámbar, la que nunca lo defraudó. Metiéndose una pastilla en la boca, dijo: "Todos sabemos lo que dijo, pero yo estoy a cargo, no Sinclair". En la parte de atrás de su cabeza podía oír a Julia gritándole; ¡No soy tu puto paciente! "Si ve una aguja, se tirará por la maldita ventana si es necesario. Vas a esperar otros veinte minutos; ella comenzará a despertar..."

"La sacamos de nuevo para la biopsia y en lugar de veinte minutos tienes otra hora, ¿es eso?" preguntó Wylds. "Sabes que realmente no puedes mantenerla aquí".

Mason miró a su alrededor; miró el techo, el suelo y las paredes, y luego volvió a mirar al equipo. "¿Alguien más escuchó eso? El mismo viejo eco parece seguir repitiéndose".

"¿Qué pasa contigo y esta mujer?" preguntó Steward. "¿Quién es ella para ti?"

"¿Qué es lo tuyo?" Él chasqueó.

"Si estás involucrado-"

"Maldita sea, ahí está ese eco otra vez".

"¿Así que estás... involucrado... con ella?" Wylds preguntó con nostalgia.

"¿Qué? ¿El Australiano no te golpea los botones últimamente?" Miró de Wylds a Goodspeed y vice versa. "¿No enroscar los dedos de los pies y hacerte tirar disco volador por la habitación?"

Wylds se sonrojó y se puso nervioso. "Lo está haciendo muy bien". Tartamudeó y miró a su esposo con ojos amorosos. "Solo quise decir..."

"No quieres que pierda mi actitud despreocupada, ¿es eso?" Espetó de nuevo. "¿Me imagino que, si Julia muere, volveré a ser el mismo viejo bastardo que siempre fui?"

"Ni siquiera está muerta y ya lo estás haciendo". Mayordomo amonestó. "Encontramos tu anillo en su dormitorio, tal vez deberías retirarte de este caso".

La sugerencia fue recibida por un largo momento de silencio muerto e incómodo. "Ve a prepararte para la biopsia". Los que lo rodeaban expresaron su disgusto con una ronda de gruñidos y gemidos mientras se ponían de pie. "Nadie usa una bata blanca cuando entra a la habitación". El avisó. "Abrigos fuera".

"Es la política del hospital", le recordó Steward a Mason.

"No en su habitación, ella ve esos abrigos y solo la ayudará a enfadarse. Si no los ve, entonces solo los ve a ustedes tres y no a tres doctores grandes y aterradores".

Con tres batas blancas colocadas sobre el escritorio de la enfermera, Steward, Wylds y Goodspeed entraron en la habitación de Julia justo cuando ella empezaba a recobrar el conocimiento. "Va a ser demandado". Wylds dijo mientras empujaba el sedante en la vía intravenosa. "Pero no será la primera vez".

Los ojos de Julia, que apenas comenzaban a abrirse, se cerraron. "Bueno, tiene otra hora". dijo Goodspeed.

"Nosotros también, vamos a movernos". agregó Steward.

Una Julia Miller inconsciente fue preparada para el procedimiento antes de que Wylds insertara una aguja bastante grande profundamente en su muslo y a través del hueso para extraer una muestra de la médula allí dentro. Después de eso, la dejaron dormir y volvieron a la oficina de Mason para esperar los resultados de la biopsia y los hisopos de la casa de Julia. La casa volvió limpia, no había toxinas conocidas presentes. Mason miró eso y lo puso en el fondo de su mente agitada. El hecho de que no fueran detectados no significaba que no estuvieran allí. Todo dependía de los resultados de la biopsia.

**

Desde su lugar en el pasillo, si estiraba bien el cuello, Ritter tenía una buena vista de Mason sentado detrás de su escritorio, las ruedas girando detrás de esos ojos azules, mientras comenzaba a sudar. Una mujer llegó corriendo por el pasillo con una hoja de papel en la mano y él se inclinó hacia delante.

**

"Aquí están los resultados que deseaba, doctor Mason". El técnico de laboratorio le entregó la hoja, luego se dio la vuelta y salió de la oficina.

"¿Bien?" preguntó Steward.

Mason miró el papel. "Es positivo". Dijo tristemente. "Anemia aplásica." Se sintió mal. Parecía correcto. Parecía perfecto.

Demasiado perfecto.

"Empieza a tratar—" Sonó el beeper de Mason seguido por los demás. "Ella está despierta". Murmuró. "Oh, esto va a ser divertido".

Bajando a toda prisa a su habitación, encontraron a Julia gritando a todo pulmón. "¡DÉJAME FUERA DE AQUÍ! ¡NO PUEDES MANTENERME AQUÍ!" Estaba casi peleada a puñetazos con un camillero y una enfermera, quienes intentaban mantenerla en la cama. "¡DÉJAME IR! ¡HIJO DE PUTA!" El camillero cometió el error de acercar demasiado la mano a la boca de Julia. Ella mordió con fuerza.

"¡AY!" El ordenanza gimió y tiró de su mano fuera de su boca solo para que volviera cubierta de saliva con sangre. "Tú mordiste-"

"UH uh uh." Mason dijo desde la puerta. "Siempre debe ser amable con el paciente".

"¿En realidad?" La enfermera puso los ojos en blanco. "Maneje usted esta; ella está en su callejón, Doctor Mason". Los dos salieron de la habitación.

Sí, de hecho, este está en mi callejón y yo he estado en el suyo. Me gusta de esa forma.

"Atrás, tengo esto". Mason dijo por la comisura de su boca a su equipo parado detrás de él. Lo último que necesitaba Julia era que tres personas con batas blancas entraran por su puerta. "Quítate el abrigo antes de que te vea".

"¿Do-c? Do-c, ¿qué está pasando? ¿Por qué estoy aquí? ¿QUÉ ME HAS HECHO?" ¡Su cadera la estaba matando! Se sentía como si la hubiera atropellado un coche que se movía a baja velocidad. Era difícil recuperar el aliento, pero eso no la detenía demasiado.

"Si no te calmas, tendré que darte otra oportunidad". Él advirtió.

"¡Como el infierno lo harás!" Julia, libre del agarre del camillero y la enfermera, tiró las mantas hacia atrás y saltó de la cama solo para caer al suelo.

"¿Eso es mejor?" Preguntó mientras caminaba alrededor de la cama. Quería ayudarla a levantarse, pero no quería ser mordido por ella. "¿Piso más cómodo para ti?"

"¡No te quedes ahí parado, idiota! ¡Ayúdame a levantarme!"

"No, no si vas a salir corriendo de aquí". Julia le dio una patada en la espinilla de la pierna mala. Apretó los dientes en lugar de darle un revés.

"¡No puedes mantenerme aquí! ¡Conozco mis DERECHOS!"

"¿Sí? ¿Sabes que estás enfermo como el infierno?" Gritó de vuelta. "¿Sabes que te encontré desmayado en el piso de tu habitación empapado en un charco de tu propio vómito con sangre?"

"¿Qué?" El último recuerdo de Julia había sido el de estar en la cama. Se sintió enferma, iba a vomitar, se levantó de la cama y luego... estaba aquí.

"Sí, ¿qué tal eso?" reflexionó. "Ahora, podría estar equivocado, pero pensé que me dijiste que tenías que estar sangrando por los ojos antes de ver a un médico. ¿Los vómitos cuentan o.. no?"

"No, no es así. No es la puta primera vez". Ella chasqueó. "¡Ayúdame a levantarme o QUITA DE MI CAMINO!" Los gritos le dolían la cabeza y hacían que le doliera el pecho. Su mano comenzó a ir al espacio entre sus senos, pero fue bruscamente apartada cuando la otra fue llevada hacia arriba.

El Doc levantó a Julia por las muñecas. "Vas a estar de vuelta en esa cama y no me vas a dar una mierda, ¿entendido?" siseó.

"¡Masón!" Steward dijo en voz baja desde la puerta sin entender el pequeño juego que estaba a punto de jugarse frente a ellos.

"Vete a la mierda", dijo Julia a través de los labios ranurados que se retiraron en una sonrisa fría antes de tirar y escupir en la cara de Doc.

Mason estaba enojado y sorprendido, pero no tanto como para no tener la presencia de ánimo para bloquear su próxima patada con su bastón. "Más tarde", dijo en el mismo siseo. "Ahora mismo te vas a meter en esa cama". Aumentó la presión sobre sus muñecas y ella dejó escapar un pequeño grito. "¿Me entienden?"

Los ojos extraños y salvajes de Julia escanearon la habitación en busca de ayuda. Vio a tres personas de pie en la entrada, pero al principio no supo quiénes eran porque estaba muy acostumbrada a verlos con esas malditas batas blancas. "¿Que pasa conmigo?"

"Eso es lo que estoy tratando de averiguar, pero no puedo hacerlo si tú no... vuelves a esa cama".

Julia volvió a mirarlo. "No me quedaré aquí, Do-c".

"Está bien", dijo, "tú me obligaste a hacerlo. Traté de ser amable, Julia-Bebé". La mano que había estado sosteniendo su bastón lo dejó caer al suelo y agarró su dolorido cuello. Julia dejó escapar un gemido y la fuerza se le fue de las rodillas.

"¡Masón!" Fue llamado al unísono por los otros tres médicos que estaban en la puerta viendo a su jefe menos que cuerdo estrangular a su paciente. "¡Déjala ir!"

Mason volvió los ojos hacia ellos. "¡Apártate!" El tono de su voz fue suficiente para que los tres dieran un paso atrás. "Ellos no te van a ayudar, Julia-Bebé. Pero yo sí". Con una mano sujetando su garganta ya herida y la otra sosteniendo sus muñecas en su lugar, Mason la empujó hacia la cama hasta que cayó sobre ella. "Tengo esto para ti". Dijo con una sonrisa y alcanzó las ataduras en los rieles de la cama.

"¡NO!" Julia gritó o trató de hacerlo de todos modos. El aire que llegaba a sus pulmones, que parecía no ser suficiente al principio, ahora estaba ligeramente ahogado aún más por su mano. Ella corcoveó, pateó, se revolvió, escupió y trató de morder a Doc en una escena sacada de El exorcista, lo único que aparentemente faltaba era el vómito de la sopa de guisantes. En la entrada, los doctores miraban con asombro y asombro mientras Mason sujetaba a la cama a Julia, que se retorcía y protestaba. Él no soltó ni una sola vez su garganta. Liberó la primera mano, sujetó la otra con la rodilla, agarró la mano liberada que luchaba con garras y apretó la correa con una sola de sus manos. Repitió lo mismo con el segundo y luego se cernió sobre ella. "Ya sabes, cuando esto termine y estés mejor", le susurró al oído.

"En tus sueños, Do-c". Julia respondió en un tono amenazante.

"El tuyo también." Él respondió. "Compórtate o tendré que azotarte". Se levantó de la cama, con el corazón acelerado y el pulso acelerado. "Ahora que tengo tu atención, tienes anemia aplásica". Empezó y se sentó en la silla junto a ella. "¿Sabes lo que eso significa?"

"Me importa un carajo. ¡DÉJAME IR!" Tiró de las ataduras de cuero de la parte inferior de sus brazos hasta que los músculos se tensaron y todos los vanos quedaron visibles.

"Sigue así, te romperás los brazos". Él advirtió. "No van a ceder, no importa lo que hagas".

"¡NO PUEDES MANTENERME AQUÍ!" Ella protestó y comenzó a retorcerse violentamente en la cama una vez más. "¡Es ilegal!"

"Lo sé", estuvo de acuerdo, "es por eso que me tomé la molestia de internarte durante 72 horas". Eso era una mentira absoluta, pero ella no lo sabía. "¿Me odias, Julia-Bebé?"

"Con pasión... Do-c".

"Bien, si me salgo con la mía, vivirás lo suficiente como para odiarme durante los próximos cuarenta años más o menos". Se levantó y salió de la habitación.

"¡TE ODIO DO-C!" Julia gritó.

"Cállatela". Le dijo a Steward en su camino a través de la puerta. "Ella está molestando a todo el piso".

"Cuando Sinclair se entere de esto, vas a perder tu trabajo". Mayordomo dijo. "¡Tú la agrediste!" Dijo en un tono incrédulo: "Justo en frente de todos nosotros, ¿estás loco? Tacha que todos sabemos que estás jodidamente loco, supongo que la pregunta es, ¿qué tan loco estás... por ella?". Steward hizo una pausa y esperó una respuesta, pero no la obtuvo. "Al menos, ella tiene razón", señaló a la mujer que luchaba por liberarse de las ataduras, "usted no tiene una orden judicial y no puede retenerla aquí, incluso si es por su propio bien".

"Así que conseguiré uno", le dijo Mason, "mientras tanto, cállala y comienza el tratamiento".

Capítulo quince

Desde que llegaron aquí hace casi tres horas, Mason se sentía como si estuviera siendo observado. No vio a nadie familiar o fuera de lo común, pero sintió el peso de su mirada y lo puso nervioso. Eso no ayudó a su pequeña exhibición en la habitación de Julia, lo que hizo que lo llamaran aquí, a la oficina de Sinclair y ella estaba echando humo. Esos pequeños pechos alegres estaban agitados y su mandíbula apretada mientras lo miraba desde detrás de su escritorio.

"¿Qué te dije, Mason?" Sinclair preguntó retóricamente. "Realmente te has pasado de la raya esta vez. ¿Ahora tengo gente que viene a mí y me dice que en realidad agrediste físicamente a Julia Miller? ¿Delante de testigos?"

"Tenía que volver a meterla en la cama", le dijo a su jefe. "Yo no la lastimé".

"Tú no sabes eso".

"Sí."

"La agarraste por el cuello sabiendo que tenía un pellizcado..."

"Sé lo que tiene", dijo enojado, "no la lastimé más". Era solo parte del juego que jugaba Julia-Bebé, pero no estaba seguro de cómo explicárselo a Sinclair. "Si no hubiera hecho eso, ella se habría quedado sin-"

"Eso no te da derecho a pisotear todos sus derechos". Sinclair afirmó mientras se levantaba de detrás del escritorio.

"Me importan un carajo sus derechos".

"¡LO SÉ!"

"¿De qué sirven los derechos si no estás vivo para disfrutarlos?" Él respondió.

Para eso Sinclair no tenía respuesta. "Debería hacer que te arrestaran, aquí mismo, ahora mismo, solo para cubrir el trasero del centro". Dijo ella en un tono exasperado. "Dejo que te salgas con la tuya mucho por aquí, pero esto es ir demasiado lejos".

"Solo quiero que se mejore", dijo Mason en un tono mucho más suave. "Julia entiende eso".

"¿Cómo, Mason? ¿Cómo, en el nombre de los dioses, Julia Miller entiende que la agarras por el cuello y la atas a una cama es lo mejor para ella? ¿Cómo puede alguien entender eso?"

Lo pensó durante medio segundo. "A ella le gusta esto." Eso era bastante cierto. Todo el tiempo que estuvo discutiendo con ella, mirando esos ojos frenéticos y asustados, todo lo que pudo escuchar fue a Julia diciéndole que Craig solía tirarla sobre su hombro si tenía que hacerlo para llevarla a un médico. Estaba acostumbrada, estaba acostumbrada a que alguien, un hombre, se hiciera cargo. "Es un juego."

Sinclair parpadeó y volvió a sentarse cuando captó el tono de voz de Mason. "Tal vez en la cama", dijo ella.

"No solo en la cama, pero créanme, a ella le encanta estar allí". Dijo con una sonrisa maliciosa. "No puedes dejar que salga corriendo de aquí solo porque está asustada. Morirá si haces eso, entonces necesitarás un cabestrillo realmente grande para el trasero del centro".

"Ella firmará un recibo de AMA, estoy seguro", dijo Sinclair con mocoso. La idea de Julia Miller y Mason en la cama juntos fue suficiente, pero la imagen de la esclavitud y el juego de roles fue realmente demasiado.

"¡Solo si la dejas!"

"Masón..."

Estaba al final de su cuerda. La forma en que lo miraba, bueno, la idea de que se acostaba con Julia Miller no le sentaba bien a Evelyn Sinclair, eso estaba claro en esos ojos azules enojados. "Obtendré una maldita orden judicial, simplemente no la dejes irse".

"No voy a dejar que despiertes a un juez a las", miró su reloj para ver que eran casi las 11:30 p. m., "es demasiado tarde, solo los enojarás".

"¿Por qué me bloqueas?" Se quedó allí mirando fijamente a una mujer que por lo general invocaba diferentes sentimientos en él. "¿No quieres que se mejore? A lo largo de los años he hecho cosas mucho peores que esto".

"Puedes decir eso otra vez". Sinclair suspiró.

"He hecho cosas mucho peores que esto a lo largo de los años". Dijo en tono burlón.

"Lindo, pero sin cigarro. Lo que quiero o no quiero es irrelevante, es lo que quiere la Sra. Miller lo que cuenta. Llámame loco", levantó las manos en el aire mientras sacudía la cabeza y ponía los ojos en blanco. no creas que quiere que su médico la agreda". O su amante para el caso.

Todo el mundo siguió lanzando esa palabra, asalto. En su mente, lo que había hecho era mucho menos que eso y con un propósito mayor. Por la forma en que lo dijeron, uno pensaría que la golpeó hasta convertirla en pulpa. "No la lastimé, solo se veía de esa manera. Te lo dije, es un juego".

"La perra retorcida está justo en tu callejón", murmuró Sinclair entre dientes.

""¿Qué dijiste?" Dio un paso hacia ella. "No entendí eso". Pero la verdad es que lo escuchó muy bien. "Tienes un problema conmigo y con Julia, entonces escúpelo". Él desafió. "Pero no dejes que eso nuble tu juicio médico. Sabes que tengo razón en esto. Solo dame 24 horas para comenzar el tratamiento y ver si funciona".

Tal vez Mason tenía razón, tal vez estaba dejando que algunos viejos sentimientos persistentes se interpusieran en el tratamiento de Julia Miller. Sinclair miró el archivo. "Es bastante sencillo que la Sra. Miller—"

"Julia", afirmó mientras se enojaba más, "su nombre es Julia".

"Está bien", dijo Sinclair con una voz más tranquila, tratando de mantener la calma y la atención de su médico estrella, "Julia tiene anemia aplásica", dijo pensativa. "¿Estás tratando de decirme que no lo es?"

¿Fue él? La anemia aplásica era un ataque encantador, bueno, SI la carótida pellizcada fuera la explicación de la fatiga y el mareo, pero no explicaba el vómito con sangre, el inicio repentino, los cambios de humor o los problemas respiratorios. "No sé." Él admitió. Cuanto más pensaba en ello, menos anemia aplásica encajaba.

"¿No lo sabes? ¿Hablas en serio o solo estás tirando de mi cadena?"

"En serio", murmuró. "Incluso si las pruebas son correctas, la anemia solo podría ser un síntoma de un problema mayor. Mire el archivo, la primera ronda de pruebas regresó, el cambio es mínimo. Ella no responde".

Sinclair volvió a mirar el archivo y los números no eran alentadores, Mason tenía razón, pero ¿qué podía hacer ella?

Tiene que quedarse aquí hasta que descubra qué está causando la anemia.

Sinclair agachó la cabeza. "No puedes obtener una orden judicial por esto, ningún juez te la va a dar". Ella se inclinó sobre el escritorio. "Mira, daré hasta que se despierte, pero eso es todo. Esto es un hospital, no una prisión. Si tienes suerte, dormirá toda la noche incluso después de que el efecto de las drogas desaparezca y la tendrás hasta mañana". mañana. Si no puedes convencerla de que se quede sola, entonces se acabó y tienes que dejarla salir de aquí". ella aconsejó. "Ve a casa y descansa un poco, espero que ella te perdone cuando esto termine".

**

Para variar, fue su personal quien se fue a casa mientras Mason pasaba la noche en el hospital. Todos estaban seguros de haber hecho el diagnóstico correcto y de que Julia respondería al tratamiento en las próximas horas. De ahí en adelante, se utilizarían las medidas provisionales hasta que se pudiera encontrar un donante de médula ósea. Mason se sentó en su oficina repasando todos los resultados de las pruebas recientes de Julia en busca de lo que estaba seguro de que se estaba perdiendo.

Wylds era una doctora tan buena que le anotó el contenido de la nevera de Julia; leche, huevos, queso, brócoli, lechuga romana, jugo de naranja, 14 botellas de agua de manantial. La lista seguía y seguía y se extendía a la carne en el congelador de Julia, la mayoría de la cual era hígado. Lo miró y la pesada bolsa negra que estaba en la esquina de su oficina. Julia no era estúpida sino loca. Sabía que estaba enferma, entendía lo que significaba, pero en lugar de tomar los medicamentos que le recetaron, trató de compensar y corregir el problema con su dieta. Si había podido evitar las recetas durante diez años o más, debe haberse mantenido bastante bien. ¿Entonces qué pasó?

Ritter.

Mason simplemente no podía quitárselo de encima, no podía librarse de la oscura y furtiva sospecha de que el expolicía realmente se había vuelto loco y había intentado matar a una mujer inocente. La mataría si no podía averiguar qué le pasaba.

El teléfono en el bolsillo comenzó a sonar y lo contestó mirando el identificador de llamadas para ver que era Lucas. "Sí, ¿qué pasa, Lucas?"

El investigador privado se alarmó cuando Mason colgó tan abruptamente y luego no contestó ninguno de los teléfonos. "¿Qué está pasando? Me cuelgas y.."

"Un poco ocupado aquí", dijo Ricardo con frustración, "es tarde, ¿tienes algo para mí?"

"Oh, sí", dijo Lucas en el otro extremo. "Cuando no pude comunicarme contigo, decidí que tal vez debería trabajar un poco".

"Te estoy pagando".

"Eso también," estuvo de acuerdo Lucas. "¿Dónde estás?"

"El hospital, ¿por qué?"

"Bien, no estás lejos. Ve a El Royale, hay algo que tienes que ir a ver para creer".

"¿Qué es?"

"Baja aquí". Lucas colgó el teléfono.

Mason volvió a guardarse el teléfono en el bolsillo, tomó un Oxycodone y miró hacia la mesa de conferencias con la bolsa Hefty al lado, luego a los papeles esparcidos sobre su escritorio. Todavía era incapaz de deshacerse de la sensación de que alguien lo estaba mirando. Roía el fondo de su mente y lo distraía de su trabajo. Tal vez salir de aquí por unos minutos sería bueno, tomar un poco de aire fresco y una nueva perspectiva. Pasó por la estación de enfermeras y le dijeron que Julia estaba descansando cómodamente, no se había despertado ni les había dado ningún problema desde su mega arrebato. Mason se alejó de la estación para pararse directamente al otro lado del vidrio y mirar dentro. Parecía mucho más pacífica que hace una hora, incluso si sus brazos estaban sujetos a la cama. Casi como si fuera un reflejo en el cristal, podía verla, El bonito rostro de Julia se retorció y retorció de ira cuando le dijo dónde bajarse y lo atacó como si fuera un atacante en lugar de un médico. ¿Podría el miedo realmente hacerle eso a alguien? Tal vez. Pero, ¿podría hacerlo el miedo sin una base racional? Quizás Julia tuvo una experiencia horrible con un médico en algún momento y eso fue lo que comenzó todo. ¿Qué importaba? Cuando el efecto de las medicinas se acabará, volvería a subir por la pared y se convertiría en un escupitajo del infierno. En este momento, ella estaba quieta, estaba tranquila y era hermosa. No podía dejar de pensar en lo mucho que la deseaba, esa misma pequeña cascarrabias, fuera de esa cama y de vuelta en la suya... donde pertenecía. Eso no iba a suceder si no podía encajar las piezas del rompecabezas a tiempo. "Ella se despierta llámame a mi celular". Le dijo a la enfermera antes de irse.

**

Ritter vio marcharse a Mason y se preguntó adónde iría. Lo vio recibir la llamada telefónica y luego caminar hacia la habitación de Julia, pensó en seguirlo, pero pensó que aprovecharía esta oportunidad para otra cosa. Era cerca de la medianoche, cambio de turno. La estación de enfermeras fuera de la habitación de Julia estaba vacía. Pasó y entró en la habitación de Julia, donde corrió las persianas. Parecía una mierda. Estaba pálida y cubierta de sudor. Había vuelto a vomitar, pero nadie parecía darse cuenta, ya que había una gran masa de color rojo sangre y verde bilis secándose en sus sábanas. Parecía que traía la herramienta adecuada para el trabajo, ella debe tener mucha sed. Hizo un gran espectáculo con Mason antes, pateando, gritando, mordiendo y silbando como un pequeño demonio. Incluso Ritter se sorprendió por el nivel de desprecio que mostró hacia el hombre que actualmente compartía su cama. Un extraño habría pensado que Julia ni siquiera había visto a Mason antes de que despertara en la temida cama del hospital. El bastardo cojo lo manejó bien, aunque Ritter dudaba que los subordinados y colegas de Mason vieran lo mismo. Hace tiempo que le dieron la última inyección del sedante que le estaban dando para que se callara. Pensó que era una lástima que ella le tuviera tanto miedo a Mason, también era divertido desde su particular punto de vista, pero si no tuviera miedo entonces estaría despierta. Si estuviera despierta, seguramente Mason se daría cuenta de que Julia ya estaba empezando a tener alucinaciones. Le dio un pequeño empujón esta noche y tenía la intención de mantenerlo durante la próxima noche o dos, luego sus planes se arruinaron por la inminente visita del hijastro y pensó que tendría que dejarlos en suspenso durante el fin de semana. El bastardo cojo lo manejó bien, aunque Ritter dudaba que los subordinados y colegas de Mason vieran lo mismo. Hace tiempo que le dieron la última inyección del sedante que le estaban dando para que se callara. Pensó que era una lástima que ella le tuviera tanto miedo a Mason, también era divertido desde su particular punto de vista, pero si no tuviera miedo entonces estaría despierta. Si estuviera despierta, seguramente Mason se daría cuenta de que Julia ya estaba empezando a tener alucinaciones. Le dio un pequeño empujón esta noche y tenía la intención de mantenerlo durante la próxima noche o dos, luego sus planes se arruinaron por la inminente visita del hijastro y pensó que tendría que dejarlos en suspenso durante el fin de semana. El bastardo cojo lo manejó bien, aunque Ritter dudaba que los subordinados y colegas de Mason vieran lo mismo. Hace tiempo que le dieron la última inyección del sedante que le estaban dando para que se callara. Pensó que era una lástima que ella le tuviera tanto miedo a Mason, también era divertido desde su particular punto de vista, pero si no tuviera miedo entonces estaría despierta. Si estuviera despierta, seguramente Mason se daría cuenta de que Julia ya estaba empezando a tener alucinaciones. Le dio un pequeño empujón esta noche y tenía la intención de mantenerlo durante la próxima noche o dos, luego sus planes se arruinaron por la inminente visita del hijastro y pensó que tendría que dejarlos en suspenso durante el fin de semana. Hace tiempo que le dieron la última inyección del sedante que le estaban dando para que se callara. Pensó que era una lástima que ella le tuviera tanto miedo a Mason, también era divertido desde su particular punto de vista, pero si no tuviera miedo entonces estaría despierta. Si estuviera despierta, seguramente Mason se daría cuenta de que Julia ya estaba empezando a tener alucinaciones. Le dio un pequeño empujón esta noche y tenía la intención de mantenerlo durante la próxima noche o dos, luego sus planes se arruinaron por la inminente visita del hijastro y pensó que tendría que dejarlos en suspenso durante el fin de semana. Hace tiempo que le dieron la última inyección del sedante que le estaban dando para que se callara. Pensó que era una lástima que ella le tuviera tanto miedo a Mason, también era divertido desde su particular punto de vista, pero si no tuviera miedo entonces estaría despierta. Si estuviera despierta, seguramente Mason se daría cuenta de que Julia ya estaba empezando a tener alucinaciones. Le dio un pequeño empujón esta noche y tenía la intención de mantenerlo durante la próxima noche o dos, luego sus planes se arruinaron por la inminente visita del hijastro y pensó que tendría que dejarlos en suspenso durante el fin de semana. Mason seguramente se daría cuenta de que Julia ya estaba empezando a tener alucinaciones. Le dio un pequeño empujón esta noche y tenía la intención de mantenerlo durante la próxima noche o dos, luego sus planes se arruinaron por la inminente visita del hijastro y pensó que tendría que dejarlos en suspenso durante el fin de semana. Mason seguramente se daría cuenta de que Julia ya estaba empezando a tener alucinaciones. Le dio un pequeño empujón esta noche y tenía la intención de mantenerlo durante la próxima noche o dos, luego sus planes se arruinaron por la inminente visita del hijastro y pensó que tendría que dejarlos en suspenso durante el fin de semana.

Ritter no tuvo que irrumpir en la casa de Julia hoy, encontró la Hide-A-Key con bastante facilidad y su código de alarma... pan comido. Lo hizo bien en el segundo intento, su primer intento fue el cumpleaños de Craig. Con la alarma apagada, el perro fuera con Julia por el día miró sus cosas durante una hora o más antes de dirigirse a The Mountainside, que era donde Ritter había estado seguro de que iría. Vio la botella de Grey Flannel en el tocador y derramó un poco por la habitación, escaleras abajo y la sala de estar. Allí le llamó la atención la fotografía de la boda, si se rompiera Julia se enfadaría mucho. Así que lo destrozó. Mirando el vidrio roto y la fotografía rayada, se preguntó qué tan lejos estaba ella, si le parecía que alguien había entrado allí, entonces estaba jodido. Fue entonces cuando se le ocurrió la idea de hacer que pareciera que lo había hecho el perro. Recogió la fotografía, la arrugó en la mano y luego masticó una esquina durante unos segundos antes de enderezarla y volver a colocarla en el marco roto.

Subió las escaleras para reemplazar la botella, dejó la tapa y vio el anillo junto a la caja del anillo. Al ver rojo y la imagen de Mason profundamente dentro de un lugar que Ritter creía que debería estar, casi lo tiró por la ventana, pero en su lugar se quedó en el bote de basura. Luego volvió a poner la caja del anillo en el cajón del centro, no le tomó mucho darse cuenta de que ese era el lugar donde pertenecía ya que el espacio que dejaba era perfecto. Nuevamente, tal vez, en una neblina inducida químicamente, Julia tomaría estas cosas como señales de Craig. Si estuviera muerto sería absolutamente perfecto y Ritter estaba trabajando en eso. De todos modos, Craig no era más que un inútil bulto de carne humana, así que a quién le importaría si finalmente entregaba el fantasma. Tenía un buen plan en mente, pero implementarlo sería muy difícil. Sin embargo, si fuera lo suficientemente inteligente y astuto, quizás, al final, Ritter podría hacer que pareciera que Mason fue responsable de la muerte del Sr. y la Sra. Craig Miller. Mejor eso que correr el riesgo de que la bella Julia realmente se enamorara de ese bastardo de Mason.

Con ese fin, Ritter trató de advertirla esta tarde. Había sido muy serio y sincero en su advertencia y en compartir su creencia de que Ricardo Mason era incapaz de amar a nadie más que a sí mismo.

No había mucho tiempo, el cambio de turno terminaría pronto. Ritter se inclinó sobre la mujer dormida y desató las ataduras de sus muñecas.

Debajo de la pesada hebilla, se había dejado una profunda impresión en ambos brazos, aunque la gruesa piel de oveja debería haber evitado tal cosa. Ella era una nervuda. Nunca vio algo así cuando ella tuvo el descaro de escupir en la cara de Mason, incluso él lo tomó dos veces. Él sonrió mientras pasaba la mano por sus brazos inertes. La carne era suave y flexible. Lo siguió todo el camino hasta su antebrazo, debajo de Johnny, sobre ese pecho que luchaba hasta esos senos que había tenido el placer de morder hace unas noches. "Oye, ¿puedes oírme?" Ritter le susurró al oído. "Julia-Bebé, ¿puedes oírme?"

¿Alguien estaba llamándola por su nombre? ¿Alguien la quería? que fue ese sonido?

"¿Julia-bebé?" Esas palabras susurrantes estaban más cerca de su piel cuando Ritter percibió su olor enfermizo. Sí, se había ido la canela embriagadora que llenó su cabeza hasta reventar la última vez que su mano descansó aquí. Eso no impidió que la piel debajo de su oreja tuviera un sabor tan delicioso como lo recordaba, un poco dulce, un poco salado, un poco más estaría bien. Su pene comenzó a hormiguear entre sus piernas.

La cabeza de Julia pesaba sobre sus hombros mientras la giraba hacia lo que pensó que era el sonido de una voz. Sus ojos se abrieron, pero todo lo que vio fueron sombras borrosas.

"¿Tienes sed, bebé?" Ritter dio un paso atrás para poder medir esos ojos que se abrían para mirarlo. Eran confusos y distantes, estaba casi seguro de que ella realmente no podía verlo. Su mano permaneció bajo la de Johnny ahuecando ese pequeño pecho alegre. Esa verga hormigueante se estaba despertando con hambre haciéndolo desear tener más tiempo que los pocos minutos preciosos del cambio de turno. Le gustaría proponérselo mientras ella no pudiera resistirse, justo aquí en esta cama. Justo aquí, donde Mason volvería por esa puerta y se sentaría a su lado sin saber que Ritter la jodió hasta los mocos. El pensamiento casi lo volvió loco mientras luchaba por quedarse allí y seguir hablando en voz baja. Mientras tanto, se sentía tan bien como podía.

Había algo presionando contra sus labios. Algo, un olor familiar y algo más... algo que le hacía cosquillas en la nariz.

"Adelante, Julia, bébelo. Debes tener sed después de tanto gritar". Sin mencionar el vómito, pero como ella no parecía darse cuenta de eso, pensó que era mejor no mencionarlo. Ritter no quería que ella volviera completamente en sí, gritando y alertando a todo el piso de su presencia.

Más por reflejo que otra cosa, la boca de Julia se cerró alrededor de la pajilla y comenzó a succionar el líquido frío en su boca. Coca. Fría, helada, Coca-Cola. Sabía tan bien y apagó el fuego en la parte posterior de su garganta mientras bajaba eliminando el horrible sabor salado de su boca.

"Así es, bébetelo. Se siente bien, ¿eh?" Sosteniendo la copa en su boca, deslizó la mano libre lejos del pecho suave y flexible y hacia abajo por la parte plana de su estómago. "¿Eso también se siente bien?"

Julia apenas se dio cuenta de esa mano que la acosaba tan silenciosamente. Fue el líquido lo que atrajo su atención. Era imposible aspirar a través de la pajilla y respirar al mismo tiempo, Julia no sabía qué hacer. No quería dejar de beber la gaseosa benditamente fría, pero el aire siempre era bueno. Finalmente, el aire ganó. Dejó de beber para aspirar un gran suspiro por la boca. Había algo en su nariz, algo que le estaba soplando algo con un olor extraño. El aire que llegaba a sus pulmones parecía tan pesado como su cabeza y Julia pronto comenzó a toser con fuerza. El instinto llevó sus ojos hacia la voz, tan amable y tan ligera, en busca de ayuda. Ella no podía ver una cara. Sus ojos no querían enfocarse por mucho que lo intentaba, simplemente no podía hacerlo. Todo lo que vio fueron colores borrosos; amarillo y azul, en la forma impresionista de un hombre o dos. "¿C.. Craig?" Julia graznó entre toses.

Ritter sonrió con frialdad. Al principio, los sonidos de su tos lo alarmaron y le hicieron pensar que alguien vendría corriendo aquí. Por otra parte, esto era un hospital, la gente tosía, tosía y estornudaba todo el tiempo y nadie venía. "Un poco más, ¿eh? Toma un poco más, Julia-Bebé. Te hará sentir mejor". Le acercó la pajilla a los labios y Julia bebió más Coca-Cola contaminada. Deambulando por los pasillos, acechando y observando, hace un rato, Ritter llegó a la conclusión de que probablemente era mejor que Julia muriera. Realmente fue un asesinato misericordioso. A sus ojos, Ritter estaba salvando a Julia de dos grandes males; el de desperdiciar su vida con la esperanza de que un esposo casi muerto regresaría sano y salvo a ella, el otro, por supuesto, era Ricardo Mason. ¿Qué clase de vida podría ofrecer un hombre como él a una mujer como Julia o cualquier mujer? Sólo un montón de miseria sarcástica. Mason no se merecía a Julia, estaba loca como una loca, pero lo escondió bien. ¿No estaba todo el mundo loco a su manera? Claro que lo eran, mira a Mason. El hombre pasó su vida a medio camino de su mecedora y recibió elogios por ello. Eso no lo hizo bien. Nunca podría amar a Julia de la forma en que ella necesitaba que un hombre la amara y Mason no merecía la oportunidad de siquiera intentarlo. "Aléjate de él, Julia-Bebé". Ritter le susurró al oído. "Mason, es malvado. No dejes que se te acerque". El hombre pasó su vida a medio camino de su mecedora y recibió elogios por ello. Eso no lo hizo bien. Nunca podría amar a Julia de la forma en que ella necesitaba que un hombre la amara y Mason no merecía la oportunidad de siquiera intentarlo. "Aléjate de él, Julia-Bebé". Ritter le susurró al oído. "Mason, es malvado. No dejes que se te acerque". El hombre pasó su vida a medio camino de su mecedora y recibió elogios por ello. Eso no lo hizo bien. Nunca podría amar a Julia de la forma en que ella necesitaba que un hombre la amara y Mason no merecía la oportunidad de siquiera intentarlo. "Aléjate de él, Julia-Bebé". Ritter le susurró al oído. "Mason, es malvado. No dejes que se te acerque".

Ahora solo salía aire a través de la pajilla y hacía un fuerte sonido de succión. Craig se llevó la copa. "Lo amo."

"Él no te ama, está tratando de lastimarte". Para mayor énfasis, su mano encontró su pezón y le dio un buen giro. Julia dejó escapar un grito dolorosamente pequeño como si no pudiera entrar nada de aire en sus pulmones.

Fuera de la habitación podía escuchar voces débiles. El cambio de turno estaba a punto de terminar. Era hora de irse. "Te amo, Julia-Bebé, haz lo que te digo y todo estará bien". Ritter salió de la habitación antes de que terminara el cambio de turno.

**

El viaje a El Royale fue corto, especialmente en esta hora muerta cuando no había tráfico en la carretera excepto para él. Mason aparcó justo en frente del lugar y entró. Lucas estaba de pie en la recepción charlando con el gerente nocturno. "Bueno, mira quién es. Lo siento, mi amigo, ella no está aquí". El gerente nocturno le dijo a Mason. "Tampoco regresaré. Ella entregó su llave hoy temprano".

"¿Disculpe?" ¿Por qué haría eso? ¿Por qué Julia renunciaría a su habitación? Era su zona de seguridad, su pequeño nido, el lugar donde podía ir y los problemas del mundo exterior no importaban. No es lo que otras personas podrían haber elegido para un lugar así, pero para Julia era reconfortante a su manera demente. ¿Encontró otra Zona Segura? Por medio segundo la idea de que él podría ser esa nueva Zona Segura cruzó por su mente;

Creo que podría amarlo, pero no creo que me deje.

"Día triste por aquí". El gerente nocturno dijo encogiéndose de hombros y observando al hombre mayor que Rose parecía tan interesada en volverse y mirar al investigador privado. "¿Ustedes dos se conocen?"

"Él me contrató", dijo Lucas. No tenía ningún sentido mentirle a Leroy sobre quién era o qué estaba haciendo, Leroy lo vio poco después de conocerlo. El gerente nocturno no sabía mucho sobre la mujer que se hacía llamar Rose Montague aparte de los sonidos que provenían de su habitación y la frecuencia con que lo hacían. Pagó su cuenta, mantuvo su habitación limpia y eso era todo lo que realmente le importaba a Leroy.

"Entonces, ¿supongo que quieres saber sobre el otro tipo?" preguntó Leroy y luego le tendió la mano. "Por cierto, mi nombre es Leroy".

"Mason," los dos hombres se dieron la mano. "¿Qué otro tipo?"

Leroy contó una historia fascinante sobre Patrick Ritter, no conocía al bruto por su nombre, pero seguramente conocía su rostro por fotografía. Ritter empezó a alquilar la habitación 404 hace varios meses. "Esa es la habitación contigua a donde Rose se había estado quedando".

"¿Rosa?" ¿Cuánto tiempo había usado esa línea? Una rosa con cualquier otro nombre. ¿Con qué frecuencia? Julia nunca le dio un nombre falso, Ricardo simplemente comenzó a llamarla así por su cuenta. "¿Montague?"

"Eso es lo que ella dice, yo no pedí identificación". En su negocio, cuando se trataba de clientes como Rose, pedir una identificación lo dejaría fuera del negocio. No era de su incumbencia saber quiénes eran sus clientes fuera de este lugar, siempre y cuando pagaran la factura y no destrozaran la habitación. "Lamento verla irse, iluminó un poco el lugar". Miró a su alrededor en el viejo edificio. "De todos modos, ese tipo", señaló la fotografía de Ritter en el escritorio, "comenzó a venir hace un tiempo, siempre tomó la habitación contigua a la de ella, trató de asegurarse de que la mantuviera disponible cuando quisiera usarla. pero le dije que eran cuatrocientos al mes y que me pasaba cincuenta por aquí y por allá para poner gente en otras habitaciones si era posible. Leroy se rió. "Como si tuviéramos el cartel de 'SIN VACANTE'. Él se rió de nuevo. "Cosa rara, a excepción de una vez a principios de esta semana, nunca parecen encontrarse. Él siempre", Leroy se inclinó hacia delante y susurró: "Quiero decir que siempre llegaba unos quince minutos después de que ella llegara... todas las veces. ¿No crees que eso es raro?"

"Nop", dijo Mason sin pensar y sintió que el ácido en su estómago comenzaba a burbujear y revolverse. "¿Qué otra cosa?"

"Ven conmigo." Lucas dijo y condujo a Mason al ascensor. El viaje estuvo lleno de recuerdos para Ricardo Mason y de los que preferiría disfrutar solo que aquí con Lucas. "Échale un vistazo." Le había pedido a Leroy que lo dejara subir aquí y solo cuarenta dólares bastaron, Lucas lo pondría en la cuenta de Mason. "¿Ver cualquier cosa?"

Miró a su alrededor en la habitación que era sólo una habitación y no una suite como la de Julia. Tenía una cama y un baño, una mesa y dos sillas en la esquina, pero aparte de eso, no tenía nada de especial por lo que Ricardo podía ver. "No. ¿Me trajiste aquí para esto? Podrías habérmelo dicho por teléfono".

"No, espera". Lucas se quitó la mochila de la espalda y puso una computadora portátil sobre la cama. Al encenderlo, dirigió una linterna a lo largo de los zócalos. "¿Qué tal ahora? ¿Ves algo?"

"¿Roedores de rata?" Mason preguntó con un resoplido cuando unos pequeños agujeros llamaron su atención.

"Esos agujeros, hay cinco de ellos. Tres a lo largo del zócalo y dos más arriba, ¿los ves?" Lucas enfocó la luz a lo largo de la pared que Ricardo supuso estaba a lo largo del dormitorio y la sala de estar de Julia. Había dos agujeros a unos cuatro pies del suelo y, si Ricardo acertó, uno estaba ubicado justo debajo del espejo en la cómoda del dormitorio y el otro detrás del televisor en la sala de estar. "Es un bastardo astuto, tu Ritter". Lucas apagó la luz y comenzó a conectar la computadora portátil como lo había hecho antes. "Tenías razón, ha estado espiando a tu chica".

"¿Sobre su vientre?" ¿Qué podía ver Ritter desde abajo en el suelo a través de agujeros tan pequeños? Los otros dos tenían más sentido, pero, aun así, eran tan pequeños que sería muy difícil ver a través de ellos.

"Nop, en la cama. Mira". Tomando lo que a Mason le pareció nada más que un cable eléctrico largo, Lucas metió un extremo a través de uno de los agujeros y conectó el otro a la computadora portátil. Le dio la vuelta a la computadora para que Mason pudiera verla. "Vista perfecta, ¿no crees?" Mason se quedó allí mirando la imagen grande y cristalina de la habitación de Julia. "Solo usa el mouse para cambiar el ángulo de la cámara", movió su mano sobre el teclado y la imagen se movió hacia arriba, hacia abajo y de lado a lado. "Incluso puedes hacer zoom si quieres". Lucas le dio un codazo a Mason. "Probablemente hice mucho de eso, por lo que entiendo, la acción en esa sala era material hardcore clásico bastante caliente y pesado".

"¿Esta cosa graba?" Si la maldita cosa funcionaba, entonces Ritter lo tenía grabado con Julia. ¿Qué podría hacer Ritter con eso? Todo el impacto de la situación comenzó a caer sobre él. Ritter se sentó aquí, noche tras noche, probablemente masturbándose, viendo a Julia hacer lo suyo. ¿Cuántos meses? ¿Cuatro? ¿Cinco? ¿Tal vez incluso medio año? Si Julia se metió en su cabeza tan rápida y profundamente con él solo tropezándose con ella una vez, ¿qué le había hecho a la cabeza de Ritter mientras él estaba allí sentado viéndola follar con el Sabor de la Noche? Sobre todo, porque Ritter trató de ser ese sabor satisfactorio en tantas ocasiones.

"Oh, sí, claro que sí. Oye, si alguien estuviera allí ahora mismo, podrías escucharlos, este bebé tiene un micrófono".

¿Estás seguro de que Ritter tiene uno de estos?

"Bastante estándar para la mayoría de los PI, Mason". Lucas le aseguró. "¿Para qué más serían los agujeros?"

¿Realmente había regresado aquí para verla hacer lo que sea que el chico recogiera mientras rechazaba a Ritter? ¿Qué tan enfermo tenía que estar alguien para sentarse aquí y ver eso? ¿Qué tan enojados se enojaron al hacerlo? ¿Qué tan obsesionado? Tal vez, cuando apareció en escena, Ritter finalmente decidió que, si él no podía tenerla, nadie podría y Mason seguro que no lo haría.

"Algo retorcido, ¿eh?"

"¿UN POCO?" Masón regresó. "Es enfermizo, eso es lo que es".

Sí, está enfermo. ¡Así lo hicieron Julia y Ritter! Así que vamos, viejo, ¿qué le hizo? ¿Qué parece y huele a anemia aplásica pero no lo es? Mientras se devanaba los sesos en busca de la respuesta, su teléfono celular sonó. "¿Sí?" El escuchó. "¿Qué? ¿Está estable?" Una pausa. "Estaré ahí".

"¿Qué es?" Lucas preguntó rápidamente.

"Julia entró en convulsiones", dijo Mason con inquietud, "le dieron Valium para detenerlas y dejó de respirar, tuvieron que entubarla". El maldito vómito también había regresado, pero Lucas no necesitaba saber sobre eso ni nada más. La encontraron convulsionando en la cama, sus signos vitales por las nubes y sus ataduras desatadas. La enfermera informó que Julia no les había causado más problemas que murmurar incoherencias, algo que sonaba como "Craig", aunque podría haber sido "Rick" considerando su relación.

"¿Ella está bien?"

"¿Qué te importa? Ni siquiera la conoces".

"No", dijo Lucas pensativo, "pero me gustaría". Agregó esperanzado.

"Retrocede amigo, ella es mía". Mason advirtió. Todo mío. Averigua dónde está Ritter.

"Aww, eso es fácil, está en The Mountainside".

Mason salió corriendo de la habitación tan rápido que su pierna mala no tuvo tiempo de notar el dolor.

Caminando lo más rápido posible a través de los pasillos, sus ojos seguían recorriendo cada rincón y cada rostro que veía. Ritter estaba aquí en alguna parte. Estaba observando y esperando que Julia muriera. Que él no pudiera salvarla solo para que Ritter pudiera reírse el último.

Una maldita broma.

Jugar con la vida de una mujer inocente no era divertido.

Capítulo dieciséis

En su camino hacia la habitación de Julia, Mason alertó a seguridad para que estuvieran atentos a Ritter, quien sin duda estaba disfrazado. No tuvo que describir a Ritter a Andy Defresne, jefe de seguridad, el hombre conocía bien a Ritter y prometió alertar a los guardias y vigilar más de cerca las cámaras de seguridad colocadas alrededor de la habitación de Julia Miller y la oficina de Mason.

En la habitación de Julia, encontró a su nuevo paciente casi inconsciente. Ella no estaba gritando. Ella no estaba peleando o diciéndole que se fuera a la mierda. Julia no tenía fuerzas para algo así. Acostada en la cama con la vía intravenosa en ella, el tubo de intubación en la garganta y los monitores conectados a ella, lo más que podía hacer era volver la cabeza hacia el sonido de su voz. Esos ojos translúcidos, los que eran casi incoloros, ahora eran casi negros ya que sus pupilas estaban completamente dilatadas y no parecían mostrar ningún signo de reconocimiento. Mason se preguntó cuántos de él estaba viendo, si es que lo estaba viendo.

"¿Puedes oírme?" Preguntó mientras se inclinaba sobre la cama.

La voz parecía venir de tan lejos que apenas se notaba. Sólo un deseo en el viento. Le costaba tanto respirar, tenía algo largo y duro atascado en la garganta y era de lo más incómodo. Trató de hablar, pero esa cosa en su garganta ahogaba su voz. ¡Tan sediento! ¿Adónde fue esa Coca-Cola? ¿Había estado aquí? ¿Dónde estaba aquí? ¿Por qué todo estaba cambiando a su alrededor? Ella no tenía ni idea. Julia trató de aclararse la garganta, aunque solo fuera para deshacerse de la pasta espesa que se acumulaba allí y en su boca, un sonido gutural bajo salió de su garganta. Eso fue un poco mejor, pero no por mucho. Con el esfuerzo que tomó realizar esa simple tarea, la habitación no giró tanto, sino que comenzó a girar lentamente como la Tierra sobre su eje. Las cosas sobre ella que habían estado cambiando y transformándose ante sus ojos, toman por ejemplo la silla en la esquina. En un momento era una silla, azul, con estampado acolchado, de aspecto bastante cómodo, corriente en todos los sentidos posibles. Al minuto siguiente era un mono, un mono acolchado azul con una boca descomunal que alguna vez había sido un reposapiés, se abrió sobre sus bisagras como una marioneta manejada por un titiritero loco. Sus piernas locas se convirtieron en patas mientras bailaba por la habitación, los reposabrazos se convirtieron en brazos de mono y aletearon sobre la parte superior de su cabeza azul acolchada. El Mono-Silla empezó a cacarear como un mono; "¡Je, je, je, je!" Bailó sobre ella y Julia trató de gritar, pero esa maldita cosa que le metió en la garganta se lo impidió. un mono azul acolchado con una boca descomunal que alguna vez había sido un reposapiés se abrió sobre sus goznes como una marioneta manejada por un titiritero loco. Sus piernas locas se convirtieron en patas mientras bailaba por la habitación, los reposabrazos se convirtieron en brazos de mono y aletearon sobre la parte superior de su cabeza azul acolchada. El Mono-Silla empezó a cacarear como un mono; "¡Je, je, je, je!" Bailó sobre ella y Julia trató de gritar, pero esa maldita cosa que le metió en la garganta se lo impidió. un mono azul acolchado con una boca descomunal que alguna vez había sido un reposapiés se abrió sobre sus goznes como una marioneta manejada por un titiritero loco. Sus piernas locas se convirtieron en patas mientras bailaba por la habitación, los reposabrazos se convirtieron en brazos de mono y aletearon sobre la parte superior de su cabeza azul acolchada. El Mono-Silla empezó a cacarear como un mono; "¡Je, je, je, je!" Bailó sobre ella y Julia trató de gritar, pero esa maldita cosa que le metió en la garganta se lo impidió.

"Ahora te van a llevar a hacer algunas pruebas", explicó Mason, aunque no sabía por qué, seguramente ella no podría entenderlo. "Te traerán de vuelta pronto". Observó mientras sacaban a Julia y todos sus accesorios de la habitación de regreso a la resonancia magnética y luego a la ecografía, quería ver bien su estómago y su cerebro. El vómito sangriento tenía que ser atribuible a algo y ahora estaba alucinando, lo que significaba que, fuera lo que fuera, ahora estaba afectando su cerebro. Este era un buen momento para que sus subordinados se tomaran la noche libre, pero eso estaba a punto de llegar a su fin. Justo después de la medianoche llamó a cada uno de ellos y les dijo que llevaran sus pequeños y remilgados traseros al hospital, a Julia no le quedaba mucho tiempo. Su último análisis de sangre regresó y no solo el tratamiento no funcionaba, sino que estaba empeorando; todos los recuentos de células se redujeron, incluidas las plaquetas.

Tenía que ser una toxina, pero ¿cuál? Mason no tenía ni idea, por lo que ordenó otro examen toxicológico, pero este era de amplio espectro, no eran para buscar drogas ilegales sino venenos. Había miles por ahí y no todos aparecerían en la sangre. Era una posibilidad entre 10.000 de que lo hiciera bien. Para mejorar sus probabilidades y ante la remota posibilidad de que Ritter hubiera podido acceder a la casa de Julia, ordenó que se probaran la botella de ginebra, la botella de agua y las colillas.

Fuera lo que fuera, tenía que ser algo fácil de conseguir. Algo fácil de administrar. Algo tan indetectable como sea posible; sin color, sin olor, sin sabor.

O tal vez

Tal vez

Algo....

... ¿Ligeramente dulce...?

Las fosas nasales de Ricardo se ensancharon cuando recordó inclinarse sobre ella esta noche en su dormitorio y oler ese olor subyacente de dulzura debajo de la bilis sangrienta. Si eso fuera cierto, entonces eso podría reducir la búsqueda considerablemente.

"¿Es usted el doctor Mason?"

Mason fue sacudido de su aturdimiento contemplativo cuando se sentó en su escritorio lanzando una pelota entre sus manos y miró hacia arriba. "¿De dónde vienes?" No vio la puerta abierta, pero de nuevo se perdió en sus pensamientos.

¿Es usted el doctor Mason? El hombre volvió a preguntar.

"Eso es lo que dice en la puerta, ¿no?" Mason espetó repentinamente incómodo con la presencia del extraño en la habitación. Había algo extrañamente familiar en él mientras estaba de pie al otro lado del escritorio; algo en su rostro o tal vez era su cabello que por alguna razón parecía inusualmente largo. "¿Quién eres?"

El hombre se quedó allí mirándolo por un largo momento antes de hablar de nuevo casi como si estuviera tratando no solo de leer a Mason sino de entenderlo. "Mujer, al final del pasillo", dijo lentamente, "dice que su nombre es Rosie, te está llamando".

Mason miró su reloj y pensó que era posible que Julia ya hubiera regresado de las pruebas, pero era poco probable que estuviera diciendo algo ya que tenía un tubo en la garganta. "¿Quién diablos son-" Mason se detuvo y miró alrededor de la oficina vacía? Un escalofrío le recorrió la espalda y lo obligó a levantarse de la silla y dirigirse a la puerta desde donde miró hacia el pasillo vacío. Volvió a mirar a la oficina para ver si el hombre todavía estaba parado allí en alguna parte, tal vez se había metido en la oficina del medio, pero, no, estaba tan vacía como el pasillo.

Sintiendo que necesitaba un suéter para abrigarse, Mason volvió a bajar a la habitación de Julia. Parecía estar descansando cómodamente con el tubo todavía en la garganta. De pie junto a su cama, ella no volvió la cabeza para mirarlo o incluso pareció notar que estaba allí. Los ojos saltones de Julia estaban fijos en el rincón más alejado de la habitación y Ricardo se preguntó qué estaba viendo allí.

"¿Julia?"

Apenas se dio cuenta cuando el viento susurró su nombre. La Silla-Mono había cesado su loca danza, pero ahora había una luz en el rincón más alejado. Una bola de luz que iba creciendo en tamaño e intensidad. Lo observó hasta que envolvió toda la pared del fondo y luego se acercó a ella. En medio de la luz brillante había un agujero de negrura lo suficientemente ancho como para caminar. Algo venía; estaba entrando en esta habitación desde otro mundo. Trató de sostener su mano contra la luz, pero era tan pesada y le costó tanto esfuerzo levantarla de la cama que pronto la dejó caer sobre el colchón.

"Julia, ¿qué ves? ¿Qué es?" Estúpido. Incluso si pudiera escucharlo y quisiera responder, no podría con ese tubo en la garganta.

En medio del agujero negro con su brillante aura de luz dorada apareció una figura en silueta. En los monitores, su ritmo cardíaco y su presión arterial comenzaron a aumentar. Fuera lo que fuera que venía a por ella, la arrastraría a algún horrible lugar oscuro donde pagaría por todos sus pecados lujuriosos durante el último año y medio.

"¿Julia?" Ricardo observó cómo la máquina, que debería estar respirando tranquila y constantemente para ella, empezó a hacer sonar sus alarmas. Julia estaba respirando por sí misma y estaba tratando de hacerlo más rápido de lo que la máquina estaba configurada para permitir. "Quédate conmigo, Julia-Bebé, si puedes oírme, solo relájate, no pelees". Le quitó la máscara alrededor de la boca y sacó el tubo de su garganta. Julia aspiró una gran bocanada de aire y empezó a toser. Al oír el sonido, Ricardo sintió una gran oleada de alivio. Respiraba sola y eso era una muy buena señal.

La silueta oscura se acercó y Julia vio que Dios escogió a la persona más apropiada para escoltarla al Infierno. "-reg." Ella murmuró.

"¿Qué? ¿Julia? Mírame, Julia".

"Hola, Julia-Bebé". Craig le dijo mientras salía de la dura luz. "Te extraño." Se paró junto a la cama y tomó su mano. "Siento mucho haber tenido que dejarte".

En el otro lado de la cama, Mason vio la mano derecha de Julia elevarse en el aire y colgar allí como si alguien la sostuviera. O, tal vez, como si los músculos se hubieran contraído y congelado en esa posición. "¡Julia!"

Era Craig y estaba sano y de pie sobre sus propios pies. Necesitaba un corte de pelo, Julia había querido hacerlo la semana pasada, pero no tenía tiempo. "Ir contigo". Julia murmuró, aunque su garganta reseca le suplicaba que no hiciera tal cosa.

"No, te quedas aquí". Craig lo tranquilizó. "Con él." Miró al hombre angustiado al otro lado de la cama de Julia. Míralo, Julia-Bebé, mírale la cara. Anda, míralo. Escucha su voz.

¿La cara de quién? ¿La voz de quién? Julia no lo sabía y fue muy difícil girar la cabeza, pero lo logró porque Craig se lo pidió. Al otro lado de la cama, sosteniendo su otra mano había algo que parecía un hombre. Tenía el pelo plateado y la cara pintada. Era el azul más profundo que Julia había visto en su vida y cubría todo su rostro. Sobre un ojo y extendiéndose por la mitad de la mejilla había un parche negro, casi triangular, salpicando el borde había joyas azules que brillaban y centelleaban cuando captaban la luz. Los labios se movieron y el viento volvió a hablar. "¿Julia?"

"Míralo, Julia-Bebé". Craig dijo con mucha ternura. "Mira esos ojos y el ceño fruncido. Te ama, no está listo para admitirlo, pero te ama".

El brazo en el aire se elevó un poco más cuando Craig rozó con sus labios el dorso de la mano de Julia. ¡Le dolía la garganta, estaba ARDIENDO! Tan difícil de hablar. "Tú... dijiste... que no confíes en él".

"¿No confíes en quién? ¿Ritter? ¿Ritter hizo esto? ¿Lo viste? ¿Julia?" Mason preguntó con urgencia. Ella no le respondió y cuando su cabeza se volvió hacia el otro lado y la palma de la mano colgaba hacia afuera como si la estuviera sosteniendo contra algo, él no pudo evitar la sensación de que alguien estaba parado al otro lado. de la cama Podía sentirlos, casi verlos. Eso fue una locura, pero toda esta situación fue una locura. Fue solo una alucinación, eso es todo; no había ninguna persona invisible parada allí, no en la realidad, solo en la cabeza de Julia. "¿Julia?" No me mueras, Julia-Bebé, por favor, no me mueras. Me volveré loco si lo haces. Haré cualquier cosa, solo quédate aquí conmigo.

"Yo no dije eso", Craig sonrió con tristeza, mientras sostenía su mano en el lugar donde una vez su corazón latía solo por ella, pero ahora ya no latía. "Te amo, no quiero que estés sola. Quiero dejar de hacer las cosas que haces, son malas, Julia-Bebé, muy malas. Eres mucho mejor que eso. Lo siento Te dejé sola tan rápidamente. Sé que esos hombres no te hacen feliz, pero algún día él podría hacerlo".

Un giro más de la cabeza para mirar al Hombre Azul al otro lado de la cama. Ante sus ojos, la pintura azul se transformó en rayas de tigre. Naranja, blanco y negro cubrían su rostro en un patrón de tigre perfecto que incluía bigotes, dejando solo esos inquietantes ojos azules para insinuar a un ser humano. Mirando hacia abajo a su mano, la que estaba en la de Ricardo, también comenzó a girar. Era como si las rayas que estaba segura cubrían todo su cuerpo se movieran hacia ella, se replicaran en ella y luego tomaran el control. Con silencioso asombro, observó las rayas que subían por su brazo desnudo.

"Adiós, cariño, te amo". Craig susurró al otro lado. "Siempre."

En la cama, Julia comenzó a llorar. Sus ojos dilatados se llenaron de lágrimas, que se derramaron por sus mejillas mientras lo miraba fijamente. No tuvo que volver la cabeza hacia atrás para saber que él se había ido o que nunca lo volvería a ver. Alucinación o no, Craig Miller había venido a despedirse y, en la parte de su mente que todavía se aferraba a la realidad, Julia sabía que, si alguna vez se recuperaba, una de las primeras cosas que le dirían era que su esposo había fallecido. Las suaves manos de Doc secaron las lágrimas de sus mejillas mientras le daba un beso en la frente. "Rick", murmuró Julia con la respiración entrecortada.

Otra ola de alivio. "Aquí mismo."

¿Tenía su aliento un olor dulce? ¿Después de todo ese vómito?

Rick se inclinó más cerca. "Di mi nombre otra vez".

Fue difícil, pero Julia lo logró una vez más. "Almiar."

No doctor. No do-c. Almiar. Él sonrió descaradamente. "Así es, soy yo, soy Rick. ¿Con quién estabas hablando?"

Julia respiró hondo, lo dejó salir y lo intentó por un segundo. "Craig", llegó el largo y bajo tono áspero. "Él se fue."

¿Desaparecido? La palabra tenía finalidad. "Está bien, Julia, está justo donde lo dejaste". ¿Dónde diablos más estaría? No es como si se hubiera levantado y salido por un helado.

"Beber. ¿Dónde... Coca-Cola?"

¿Dónde está la Coca-Cola?

Tomó una bocanada del aire y sí, olía dulce. Demasiado dulce para una simple Coca-Cola. "¿Alguien te trajo una Coca-Cola?"

Julia lamió sus labios secos con su lengua pastosa y seca y asintió con la cabeza. "Mas por favor."

¿Quién le trajo una Coca-Cola? Ritter. Ricardo miró alrededor de la habitación y luego al cesto de basura al otro lado de la cama donde había un vaso de papel amarillo del que sobresalía una pajita. El bastardo entró y le dio otra dosis de lo que sea que la está matando. Pero lo dejó atrás. "Vuelvo enseguida." Cogió el vaso de la basura y se dirigió al laboratorio.

Como no estaba dispuesto a confiar el trabajo a un técnico de laboratorio, Mason echó rápidamente al técnico nocturno del laboratorio. Encontró los otros elementos que quería analizar aún esperando, incluidas las últimas muestras de sangre y orina de Julia. ¿Qué pasa con la palabra URGENTE estampada en letras rojas en la orden de trabajo, no entendió el técnico de laboratorio? "Hijo de puta." Metiendo la mano en el bolsillo de su abrigo, sacó esa pequeña botella de color ámbar celestial. Sintiendo el peso en su mano mientras miraba su brillo amigable y queriendo aliviar el dolor que sentía, que, extrañamente, no parecía estar emanando de su pierna en este momento. Mason volvió a guardarlo en el bolsillo sin abrir. Viviría con el viejo y molesto dolor porque ahora necesitaba mantener la cabeza despejada.

Al final del pasillo desde donde el doctor Ricardo Mason estaba aislado en el laboratorio del hospital, John Ritter lo observaba trabajar. ¿Cuándo fue la última vez que el Gran Doctor Mason realizó una prueba de laboratorio él mismo? Realmente debe estar enganchado a la Bella Julia. El reloj corría, el tiempo se acababa, e incluso si encontraba la respuesta, Ritter dudaba que llegara a tiempo. ¿No fue una maldita vergüenza lo de Craig Miller? El pobre bastardo solo tenía 40 años y pasó los últimos dos años de su vida en coma antes de sufrir un ataque cardíaco masivo hace solo veinte minutos.

Lástima.

Si la Bella Julia se recuperaba, ¿cómo manejaría esa noticia? Seguramente, La Viuda Miller se pondría de luto congelando así al Gran Doctor Mason. Por lo tanto, por lo que Ritter podía ver, todavía estaba por delante del juego. Todos los resultados posibles consideraron que todavía salió victorioso.

En el laboratorio, Mason siguió trabajando con una mirada de pura consternación. Unos momentos después, esa mirada de preocupación y determinación se desvaneció cuando Mason tomó una hoja de papel de una máquina y la leyó. Ritter se inclinó hacia delante para mirar. ¿Estaba Mason... llorando? ¿Fue eso? La cara del Viejo cayó y luego agachó la cabeza, el papel se deslizó al suelo y luego sus hombros comenzaron a temblar.

"Lo siento, doctora". Ritter murmuró.

Voces altisonantes venían por el pasillo con pasos apresurados; miró hacia arriba para ver a Wylds, Steward y Wylds apresurándose por el pasillo hacia el laboratorio. Cada uno se quejaba de haber sido despertado y arrastrado al hospital en medio de la noche y cada uno se detuvo en seco al ver a Mason solo en el laboratorio. "Oh, Dios mío", tartamudeó Wylds mirando a su jefe cascarrabias que ahora parecía roto y destrozado mientras estaba sentado allí con los ojos rojos y buscando su botella en su bolsillo. La boca de Mason quedó abierta mucho antes de que su mano estuviera lista para colocar la píldora dentro.

"Supongo que lo encontró", dijo Steward en voz baja.

"Supongo que no es bueno". Wylds estuvo de acuerdo.

Esta vez no solo vio a alguien al otro lado de la puerta por el rabillo del ojo, sino que tuvo tiempo de tratar de recuperarse antes de que entraran al laboratorio. "Es benceno". Mason dijo mientras se aclaraba la garganta con la esperanza de eliminar la sensación surrealista de la situación con el sonido áspero.

Eso no era bueno, pero podría haber varias razones por las que Julia tenía benceno en su sistema y la principal de ellas era el hecho de que fumaba. "Bueno, por supuesto que tiene algo de benceno en su sistema, ella fuma". Wylds dijo esperando que Mason estuviera demasiado cansado y no pensara con claridad.

"No me estás entendiendo..."

Steward interrumpió: "Vamos, Mason, ¿cuánto tiempo crees que pasa Julia Miller en un entorno industrial? ¿De qué otra forma entraría en contacto con grandes cantidades de benceno? Pensé que dijiste que es una profesora de inglés desempleada, no una trabajadora de una fábrica."

"Veneno." Mason suspiró y se llevó la mano a la cabeza dolorida. "Todo lo que ustedes dos acaban de decir es exactamente por qué Ritter pensó que nunca lo buscaríamos". No pudo evitar sentir que había sido engañado, pero el patán de un expolicía.

"¿RITER?" Los tres miembros del equipo exclamaron al unísono.

Mayordomo continuó. "¿Qué tiene que ver él con todo esto?" Observó a los reunidos fruncir el ceño ante los amargos recuerdos que inundaban sus mentes. "¿Por qué no nos dijiste sobre esto antes?" Miró a los otros dos cuyas bocas estaban abiertas. "Por lo menos, no nos habríamos ido de aquí pensando que todo estaba bajo control. Nos habríamos quedado. ¿No nos querías aquí?"

Excelente pregunta y la respuesta fue 'no'. Mason los dejó irse a casa esta noche sin problemas porque quería manejar la situación él mismo. En otras palabras, actuaba más como un Amante que como un Doctor. Quería estar con ella, protegerla, mirarla y velar por ella tanto como quería curarla. Para un Doctor que era no-no, el deseo de curar siempre debe ser lo primero y cuando no era así, las cosas se volvían confusas. "Larga historia", dijo Mason más para sí mismo que para su equipo. "Te informaré en otro momento. Ritter pensó que nunca lo buscaríamos porque ella fuma y no pasa tiempo en un entorno industrial". Justo antes de que el equipo cruzara la puerta, los resultados volvieron a él. El benceno era un veneno insidioso y, a menos que la víctima supiera lo que había inhalado o ingerido, es probable que nunca se descubriera. El benceno se metabolizaba rápidamente y, por eso, era prácticamente indetectable en la sangre, aunque uno podría encontrarlo en la orina si lo detectara lo suficientemente rápido y supiera qué buscar. Nada en la ginebra, el alcohol destruyó cualquier rastro detectable del veneno, pero no el veneno en sí. Las colillas, de tres en el cenicero, una tenía casi el cuádruple de benceno que debería tener. El último paquete de cigarrillos en el cartón vacío produjo un cigarrillo con púas. Mason encontró el pequeño agujero en el fondo del paquete y se preguntó cuántos cigarrillos contaminados se había fumado Julia. El vaso desechable encontrado en su habitación volvió con rastros de benceno. De alguna manera, Ritter entró en la casa y le echó cigarrillos, razón por la cual el inicio fue casi imperceptible al principio, pero luego golpeó como una tonelada de ladrillos. Probablemente Ritter había esperado alargarlo envenenando los cigarrillos, pero el benceno era una de esas sustancias químicas mucho peores cuando se inhala que cuando se ingiere. El demonio probablemente pensó que, dado que el benceno estaba presente en todas las marcas de cigarrillos y nadie se desplomó y murió de inmediato, estaba bien aumentar la dosis en ella. Pobre Julia, el químico ni siquiera mancharía el papel del cigarrillo, no habría ni una marca de agua para hacerle saber que algo puede estar mal. Probablemente Ritter había esperado alargarlo envenenando los cigarrillos, pero el benceno era una de esas sustancias químicas mucho peores cuando se inhala que cuando se ingiere. El demonio probablemente pensó que, dado que el benceno estaba presente en todas las marcas de cigarrillos y nadie se desplomó y murió de inmediato, estaba bien aumentar la dosis en ella. Pobre Julia, el químico ni siquiera mancharía el papel del cigarrillo, no habría ni una marca de agua para hacerle saber que algo puede estar mal. Probablemente Ritter había esperado alargarlo envenenando los cigarrillos, pero el benceno era una de esas sustancias químicas mucho peores cuando se inhala que cuando se ingiere. El demonio probablemente pensó que, dado que el benceno estaba presente en todas las marcas de cigarrillos y nadie se desplomó y murió de inmediato, estaba bien aumentar la dosis en ella. Pobre Julia, el químico ni siquiera mancharía el papel del cigarrillo, no habría ni una marca de agua para hacerle saber que algo puede estar mal.

El hecho de que sufriera anemia al principio no ayudó, solo ayudó a que la toxina trabajara más rápido y se propagara más rápido. El benceno convirtió la anemia por deficiencia de vitaminas relativamente simple en anemia aplásica.

El problema inmediato era este; El benceno no tenía antídoto conocido. Se demostró que varios tipos de tratamiento aliviaban los síntomas y hacían que el paciente se sintiera más cómodo, pero en general el cuerpo lidiaba con la toxina o no. En pequeñas cantidades, esto no era un problema y el cuerpo generalmente absorbía y se deshacía del veneno. Los efectos duraderos incluyeron insuficiencia hepática y renal y varios tipos de cánceres bastante desagradables y agresivos. Incluso si viviera y el benceno no la matara directamente, es posible que Ritter le haya dado a Julia una sentencia de muerte. Su sistema inmunológico fue disparado; todavía necesitaría el trasplante de médula ósea para tratar la anemia aplásica. Afortunadamente, ya se había ocupado de eso y había encontrado un donante disponible para Julia. Aun así, al final, sin importar lo que hiciera Ricardo, lo que intentara o lo brillante que fuera,

"No hay cura, no hay tratamiento". Wylds dijo lo que los demás estaban pensando. "No hay nada que podamos hacer por ella".

"Nop, no mucho." Él asintió desanimado. "Comienza a purgar su sistema, veremos si eso ayuda. Dale, Valium para mantener bajas las convulsiones y lidiar con las alucinaciones. Solo sigue bombeándole fluidos. Aparte de eso, todo lo que podemos hacer es esperar". Sin importar quién fuera el paciente, la espera era la parte más dura de su trabajo, pero ahora parecía especialmente cruel.

"Estamos en ello." Wylds dijo fácilmente. "Si necesitas algo..."

"Julia necesita un trasplante de médula ósea, espero que esté lo suficientemente estable pronto. Ven a buscarme cuando esté preparada".

"Está bien", dijo Wylds lentamente y con mucha atención, "pero ¿quién es el donante?"

"Lo estás mirando". Mason estaba exhausto y regresó tambaleándose a su oficina mientras el equipo se iba a tratar a Julia. Bajaría a su habitación en unos minutos, después de recuperar el aliento y afrontar la situación. Se estaba enamorado de ella y ahora iba a perderla. Si bien Mason no diría que podía ver un futuro brillante y soleado con ella, podía verse a sí mismo pasando una cantidad increíble de tiempo con ella y sin sentirse miserable por ello.

Ritter.

Al subir al ascensor fue cuando Mason lo consiguió.

Ritter.

El bruto loco quería quitarle algo importante a Mason, algo que Mason amaba y que nunca podría reemplazar o recuperar.

julio

Al igual que Ritter pensó que Mason era responsable de que lo expulsaran del departamento de policía.

Ritter se graduó de matón inquietante a acosador obsesionado e intento de asesinato en el espacio de unos pocos meses. El verdadero problema era que Mason no podía probar nada de eso. La medicina era simple, tomar un montón de conjeturas educadas, realizar un montón de pruebas, ver qué aparece, luego curar, tratar o verlos morir. La Ley era diferente; requería un tipo diferente de prueba. ¿Qué tenía? Nada. Podía decirles a los funcionarios encargados de hacer cumplir la ley que Ritter alquiló la habitación contigua a la de Julia en El Royale, pero no pudo probar que Ritter taladró los agujeros en la pared o que la había estado acosando. En lo que respecta a La Ley, eso fue solo una coincidencia. No podía decirle a la policía que Ritter lo detuvo y se hizo pasar por un oficial de policía sin que Julia lo respaldara y en su condición eso no iba a suceder pronto. No podía poner a Ritter dentro de la casa de Julia a menos que fuera lo suficientemente tonto como para dejar sus huellas dactilares. Quizá Ritter había sido así de estúpido o, en su caso, quizá había sido así de confiado.

Empezaba a parecer que, si Julia moría, Ritter se saldría con la suya.

Las puertas del ascensor se abrieron en el tercer piso y Mason no estaba de humor para compañía cuando dos médicos cuyos nombres no recordaba subieron al ascensor. Justo más allá de ellos, en las puertas de la sala de coma, alguien estaba siendo sacado en una camilla con una sábana sobre la cara.

"He tratado de comunicarme con su esposa varias veces", le dijo el primer médico al otro, "Simplemente no puedo comunicarme con ella y, aunque es una perra real", refunfuñó, "La Sra. Miller siempre está sensible."

Mason tropezó contra la pared del ascensor.

"Doctor Mason, ¿se encuentra bien?"

"¿Julia Miller?" graznó.

"Sí, su esposo acaba de fallecer. ¿La conoces?"

"Ella está en el segundo piso". Miró al médico más pequeño que lo miraba con una mezcla de preocupación y sospecha. "No puedes localizarla porque está ingresada por envenenamiento con benceno".

"Oh mí." exclamó el segundo médico. "Ella es tan joven. ¿Qué pasó?"

"¿De qué murió?" Preguntó mientras recuperaba la compostura. "¿Cuánto tiempo hace?"

"Ataque cardíaco masivo". Dijo el primer médico. Ahora Mason lo recordaba, su nombre era Annaballini. "Hace aproximadamente media hora. El turno de noche es muy lento; ahora lo están trasladando a la morgue".

¿Y si Ritter matara a Craig Miller? "¿Algún historial de problemas con su corazón?"

"Sorprendentemente, se trata de lo único que no estaba mal con él". Annaballini casi se burló. "Fue un shock para todos nosotros. Supongo que será un alivio para la Sra. Miller, bueno, después de un tiempo de todos modos. Realmente podría haber vivido así otros diez años o más".

"Bendición, ¿es eso lo que me estás diciendo?" Las puertas del ascensor se abrieron.

"Para ella, espero. ¿Mantenerme informado sobre su condición?" preguntó Annaballini.

Mason se bajó y luego se dio la vuelta cuando las puertas comenzaron a cerrarse. Metió su bastón en las puertas para mantenerlas abiertas. "Prueba Miller".

"¿Para qué?' preguntó Annaballini.

"Alguien trató de matar a su esposa, Julia Miller fue envenenada. Si no tuviera ningún problema cardíaco..."

Mason estaba loco como un loco, pero el hombre tenía tanta razón que tenías que perdonarlo por estar loco. No estaría de más hacer algunas pruebas adicionales en un hombre muerto. "Lo consideraré."

Ritter usó benceno con Julia y usaría algo igualmente fácil de conseguir y prácticamente imposible de rastrear con Craig. "Digital." Mason dijo y luego dejó que la puerta del ascensor se cerrara.

El hombre en su oficina. El que dijo que Rosie lo estaba llamando. Era Craig Miller, por eso le resultaba tan extrañamente familiar.

Tan pronto como el pensamiento se formó por completo en la mente de Mason y comenzó a asentarse, lo desechó. "Demasiados oxis". Murmuró entrando a su oficina. Eso es todo. Los muertos no visitan a la gente. Incluso si Craig Miller llegara desde más allá (o justo antes de) la tumba, ¿cómo sabría alguna vez llamar a su Julia-Bebé 'Rosie'?

Capítulo Diecisiete

"¿Estás seguro de que quieres hacer esto?" Wylds preguntó mientras se paraba sobre Mason con una de las agujas más grandes del mundo.

"Si me preguntas eso una vez más, tendré que derribarte". Masón regresó. Lo único bueno que había podido determinar de todas esas pruebas era el hecho de que era la pareja perfecta para Julia. No lo pensó dos veces antes de dar un paso al frente, después de todo, él la quería cerca incluso si fueran veinte años menos de lo previsto.

Habían pasado tres horas, Julia empeoró un poco. Su respiración se volvió superficial y normalmente él, como el 90% de los otros médicos, le recetaba efedrina para abrir las vías respiratorias y ayudarla a respirar mejor. En los casos de envenenamiento por benceno, esto casi siempre resultó fatal y el químico tendió a inducir un ataque cardíaco repentino y masivo. En su estado, Julia no sobreviviría a eso. Acostada en la cama, bañada en sudor, Julia jadeaba por aire con una tasa de saturación de oxígeno de solo el 89%. Mason la puso, no en oxígeno sino en una tienda de oxígeno. Era anticuado, pero funcionaría y sería la opción más cómoda para ella. En la tienda estaba alucinando, estaba hablando con alguien que nadie más que ella podía ver. Mason se preguntó si Craig vino a hacerle otra visita. SI el hombre había visitado su oficina, entonces seguramente se habría parado al lado de la cama de su esposa, viniendo a despedirse. ¿Qué otras Palabras de Sabiduría podría haber tenido el hombre para ella? "¿Podrías continuar con eso?"

"No es propio de ti ser tan abnegado". Steward dijo desde detrás de su máscara quirúrgica.

"¿Vas a hacer esto o no?" Mason se quejó mientras se acostaba sobre la mesa, listo para ser sacado para el procedimiento. "Si no, buscaré otro equipo. No tengo que explicarte lo que ya sabes o justificarlo".

El equipo de trasplante estaba esperando, Julia estaba esperando. Sus signos vitales estaban aguantando, pero quién sabe por cuánto tiempo. El trasplante fue su única oportunidad de lidiar efectivamente con el benceno en su sistema. No era una cura, ni siquiera era un tratamiento reconocido, pero haría maravillas con la anemia aplásica, que a su vez haría maravillas con los efectos que el veneno estaba teniendo sobre ella.

"Está bien, aquí vamos". Wylds dijo mientras tomaba aire y observaba al anestesiólogo colocar la máscara sobre la cara de Mason. "Conoces el ejercicio, respira normalmente y cuenta hacia atrás desde cien".

Sobre la mesa, Mason asintió sabiendo que pronto el gas lo tendría hundido.

"Estás haciendo algo realmente bueno". Wylds dijo en voz baja mientras lo miraba fijamente: "Eso realmente no es propio de ti". Sus ojos se estaban cerrando, ella se inclinó más cerca de él. Todo en lo que podía pensar era en el anillo que encontraron junto a la cama de Julia Miller. Durante años estuvo enamorada de su mentor. Incluso después de casarse con Goodspeed, su corazón nunca abandonó la más mínima esperanza de una sola noche clandestina con Mason, pero nunca sucedió. Ni siquiera estuvo cerca y ella le había hecho saber sus intenciones en más de una ocasión. "Debes amarla, ¿eh?" Sus ojos se dispararon hacia arriba para mirar a Steward y su esposo, Goodspeed, para ver que estaban tan intrigados como repelidos por su pregunta poco ética. Se inclinaron sobre la mesa para ver si Mason asentía o negaba con la cabeza antes de que el gas hiciera efecto.

Mason murmuró algo y sonó como 'umm-hum' pero nadie podía estar seguro.

"Está bien", dijo Wylds con un poco de tristeza mientras se levantaba de nuevo, "vamos al asunto de salvar a la futura señora Mason".

Goodspeed se rió. "Sí, claro. La mujer puede estar loca, pero ninguna mujer está tan loca".

Una hora más tarde, Mason se despertó en una cama de hospital con ambas caderas gritando. Metiendo la mano debajo de la manta, sintió un patrón triangular en cada cadera. Seis cosechas en total. "¿Cómo te sientes?" Steward preguntó mientras se levantaba de la silla donde había estado esperando a que Mason se despertara.

"¿Cómo está Julio?"

"Mejorando", dijo con ánimo.

"¿Ritter?"

"Nada que informar, si está cerca, nadie lo ha visto. Puse un guardia de seguridad afuera de la habitación de Julia y," miró hacia las paredes de la ventana, "Tuya. Por si acaso".

"Tu preocupación por mi seguridad es conmovedora". Se burló y alcanzó la jarra de agua helada. Hacía frío bajando por su garganta seca. La anestesia tenía tan a menudo ese pequeño efecto secundario amargo y era una sed difícil de saciar, tan fuerte como el mañana después del incendio que ardía en la parte posterior de la garganta después de una larga noche de bebida. El agua fría deslizándose por su garganta, entendió cómo Julia bebió la Coca-Cola que Ritter le ofreció, probablemente incluso pidió más.

Steward tenía algo más que decirle a su jefe. Se había tomado una decisión sin él y Steward dudaba que a Mason le fuera a gustar, pero había aspectos éticos y legales que considerar. "Tuvimos que llamar a la policía", comenzó y vio los ojos de Mason agrandarse. "No les dijimos nada sobre Ritter, pero hay que admitir que está claro que alguien intentó matar a Julia Miller". Dijo racionalmente. "Como médicos tenemos que denunciar sospechas de intento de asesinato". Por supuesto que la policía quería entrevistar a Julia, pero ella no estaba lista para ser interrogada. "Quieren hablar contigo. Les contamos sobre tu... relación con ella. Creen que podrías ofrecer algunas ideas".

"¿Qué se supone que debo decirles?"

"Solo lo que sabes. Lo despidieron por una razón, ¿verdad?" preguntó Steward. "¿Quién puede decir que no te creerá?" Steward comenzó a alejarse y luego se dio la vuelta. "El doctor Annaballini me pidió que le dijera que... tenía razón". Casi se había olvidado de eso. Poco después de que Mason fuera llevado en silla de ruedas a Recuperación, Annaballini vino corriendo por el pasillo buscándolo, creyendo erróneamente que el Doctor Mason era el médico y no el paciente. Le dio a Steward el mensaje para que se lo pasara cuando Mason se despertara. "¿Qué significa?"

"Significa, trae a esos policías aquí".

**

El Centro de Investigación y Bienestar de Mountainside comenzó a estar repleto de policías hace aproximadamente media hora y, poco después, comenzó a estar repleto de ellos. Había dos policías uniformados estacionados fuera de la habitación de Julia Miller reemplazando al policía de alquiler que había estado allí durante una hora más o menos antes que ellos.

Otros dos fuera de la habitación de Mason y uno fuera de su oficina. Major Case entró y se hizo cargo, llevaron el cadáver de Craig Miller a su laboratorio de alta tecnología. ¿Cómo podía alguien saber que había sido envenenado? Fue una coincidencia que Craig Miller muriera mientras su esposa estaba tan enferma en el mismo hospital, pero después de estar en coma durante tanto tiempo, seguramente no podría ser una gran sorpresa para nadie.

Sus ex-hermanos de azul estaban interrogando a todas las enfermeras, médicos, camilleros y meseros que pudieron encontrar. Ritter sabía que si se quedaba mucho más tiempo en el hospital lo encontrarían. Había escuchado su nombre en varias ocasiones mientras escuchaba sus conversaciones. El lugar estaba demasiado caliente y decidió irse. Se iría a casa y jugaría tranquilo. Debían venir a buscarlo y era mejor si lo encontraban justo donde pensaban que lo harían, esto lo ayudaría a evitar sospechas. Bueno, sí, oficial, he estado aquí en mi casita toda la noche. julio quien? Lo siento, no sé de lo que estás hablando.

Si investigaban lo suficiente, encontrarían algo que vinculaba a Ritter con Julia y, mientras salía de la sala de emergencias hacia la fría noche de noviembre con la cabeza gacha y la gorra de béisbol colgada de la cabeza, comenzó a salir. con ideas Si descubrieron que había estado hurgando en sus antecedentes financieros, bueno, eso no era gran cosa. Oh, sí, oficial, así es. Lo olvidé totalmente. Sí, Susan Miller me contrató para investigar los asuntos de Julia hace algunos meses. Aquí está mi archivo si lo desea.

Si lo vincularon bien con el bar, entonces trató de ligar con la hermosa mujer una o dos veces y una vez tuvo éxito. Tonio podría darles una pista de eso, aunque dudaba que Julia-Bebé lo hiciera bajo ninguna circunstancia, incluso si eso significaba liberar al hombre que intentó matarla. ¿El bar de Tonio, dices? Sí, he estado allí a menudo, está al final de la calle, oficial. Sí, vi a Julia Miller allí una o dos veces, ¿es eso un crimen?

Si lo relacionaban con El Royale, podría estar realmente jodido. Tendría que volver allí y tapar esos agujeros. Siempre podía mirar al policía y decir; Nunca noté ningún agujero en esa habitación. No tengo idea de lo que estás hablando. Me quedé allí unas cuantas veces cuando me emborraché demasiado en Tonio's para conducir o tropezar de regreso a casa. ¿Eso es un crimen, oficial? No, nunca vi a Julia Miller allí.

¿Quién iba a decir lo contrario, excepto Leroy, el encargado de la noche, que una vez los vio entrar juntos? ¿Así que lo que? Dos clientes entraron por la puerta al mismo tiempo, no era como si Julia estuviera colgando sobre él o algo así.

Pero allí estaban la botella de ginebra, el paquete de cigarrillos, el marco roto y la botella de Grey Flannel. Todos ellos tenían sus huellas dactilares en ellos. Era solo cuestión de tiempo antes de que los encontraran. ¿Iría Julia Miller tan lejos para mantener su oscuro secreto que diría que había invitado a Ritter a su casa? La perra loca podría hacerlo. ¡Si ese fuera el caso, entonces Mason subiría por la maldita pared!

Bonita fantasía, pero el marido estaba muerto. Julia no tenía motivos para guardar sus secretos ahora.

Mirando a su alrededor sintiéndose como si estuviera siendo observado, pero sin ver a nadie en el estacionamiento, Ritter abrió la puerta del Ford gris y se sentó al volante. Girando la llave y encendiendo los faros, salió del espacio hacia la salida del estacionamiento.

Llegó hasta la farola antes de que los coches de policía se abalanzaran sobre él.

Habían estado esperando a que se asustara lo suficiente como para salir del hospital. Ritter ni siquiera había sospechado que el conserje que merodeaba por la sala de emergencias era un policía encubierto.

Ritter fue sacado de su automóvil, arrojado al suelo y luego esposado cuando le dijeron que lo arrestarían por el asesinato de Craig Miller, el intento de asesinato de Julia Miller y el acecho de Julia Miller, tenía derecho a permanecer en silencio, cualquier cosa. dijo que podría y sería usado en su contra en un tribunal de justicia.

"Le tengo."

Alguien dijo y Ritter miró hacia arriba para ver a un uniformado hablando por un teléfono celular, pero mirando hacia el hospital. Con esposas y retorciéndose, Ritter siguió la mirada del uniformado solo para ver a Mason de pie en la ventana del tercer piso mirando hacia abajo, observando y sonriendo con suficiencia mientras se lo llevaban. Mason tuvo el descaro de saludarlo. Se quedó allí hasta que cargaron a Ritter en la parte trasera de un coche patrulla y el coche patrulla se perdió de vista.

"¿Te sientes mejor?" Spaulding preguntó mientras se acercaba por detrás de Mason para ver cómo se desarrollaba la última parte de la escena.

"Un montón". Dijo con un suspiro de alivio. "Honestamente, no pensé que me creerían".

"Disculpe", dijo una voz masculina desde la puerta, "¿es usted el doctor Mason?"

La voz era casi familiar y Mason medio esperaba que cuando se diera la vuelta vería a Craig Miller parado allí. El joven que vio estaba cerca pero no Craig. "Sí."

"Soy Timothy Miller, recibí una llamada telefónica, dijeron que mi papá, Craig Miller, murió", Tim dijo la palabra con facilidad, como si una parte de Julia de él hubiera estado esperando para decirlo, y, Dios lo ayudé, lo hizo. se sintió bien. El siguiente no se sintió tan bien. "Y mi madrastra, Jules, está aquí en el hospital, está enferma. Dijeron que eres su médico. ¿Qué le pasa?" Tim se fijó en la vista del johnny del hospital sobre el médico. "¿Qué sucede contigo?"

"Larga historia, ¿cuánto tiempo tienes, jovencito?" Suspiró con buen humor. Parecía que había alguien en el mundo a quien le importaba lo que le pasó a Julia Miller además de él. Eso era bueno. "Vamos, vamos a ver a tu madrastra". Le dolían las caderas y el dolor se transfirió a ambas piernas, Mason pasó un brazo por los hombros del niño en lo que parecía ser un gesto muy paternal si uno no sabía que estaba buscando el apoyo adicional que el niño podía brindar con facilidad. Kid parecía un apoyador.

capitulo dieciocho

Dos semanas después

"¿Podrías dejar de preocuparte por mí, Doc?" Julia se quejó mientras se sentaba en el sofá. "Puedo levantarme y tomar un trago".

"Puedo conseguirlo, te quedas allí". Julia llegó a casa hace solo tres días y al día siguiente fue el funeral de Craig Miller. No fue una ocasión sombría, los dolientes reunidos estaban allí para celebrar la vida de Craig y no para llorar su fallecimiento, que había ocurrido algún tiempo antes de ese día. Ese día fue física y emocionalmente agotador para Julia. Ricardo no solo fue al funeral y estuvo a su lado (algo inaudito para él, incluso si se trataba de un amigo cercano que falleció, tuvo que ser arrastrado al funeral de su propio padre), sino que se quedó con ella, aquí en su casa y en la cama que alguna vez compartió con Craig. Julia se acurrucó sobre él y durmió pacíficamente en sus brazos por primera vez en casi dos semanas. Mientras él permanecía despierto un rato, abrazándola, acariciándola y escuchando su respiración,

Ritter estaba en la cárcel. La prensa estaba afuera de la casa de Julia, la casa de Rick y The Mountainside. Aquí arriba, en las montañas de Vermont, las escapadas de Julia se convirtieron en el escándalo de la década (si no del siglo). Al salir de The Mountainside, toda una horda de reporteros la esperaba en las puertas delantera y trasera, la siguieron a su casa y gritaron preguntas. Incluso tuvieron la audacia de gritarle antes y después del funeral de Craig, pero conservaron el sentido común de callarse durante el mismo.

La policía local confiscó la computadora de Ritter y encontró cerca de 40 grabaciones de Julia Miller con diferentes hombres en la habitación 404 del hotel El Royale. Encontraron imágenes de Julia yendo al hospital, al supermercado, a la tintorería, al parque con su perro e incluso imágenes tomadas dentro de la barra de ella sentada y bebiendo sola o con el inminente Sabor de la Noche. Las huellas dactilares de Ritter se encontraron por toda la casa de Julia, incluido el pomo de la puerta principal, el panel de alarma, la botella de Grey Flannel y el exterior del cajón de su lencería.

Todo eso combinado lo condenaría por acecho y allanamiento de morada. Crímenes menores en el Estado de Vermont. Si sus videos no tuvieran sonido, se detendría allí, pero los policías estatales de Vermont y el

FBI se involucraron y llamaron a su crimen escuchas telefónicas. Un delito mucho más grave.

Podría haber recibido diez años de prisión si la policía no hubiera encontrado también las huellas dactilares de Ritter en la botella de ginebra de la que Julia había estado bebiendo. Ritter inmediatamente afirmó que Julia lo invitó a su casa y tuvieron sexo en su cama, por eso sus huellas dactilares estaban por toda la casa y en la botella. Julia lo negó, pero era su palabra contra la de él y dado que uno de esos videos sexuales mostraba a Ritter haciendo lo suyo con la bella Julia, las cosas no se veían bien para ella en la prensa local. Era una mujer relajada cuya palabra no significaba nada. Todo eso se explicaría o se reduciría a un simple caso de Él dijo/Ella dijo.

Ritter no pudo explicar que sus huellas dactilares se encontraran en una jeringa que contenía digital y que se encontró en el contenedor de objetos punzocortantes de la habitación de Craig Miller. Nunca pensó que lo buscarían, así que no se molestó con los millones de guantes quirúrgicos que lo rodeaban.

Ritter tampoco pudo explicar que sus huellas dactilares se levantaran inesperadamente del recipiente desechable de bebidas frías que Ricardo encontró en la papelera de la habitación del hospital de Julia. Demonios, no creía que se pudieran sacar huellas de una cosa así. Parecía que se habían hecho algunos avances en la ciencia forense desde su desafortunada salida de la fuerza.

En general, Ritter enfrentaba tiempos difíciles por cargos de intento de asesinato y asesinato en primer grado.

Pronto, los reporteros se irían por un tiempo, pero cuando llegara el momento del juicio de Ritter, regresarían. Cuando eso sucedía, traían consigo los periódicos nacionales y los equipos de televisión. Demonios, Dateline ya estaba armando una historia sobre la zorra de los videos como los medios llamaban a Julia. Rick aguantaría con Julia hasta que terminara y los dos pudieran encontrar un poco de paz nuevamente.

"¿Estás listo para tu entrevista de mañana? ¿No crees que lo estás presionando?" preguntó mientras regresaba a la sala de estar con una de esas botellas de agua de manantial que parecía gustarle tanto.

Tenía una gran entrevista mañana, Willington colegio comunitario todavía buscaba ocupar su puesto en el Departamento de Inglés y Julia había tenido la suerte de conseguir otra entrevista ante el escándalo. "Estaré bien, es solo una entrevista". Todavía estaba débil y se cansaba muy fácilmente, Doc dijo que eso sucedería durante el próximo mes y después de eso comenzaría a sentirse más como antes. "Nadie dice que conseguiré el trabajo". No sabía quién contrataría a una mujer cuyas aventuras sexuales habían sido transmitidas por todo el estado de Vermont. Fue un milagro que consiguiera la entrevista y mucho menos conseguir el trabajo.

"Nadie dice que no lo harás", respondió, "no creo que volver al trabajo tan pronto sea una buena idea..."

Julia suspiró. "¿Está hablando el doctor Mason o Rick?"

"Ambos", admitió, "soy tu Amante. Puedo preocuparme por ti y preocuparme por ti si quiero".

"Así es", sonrió y se movió a través del sofá para acurrucarse junto a él. Le pasó el brazo por los hombros y la tapó con la manta. "Me alegro de que estés aquí. Gracias".

Estaba igualmente contento de estar donde estaba, aquí con ella. La vida era frágil y no debería esperar. No debería tener miedo. Casi la pierde, como la vida, el tiempo era algo precioso. Metió la mano en su bolsillo y sacó el anillo de la escuela secundaria todavía en la cadena. "¿Qué dices, Rosie? ¿Quieres ser mi chica? De verdad esta vez. Solo tú y yo, nadie más".

Julia alcanzó el anillo. "Pensé que nunca me lo pedirías".

Él la pasó alrededor de su cuello y la besó larga y profundamente. Sus labios hormiguearon y su corazón latió el doble de rápido. Por muchas mujeres con las que se había acostado, tanto serias como solo por la noche, ninguna mujer lo había hecho sentir así. Ninguna mujer prendió fuego a su cuerpo, mente y alma como Julia. Ningún par de labios dijo jamás; Te deseo, como la de ella.

No importa cuán breve pudiera resultar, había un futuro aquí. Uno que no estaba solo o lleno de miseria autoinfligida. Una vez dijo que todos estábamos dañados y perdidos. Todos éramos humanos. Con ella eso estaba bien, no había vergüenza en ser dañado o perdido o ser humano. Ella lo aceptó con los brazos abiertos, verrugas, defectos, arrogancia farisaica y todo. No quería nada más que acercarse a ella, de un ser humano a otro y confesarle todo lo que sentía. "No me dejes, Rosie".

Mirándolo hacia arriba y hacia esos hermosos ojos azules brillantes, pero ligeramente confusos, ella le sonrió. Rick dijo una y otra vez que la visita de Craig al hospital era solo una alucinación, tal vez lo era. Pero, sea lo que sea, estaba bien. Estuvo bien. Podía verlo en los ojos azul acero de Rick. Él la amaba. Simplemente no estaba listo para admitirlo todavía. "Nunca." Ella prometió y lo besó de nuevo.

El fin
Esta historia continúa con "No me arrepientas".

Libros de Lisa Beth Darling

Ficción:

DE LA GUERRA Serie

El corazón de la guerra

Hijo de la guerra: ha nacido un dios

Nochebuena en el Olimpo

Hijo de War-Rising Son

mujeres de guerra

reinos de guerra

Serie hermana cristiana

Génesis

Pecados del padre

Formas misteriosas

Hijo pródigo

La serie de documentos

en una calurosa noche de verano

Lluvia fría de noviembre

No me arrepientas

Novelas/Historias independientes

Tejedor de sueños

OBSESIÓN

El primer pecado (al sur del Edén)

besos en la oscuridad

No ficción:

La vergüenza del dominio eminente-Fort Trumbull

Una ventana a la herboristería mágica

Lisa's Lis-Help en el sureste de Connecticut

             Visitalisabethdarling.com[1]para más información

---

1. http://www.lisabethdarling.com

Don't miss out!

Visit the website below and you can sign up to receive emails whenever Lisa Beth Darling publishes a new book. There's no charge and no obligation.

https://books2read.com/r/B-A-SBKV-IVSLC

BOOKS 2 READ

Connecting independent readers to independent writers.

Milton Keynes UK
Ingram Content Group UK Ltd.
UKHW010705080823
426520UK00001B/149

9 798223 810933